Michael L. Ross

A MALDIÇÃO DO PETRÓLEO

Como a riqueza petrolífera molda o desenvolvimento das nações

Intro

Nathali

Título original: *The Oil Curse*

A Maldição do Petróleo
1ª edição em português
Imagem: © Edelweiss/Dollar Photo Club
Direitos reservados desta edição: CDG Edições e Publicações

Tradução e Revisão
Giselle Viegas

Autor
Michael L. Ross

Capa
Pâmela Siqueira

Assistente de criação
Dharana Rivas

Projeto Gráfico e Editoração
Rodrigo Saldanha de Abreu

DADOS INTERNACIONAIS DE CATALOGAÇÃO NA PUBLICAÇÃO (CIP)

R823m Ross, Michael
A maldição do petróleo / Michael Ross – Porto Alegre : CDG, 2015.
320 p.

1. Economia. 2. Globalização. 3. Petróleo - Atualidades. 4. Petróleo – Pro dução. I. Título.

CDD – 338.27282

Bibliotecária Andreli Dalbosco – CRB 10-2272

ISBN: 978-85-68014-04-2

Produção editorial e distribuição:

Site: www.citadeleditora.com.br
E-mail: contato@citadeleditora.com.br

Conteúdo

Tabelas

Introdução

Um antídoto para a maldição

A desgraça já recaiu sobre tantas nações, que fica difícil entender como ninguém nota seus primeiros sinais. Diante do escândalo de corrupção na Petrobras, comecei a identificar os sintomas do que já havia visto de perto na Venezuela e em países do Oriente Médio e, nessa pesquisa, me deparei com a obra de Michael Ross. Diversos estudiosos descreviam os sintomas e as consequências da chamada "maldição dos recursos naturais", que começou a ser debatida nos anos 90 de maneira vaga. Ross estreitou o fenômeno conhecido como maldição do petróleo no final da década. Segundo ele, a maioria dos países que descobre a commodity percebe que ela cria problemas políticos e conflitos e gera menos benefícios do que eles esperam. Portanto, o que poderia ser o bilhete premiado da loteria se transforma em um freio para o desenvolvimento das instituições e um fomentador de conflitos. Enfim, uma verdadeira maldição.

Por que isso acontece? De maneira simples e didática, como fica evidente nas páginas que seguem essa introdução, o autor demonstra como a maioria dos recursos provenientes do petróleo cai nas mãos dos governos e o que isso significa para países onde a democracia está em processo de consolidação, como o nosso. Não é inevitável, mas a indústria petrolífera é uma das mais difíceis de serem geridas corretamente. As bases petrolíferas e o valor estratégico da commodity dão margem a pouca transparência e grande concentração de receita nas mãos do Estado. Isso significa que, quando os preços estão altos, os governos se tornam mais ricos e poderosos se comparados aos cidadãos. O resultado pode ser bom ou ruim. Se o governo é transparente e bem administrado, presta contas aos cidadãos, o dinheiro provavelmente beneficiará o país. É o caso de nações como a Noruega, que criou um fundo de reserva que permite ao governo gastar apenas 4% do montante gerado pelo petróleo, a fim de garantir que as próximas gerações também se beneficiem do recurso mineral. Contudo, se o Estado não for democrático ou bem administrado, o resultado será corrupção e repressão. Na Nigéria, os rebeldes usaram dinheiro do petróleo para financiar campanhas violentas contra o governo. Na Colômbia, as FARC usaram dinheiro da droga e também do combustível para abastecer a guerrilha.

Outro exemplo é a Venezuela. O falecido presidente Hugo Chávez se beneficiou da gradativa alta do preço para fortalecer o assistencialismo, destruir o aparato produtivo do país e transformar a Petróleos de Venezuela (PDVSA) em uma empresa sucateada que serve unicamente aos interesses do Executivo, sejam eles retirada de petróleo do solo para clientelismo regional ou distribuição de alimentos para partidários do governo. Em 2002, a estatal demitiu quase 20.000 funcionários por diferenças ideológicas e começou um intenso aparelhamento da empresa, que tinha alguns dos profissionais mais qualificados da área. Hoje, a Venezuela sofre de escassez, e a inflação pode fechar o ano na marca dos três dígitos. O Banco Central sustenta a petroleira, que produzia 3,7 milhões de barris do ouro negro diários em 1997 (antes da eleição de Hugo Chávez) e agora, quase vinte anos depois, foi escalpelada. De acordo com a estimativa oficial, as exportações de petróleo não superam os 2,4 milhões de barris ao dia.

Nos anos 90, a estatal de petróleo mais bem administrada era a venezuelana PDVSA, uma companhia que não sofria interferência política e empregava os melhores profissionais e economistas da Venezuela. Assim como a PDVSA, a Petrobras era um exemplo de empresa bem administrada. Ross via a participação da iniciativa privada e o investimento em exploração, que levou ao descobrimento do pré-sal, como alguns dos pontos positivos da empresa brasileira. Contudo, em entrevista concedida à Veja (publicada nas Páginas Amarelas na edição do dia 17 de dezembro de 2014), se disse decepcionado com a descoberta da roubalheira que sangrou a Petrobras em pelo menos 10 bilhões de reais. "Quando um indivíduo coloca seu dinheiro em um banco, quer que ele seja administrado pelo profissional mais experiente e inteligente, alguém que realmente saiba como proteger e fazer render esse capital. Essa pessoa jamais confiaria suas economias a um político, cujo propósito é manter-se no poder e vencer as próximas eleições. O mesmo vale para uma empresa de petróleo", me disse Ross. A indústria petroleira é a mais afetada pela corrupção, segundo a OECD. Não ter licitações competitivas para contratos é sempre um problema que contribui para a proliferação da maldição do petróleo. Cerca de 88% dos contratos assinados pela Petrobras entre 2003 e 2014 tiveram dispensa de licitação. É o ambiente perfeito para a corrupção e o desperdício do dinheiro que pertence a todos os brasileiros.

A análise de Ross também reflete o cenário político brasileiro. Preços altos do petróleo são sempre bons para políticos em países com grandes reservas do recurso mineral e mudam o perfil de seus governantes. Isso acontece nos Estados Unidos, na Rússia e no Brasil. Como lembrou em entrevista publicada nas páginas amarelas da Veja*, o PT chegou ao poder em 2002, quando o preço do petróleo estava muito baixo, e se beneficiou de preços muito altos. Sempre que o preço está alto, o governo tem mais dinheiro, pode comprar mais poder popular e fica mais fácil ganhar eleições. Então, qualquer que seja o partido no poder quando a tarifa sobe, tende a se tornar mais popular e poderoso. Vimos isso na Venezuela: Chávez chega ao poder em 1998, quando o preço está bem baixo e depois a tarifa sobe; ele e seu partido ficam muito poderosos. Vimos isso na Rússia: Vladimir Putin chegou ao poder em

1999, quando os valores subiram e ele se tornou um herói. Preços altos significam que o governo tem muito mais recursos e pode fazer mais.

O que pode ser feito para evitar a maldição? O primeiro passo é conhecê-la e identificá-la. Fica evidente que em vez de investir em infraestruturas muito ambiciosas, é preciso cautela para pensar no investimento a longo prazo, calcular riscos e investir no que for mais vantajoso para a população, ao invés de apelar para medidas populistas. Ross nos lembra de que é impossível prever os preços da commodity ou acreditar que os ciclos de alta das cotações serão eternos, por isso muitos países ricos em petróleo nos anos 1970, como o Iraque e a Nigéria, começaram a construir projetos ambiciosos que tiveram de abandonar quando o preço caiu nos anos 1980. Exatamente como acontece hoje com os estaleiros brasileiros.

Em 2008, a descoberta do pré-sal foi classificada como "bilhete premiado" pelo então presidente Lula. A promessa de riqueza em abundância exacerbou a corrupção e gerou outros indesejáveis subprodutos. Um deles foi a retração da promissora indústria do etanol. Orgulho nacional, o setor parecia ter a inexorável vocação de se tornar o primeiro reduto de alta tecnologia com desenvolvimento *made in Brazil*. Nascido ainda no final da década de 70, ironicamente alcançou o apogeu durante o primeiro mandato de Lula, período em que investimentos bilionários fizeram brotar centenas de usinas pelo interior do país. A expectativa de abastecer o mundo com o combustível renovável aqui produzido à base de cana levou inclusive a principal entidade representante dos produtores a contratar escritórios de lobby nos Estados Unidos para anular a sobretaxa que encarecia o etanol brasileiro no maior mercado mundial. Quando isso ocorresse, a nova matriz energética, limpa e renovável, ganharia o passaporte para rodar o mundo. Quando a sobretaxação foi abolida, a produção brasileira já se encontrava deprimida. A partir da descoberta do petróleo do pré-sal, a prioridade e os investimentos do governo se voltaram à extração do "bilhete premiado", relegando o combustível extraído dos canaviais à própria sorte. A política de intervenção do governo no mercado de combustíveis, ao segurar o preço da gasolina para conter a inflação e, por tabela, estabelecer uma espécie de teto para o preço do etanol, também ajudou a deflagrar a crise nessa indústria.

Desde então, dezenas de usinas foram fechadas, a produção caiu e somente agora o setor volta a ser encarado com mais atenção. Outra questão relacionada ao pré-sal e que foi objeto de intenso debate diz respeito à política de conteúdo nacional para a compra ou produção de equipamentos para o setor. No período anterior ao governo do PT, as encomendas eram feitas a fabricantes estrangeiros e nacionais, orientadas pela lógica do menor preço e da melhor qualidade. O governo, eventualmente, até tinha o nobre objetivo de desenvolver a indústria local. Contudo, da forma como foi feita, com tanta proteção de mercado e preferência ao conteúdo local, havia o risco grande de atraso no cronograma de exploração do pré-sal, o que de fato se concretizou; ou seja, mais uma vez, o governo assumiu que a bonança advinda das cotações nas alturas duraria para sempre. Após a ascensão do PT, e principalmente depois da localização do pré-sal, a opção passou a ser pelos estaleiros nacionais, com o objetivo de reerguer um setor combalido na indústria nacional. Como explica Ross, a descoberta do ouro negro leva os Estados a decisões mais imprudentes, especialmente em relação a gastos militares (o Brasil fez uma parceria com a França para construir navios de propulsão nuclear para proteger o pré-sal, um gasto injustificado, segundo qualquer avaliação histórica ponderada). Mais uma decisão populista que cobra do brasileiro mais dinheiro e entrega menos eficiência.

Talvez ainda haja tempo de evitar que o Brasil fique inebriado pelo ouro negro. Diferentemente da Venezuela, do México da segunda metade do século XX, da Rússia ou dos grandes produtores da África e do Oriente Médio, o Brasil jamais viu jorrar de seus campos petrolíferos óleo suficiente para garantir a manutenção de seus projetos políticos e assistencialismo desenfreado. Para isso, é fundamental conhecer o que nos ensina Michael Ross nesse estudo.

Nathalia Watkins

Prefácio

Quem sonha em ganhar na loteria ou encontrar um tesouro enterrado acredita que um grande lucro inesperado vai tornar sua vida melhor. Para muitos países em desenvolvimento, porém, a descoberta de recursos naturais valiosos pode ter consequências estranhas e, às vezes, até mesmo politicamente prejudiciais. Esse livro explica as origens e a natureza dessa "maldição" e como ela pode ser sanada.

Desde que comecei a pesquisar essa questão no final de 1990, muita coisa mudou. Os estudos anteriores sobre a maldição dos recursos naturais concentravam-se na misteriosa explosão das commodities da década de 1970, que produziu montanhas de dinheiro, mas pouco crescimento sustentado na maioria dos países ricos nesses recursos. Desde 2000, tem ocorrido uma nova explosão nos preços das commodities, gerando uma nova inundação de receitas para os países produtores de minerais e despertando, uma vez mais, interesse nos efeitos perversos da riqueza de recursos. Esse novo boom proporcionou aos estudiosos novos dados sobre as relações entre recursos naturais, economia e política.

O cenário político também mudou. Muitos países exportadores de petróleo adotaram novas instituições para gerir suas receitas inesperadas. Graças às pressões de organizações não governamentais (ONGs), novos acordos internacionais foram firmados para tentar cessar o comércio ilegal de diamantes em zonas de conflito e promover a transparência das receitas nos setores de petróleo, gás natural e minerais. O Banco Mundial e o Fundo Monetário Internacional (FMI), que eu critiquei em um relatório da Oxfam de 2001 por financiar projetos de mineração que pouco fizeram para ajudar os pobres, abraçaram a causa das reformas do setor extrativo.

Quando comecei a escrever esse livro, em 2005, reexaminei meus próprios estudos publicados anteriormente, que sugeriam que a riqueza advinda dos recursos naturais tornava os países menos democráticos e mais propensos a guerras civis. Para meu embaraço, achei mais do que alguns erros, omissões e suposições de difícil defesa. Alertado por alguns céticos notavelmente inteligentes como Michael Herb, Stephen Haber, Victor Menaldo, Gavin Wright, Robert Conrad, Michael Alexeev, Erwin Bulte e Christina Brunnschweiler, decidi lançar um novo olhar sobre os dados.

Tive algumas surpresas. Afirmações que eu assumia como verdadeiras, como, por exemplo, a de que a riqueza do petróleo estava relacionada ao lento crescimento econômico e a um governo e instituições públicas fracos, estavam provavelmente erradas. Outras conclusões mostraram-se sustentadas, porém de formas modificadas. Padrões que eu considerava perfeitamente elucidados, como a relação entre o petróleo e o autoritarismo e o petróleo e as guerras civis, apresentavam-se ainda incompletos. O petróleo parecia ter um efeito mais incisivamente nocivo do que outros tipos de recursos minerais, e passei a analisar o papel de fatores que eu havia ignorado. Um deles era o impacto da riqueza do petróleo sobre as oportunidades econômicas para as mulheres, com consequências diretas sobre seus direitos políticos, o crescimento da população e o crescimento econômico a longo prazo.

A maior surpresa talvez tenha sido o fato de que a maldição dos recursos naturais, como a conhecemos hoje, é um fenômeno novo. Os países ricos em petróleo possuíam características há muito estabelecidas como distintas (ainda antes de 1980, e havia relativamente poucas diferenças políticas entre os países produtores e os não produtores de petróleo. A turbulência nos mercados globais de energia na década de 1970 parece ter provocado a maldição dos recursos naturais através da produção de um aumento drástico no volume e na volatilidade das receitas do governo nos países produtores de petróleo. Uma vez que consegui compreender melhor a dinâmica da maldição do petróleo, desenvolvi novas ideias sobre como atenuá-la.

Ao longo do processo de criação do livro, acabei contraindo um número absurdamente grande de dívidas. Recebi uma generosa doação do Revenue Watch Institute em 2006 que me permitiu trabalhar exclusivamente nesse projeto por mais de um ano. Minha gratidão ao Revenue Watch Institute, no entanto, vai muito além dessa doação: atuar em seu conselho consultivo tem me dado uma compreensão mais completa dos desafios enfrentados pelos países ricos em recursos naturais e a chance de conhecer o trabalho notável da organização em diversos países. A instituição também me colocou em contato com dezenas de profissionais, acadêmicos e ativistas que têm compartilhado magnanimamente sua amizade e seu conhecimento comigo, incluindo Karin Lissakers, Anthony Richter, Joe Bell, Anthony Venables, Bob Conrad, Antoine Heuty, Chandra Kirana, Julie McCarthy, Vanessa Herringshaw e muitos outros.

Ao longo dos anos, tive o privilégio de conhecer alguns dos estudiosos que foram os pioneiros no estudo das relações entre commodities e política, incluindo Bill Ascher, Richard Auty, Alan Gelb e Terry Karl, e espero que a minha própria pesquisa possa contribuir para as deles. Minha dívida com outra figura pioneira, Paul Collier, vai ainda mais longe: seus estudos sobre recursos naturais, pobreza, economia e política me inspiraram desde o início da minha carreira. Em 2000, ele me convidou para passar um ano no Banco Mundial como pesquisador visitante e, ao longo dos anos, me introduziu em muitas iniciativas acadêmicas e políticas. Sua pesquisa, generosidade e amizade moldaram esse livro de inúmeras maneiras.

Em 2009, enviei um primeiro rascunho desse livro a alguns colegas. Muitos foram generosos o suficiente para me fornecer suas primeiras impressões. As sugestões de Pierre Englebert, Kevin Morrison, Desha Girod, Antoine Heuty, Patrick Heller, Hiroki Takeuchi e Ragnar Torvik foram incrivelmente úteis.

Busquei a opinião de dois amigos em particular. Macartan Humphreys e Erik Wibbels são dois dos mais inteligentes cientistas sociais da atualidade, e sei que ambos têm pensado profundamente sobre as políticas que regem a riqueza dos recursos naturais. Eles me deram sugestões extremamente detalhadas que se tornaram orientações essenciais para o projeto final. Ambos foram extremamente generosos concedendo-me seu tempo e sua amizade.

Beneficiei-me imensamente ao discutir trechos do meu livro em progresso com acadêmicos e estudantes de muitas instituições, notadamente da Brigham Young University, da Georgetown University, do MIT, da Rand Graduate School, da Universidade da Califórnia em San Diego, da Universidade da Pensilvânia e da Universidade de Yale. Os organizadores do Lone Star Security Forum, especialmente Eugene Gholz, foram indescritivelmente gentis e dedicaram uma manhã para desmembrar meu manuscrito; as percepções detalhadas de Monica Toft me fizeram repensar muitos pontos. Na Brigham Young University, Scott Cooper me forneceu impressões que se tornaram parte central da minha argumentação.

Desde 2001, a Universidade da Califórnia em Los Angeles tem me proporcionado um reduto intelectual maravilhoso. O Departamento de Ciências Políticas, habilmente presidido ao longo da última década por Mike Lofchie e Ed Keller, tem me dado a oportunidade de conviver com colegas maravilhosos e com amigos próximos. Sou especialmente grato a Barbara Geddes, Dan Posner, Dan Treisman e Jeff Lewis, que me guiaram através de territórios desconhecidos enquanto eu concluía o livro. A Universidade da Califórnia em Los Angeles também me deu a oportunidade de trabalhar com alunos excepcionais, muitos dos quais me ajudaram a realizar a pesquisa que sustenta o livro. Entre eles estão Mac Bunyanunda, Elizabeth Carlson, Paasha Mahdavi, Brian Min, Jeff Paris, Anoop Sarbahi, Ani Sarkissian e Risa Toha. Ruth Carlitz, Paasha Mahdavi e Eric Kramon vasculharam o penúltimo esboço e ajudaram a torná-lo mais consistente e coerente.

Por quase duas décadas, Tom Banchoff tem sido um amigo e conselheiro indispensável; sua sabedoria e encorajamento têm me orientado através das fases mais difíceis do processo de escrita. Partes fundamentais do livro surgiram a partir de longas conversas com Andreas Wimmer; seus abrangentes comentários sobre um esboço anterior me ajudaram a melhorar drasticamente o manuscrito. Na Princeton University Press, meu editor Chuck Myers ofereceu incentivo e orientação desde os primórdios do processo de publicação e tolerou pacientemente muitos prazos perdidos. Dimitri Karetnikov transformou figuras confusas em elegantes gráficos e ilustrações, e Cindy Milstein aprimorou minha prosa desajeitada.

Conheci minha esposa, Tina, logo após começar a escrever esse livro. Ela não colaborou com qualquer parte da pesquisa ou da escrita. Se nós não tivéssemos nos conhecido e se nosso lindo filho, Adam, não tivesse nascido, eu poderia ter terminado o livro um pouco mais rapidamente. Mas ela me deu uma vida melhor do que eu imaginava ser possível, e eu dedico a ela esse livro.

Abreviações

AIOC	Anglo-Iranian Oil Company (Companhia Petrolífera Anglo-Iraniana)
EITI	Extractive Industries Transparency Initiative (Iniciativa para a Transparência nas Indústrias Extrativas)
GAM	Aceh Freedom Movement (Movimento de Libertação de Achém)
PIB	Produto interno bruto
MGM	Método generalizado dos momentos
FMI	Fundo Monetário Internacional
CIP	Companhia internacional de petróleo
IPC	Iraqi Petroleum Company
ONG	Organização não governamental
OCDE	Organização para a Cooperação e Desenvolvimento Econômico
MQO	Mínimos quadrados ordinários
OPEP	Organização dos Países Exportadores de Petróleo
PDVSA	Petróleos de Venezuela S.A.
PEMEX	Petróleos Mexicanos
PRI	Partido Revolucionário Institucional (México)

Abreviações países

Abreviações de países
Afeganistão AFG
Alemanha DEU
Albânia ALB
África do Sul ZAF
Angola AGO
Arábia Saudita SAU
Argélia DZA
Argentina ARG
Armênia ARM
Austrália AUS
Áustria AUT
Azerbaijão AZE
Bahamas BHS
Bahrein BHR
Bangladesh BGD
Barbados BRB
Belarus BLR
Bélgica BEL
Belize BLZ
Benim BEN
Bolívia BOL
Bósnia BIH
Botswana BWA
Brasil BRA
Brunei BRN
Bulgária BGR
Burkina Faso BFA
Burundi BDI
Butão BTN
Camboja KHM
Camarões CMR
Canadá CAN
Cabo Verde CPV
Catar QAT
Cazaquistão KAZ
Central Africana, Rep. CAF
Chade TCD
Checa, República CZE
Chile CHL
China CHN
Chipre CYP
Cingapura SGP
Colômbia COL
Comores COM

Congo, Rep. Dem. ZAR
Congo, República do COG
Costa Rica CRI
Costa do Marfim CIV
Coreia (do Norte) PRK
Coreia (do Sul) KOR
Croácia HRV
Cuba CUB
Dinamarca DNK
Dominicana, República DOM
Djibuti DJI
Emirados Árabes Unidos ARE
Egito EGY
El Salvador SLV
Equador ECU
Eritrea ERI
Eslovaca, República SVK
Eslovênia SVN
Espanha ESP
Estados Unidos EUA
Estônia EST
Etiópia ETH
Filipinas PHL
Fiji FJI
Finlândia FIN
França FRA
Gabão GAB
Gâmbia GMB
Geórgia GEO
Gana GHA
Grécia GRC
Guatemala GTM
Guiné GIN
Guiné-Bissau GNB
Guiné Equatorial QNG
Guiana GUY
Haiti HTI
Holanda NLD
Honduras HND
Hungria HUN
Iêmen YEM
Islândia ISL
Índia IND
Indonésia IDN
Irã IRN
Iraque IRQ
Irlanda IRL
Israel ISR
Itália ITA
Jamaica JAM
Japão JPN
Jordânia JOR
Kuwait KWT
Laos LAO
Letônia LVA
Líbano LBN
Lesoto LSO
Libéria LBR
Líbia LBY
Lituânia LTU
Luxemburgo LUX
Macedônia MKD
Madagascar MDG
Malaui MWI
Malásia MYS
Maldivas MDV
Mali MLI
Malta MLT
Mauritânia MRT
Maurícias, Ilhas MUS
México MEX
Moldova MDA
Mongólia MNG
Marrocos MAR
Moçambique MOZ
Mianmar MMR
Namíbia NAM
Nepal NPL
Nicarágua NIC
Níger NER
Nigéria NGA
Noruega NOR
Nova Zelândia NZL
Omã OMN
Panamá PAN
Paquistão PAK
Papua Nova Guiné PNG
Paraguai PRY
Peru PER
Polônia POL
Portugal PRT
Quênia KEN
Quirguistão, Rep. KGZ
Reino Unido GBR
Romênia ROM
Rússia RUS
Ruanda RWA
Senegal SEN
Sérvia YUG
Serra Leoa SLE
Salomão, Ilhas SLB
Somália SOM
Sri Lanka LKA
Sudão SDN
Suriname SUR
Suazilândia SWZ
Suécia SWE
Suíça CHE
Síria SYR
Taiwan TWN
Tajiquistão TJK
Tailândia THA
Tanzânia TZA
Togo TGO
Trinidad e Tobago TTO
Tunísia TUN
Turquia TUR
Turquemenistão TKM
Uganda UGA
Ucrânia UKR
Uruguai URY
Uzbequistão UZB
Venezuela VEN
Vietnã VNM
Zâmbia ZMB
Zimbábue ZWE

Capítulo Um

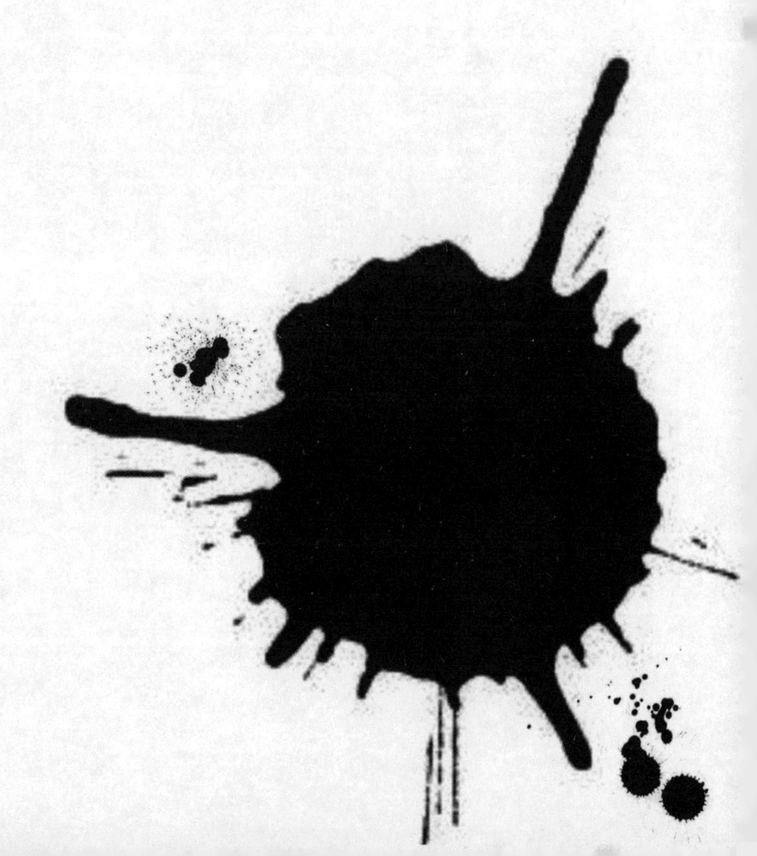

O Paradoxo da Riqueza das Nações

"É o excremento do diabo. Estamos afogados no excremento do diabo."
- Juan Pablo Pérez Alfonso, ex-Ministro do Petróleo da Venezuela

"Gostaria que o seu pessoal tivesse encontrado água."
- Rei Idris da Líbia, ao ser informado de que um consórcio norte-americano encontrara petróleo.

Desde 1980, o mundo em desenvolvimento tem se tornado mais rico, mais democrático e mais pacífico. Isso, no entanto, só é verdadeiro para países que não têm petróleo. Os países ricos em petróleo, espalhados pelo Oriente Médio, pela África, América Latina e Ásia, não estão mais ricos, democráticos ou pacíficos do que eram há três décadas atrás. Alguns encontram-se, mesmo, em situação pior. De 1980 a 2006, a renda per capita caiu 6% na Venezuela, 45% no Gabão e 85% no Iraque. Muitos países produtores de petróleo como Argélia, Angola, Colômbia, Nigéria, Sudão e, novamente, Iraque foram marcados por décadas de guerras civis.

Todos esses problemas políticos e econômicos constituem a chamada maldição dos recursos naturais. Ou, mais precisamente, maldição dos recursos minerais, já que outros tipos de recursos naturais como florestas, água doce ou terras agrícolas férteis não contribuem para a origem dos problemas. Entre os minerais, o petróleo, que responde por mais de 90% do comércio mundial de minerais, é o responsável pelos problemas mais graves para a maioria dos países. A maldição dos recursos é, predominantemente, uma maldição do petróleo.[1]

Antes de 1980, havia pouca evidência de uma maldição dos recursos. No mundo em desenvolvimento, a probabilidade de que os países produtores de petróleo tivessem governos autoritários e fossem acometidos por guerras civis era a mesma dos países não produtores. Hoje, os países produtores de petróleo têm 50% mais chances de serem governados por autocratas e são duas vezes mais propensos a ter

[1] Uso o termo "petróleo" para fazer referência ao petróleo e ao gás natural e os termos "riqueza do petróleo", "produção de petróleo" e "renda do petróleo" indistintamente. No anexo 1.1, explico minha definição e mensuração do valor da produção de petróleo e gás natural de um país. Classifico os países como "produtores de petróleo" se eles geraram pelo menos US$ 100 per capita (em dólares de 2000) em renda de petróleo e gás natural em um determinado ano. Em 2009, havia 56 países produtores de petróleo espalhados por todas as regiões do globo (consulte a tabela 1.1).

guerras civis do que os países não produtores. Seus governos também tendem a ser menos transparentes, e sua economia é mais volátil. Nesses países, as mulheres têm menos oportunidades de participação política e econômica. Desde 1980, uma boa geologia tem levado a políticas ruins.

Os efeitos mais preocupantes desse flagelo são encontrados no Oriente Médio. A região detém mais da metade das reservas comprovadas de petróleo do mundo, mas fica muito atrás no progresso rumo à democracia, à igualdade entre os gêneros e às reformas econômicas. Grande parte do seu petróleo concentra-se em países afetados por décadas de guerra civil, como o Iraque, o Irã e a Argélia. Muitos observadores culpam as tradições islâmicas ou a herança colonial pelos males da região, no entanto, a verdade é que a riqueza do petróleo está na raiz de muitos dos problemas econômicos, sociais e políticos do Oriente Médio e representa um enorme desafio às reformas democráticas necessárias para saná-los.

Nem todos os países produtores de petróleo são suscetíveis à maldição. Países como a Noruega, o Canadá e a Grã-Bretanha, que têm receitas elevadas, economias diversificadas e instituições democráticas sólidas, extraem muito petróleo com poucos efeitos nocivos. Os Estados Unidos, que durante grande parte da sua história tem sido o maior produtor e, ao mesmo tempo, o maior consumidor de petróleo do mundo, também foram uma exceção na maioria dos aspectos. A riqueza do petróleo é predominantemente um problema dos países de baixa e média renda e não dos países ricos e industrializados. Isso cria, infelizmente, o que pode ser chamado de "ironia da riqueza do petróleo": os países com as necessidades mais urgentes são também os menos propensos a se beneficiar de sua própria riqueza geológica.

A maldição dos recursos é um fenômeno que não deveria ocorrer. Nas décadas de 1950 e 1960, os economistas acreditavam que a riqueza de recursos ajudaria os países, em vez de prejudicá-los. Acreditava-se que os países em desenvolvimento teriam abundância de trabalho, mas escassez de investimentos de capital. Países abençoados com a riqueza dos recursos naturais seriam a exceção, uma vez que teriam receitas suficientes para investir na infraestrutura (escolas, estradas, hospitais etc.) necessária para um desenvolvimento mais acelerado.[2]

Os cientistas políticos também acreditavam nas virtudes da riqueza de recursos. Segundo a teoria da modernização – visão sobre o desenvolvimento político predominante nas décadas de 1950 e 1960 e retomada posteriormente entre os anos 1990 e 2000 - o crescimento da renda per capita de um país levaria a melhorias em praticamente todas as dimensões da esfera política, incluindo a eficiência do setor público, a prestação de contas do governo à população e a emancipação das mulheres.[3]

Entre as décadas de 1950, 1960 e 1970, a sabedoria convencional esteve mais ou

---

[2] Consulte, por exemplo, Viner (1952), Lewis (1955), Spengler (1960) e Watkins (1963).

[3] Os exemplos incluem Lerner (1958), Lipset (1959), Inkeles e Smith (1974), Adsera, Boix e Payne (2003) e Inglehart e Norris (2003).

menos correta. Mas, a partir de 1970, algo começou a dar errado nos países produtores de petróleo.

Compreender a maldição dos recursos é importante tanto para os países exportadores quanto para os importadores de petróleo. Alguns argumentam que a localização de petróleo em países em conflito é apenas uma coincidência irritante. Segundo o ex-vice-presidente Dick Cheney, "o problema é que o bom Deus não se preocupou em colocar as reservas de petróleo e gás natural onde há governos democráticos".[4] Mas o problema não é a intervenção divina. Esses países sofrem com regimes autoritários, conflitos violentos e desordem econômica justamente porque são ricos em petróleo e o vendem para os países consumidores importadores.

A indústria do petróleo é a maior do mundo. Em 2009, US$ 2,3 trilhões em petróleo e gás natural foram bombeados para fora do solo. O petróleo e seus subprodutos respondem por 14,2% do comércio de commodities do mundo.[5] A demanda global por petróleo vai quase que certamente continuar crescendo nas próximas décadas, apesar da evidência esmagadora de que a queima de combustíveis fósseis está desestabilizando o clima do planeta. Para atender a essa demanda, a produção de petróleo está se espalhando para países cada vez mais pobres.

Em 2001, uma força-tarefa de energia liderada por Cheney chamou a atenção dos EUA para a necessidade de diversificar suas fontes de petróleo e reduzir sua dependência dos países politicamente conturbados do Oriente Médio. Contudo, encontrar novos fornecedores de petróleo na África, Ásia ou América Latina não melhorou a segurança energética dos EUA. Em vez disso, está fazendo com que a maldição dos recursos se espalhe para novos países. Os importadores de petróleo não podem disseminar a maldição, eles devem ajudar a contorná-la.

Esse livro traz um olhar mais abrangente sobre as consequências políticas e econômicas da riqueza do petróleo, especialmente nos países em desenvolvimento.[6] Através da análise de dados dos últimos 50 anos de 170 países em todas as regiões do mundo, poucas evidências podem ser encontradas para algumas das alegações feitas em estudos anteriores, como, por exemplo, a de que a extração de petróleo leva a um crescimento econômico anormalmente lento e torna os governos mais fracos e corruptos ou menos eficientes.[7] Em alguns aspectos, como a redução da mortalidade infantil, os países produtores típicos ultrapassaram os não produtores típicos.

---

[4] Citado em David Ignatius, "Oil and Politics Mix Suspiciously Well in America," Washington Post, 30 de julho de 2000.

[5] BP 2010; Comtrade da ONU, banco de dados, disponível em http://comtrade.un.org/db/

[6] Esse livro concentra-se no petróleo, ignorando os outros minerais. Entre os recursos minerais, o petróleo é o que parece ter maior impacto sobre a política dos países que o possuem. Se os demais recursos minerais carregam uma maldição semelhante ou não, é uma questão importante, mas que vai além do escopo desse livro.

[7] Como pode ser observado no prefácio: mea culpa. Alguns dos meus próprios estudos anteriores sustentavam essas afirmações.

No entanto, esse livro também mostra que, desde aproximadamente 1980, os países produtores de petróleo no mundo em desenvolvimento tornaram-se menos democráticos e menos transparentes do que países similares não produtores. Eles são mais propensos a ter revoltas internas violentas, e as suas economias proporcionam menos oportunidades de emprego e participação política às mulheres. Esses países também foram atingidos por um problema econômico mais sutil: apesar de estarem crescendo mais ou menos na mesma velocidade que outros países, a maioria deles não está crescendo tão rapidamente quanto deveria, dada a sua riqueza em recursos naturais.

A geologia, porém, não é um fator determinante do destino. Alguns países produtores de petróleo estão conseguindo escapar desses problemas. A Nigéria e a Indonésia fizeram transições para a democracia; no México e em Angola a participação das mulheres na economia e no governo tem aumentado significativamente; o Equador e o Cazaquistão evitaram a eclosão de guerras civis, e o Omã e a Malásia apresentaram crescimento econômico rápido, estável e equitativo. O objetivo desse livro é explicar as razões pelas quais o petróleo é tipicamente uma maldição, por que alguns países têm escapado da maldição e de que modo mais países podem transformar a maldição da riqueza de recursos naturais em uma bênção.

Quais são as causas da maldição do petróleo?

Por que o petróleo tem esses efeitos estranhos sobre a saúde política e econômica de um país? Alguns observadores culpam as potências estrangeiras de intervirem nos países ricos em petróleo e manipularem seus governos. Outros culpam as companhias petrolíferas internacionais de explorar esses recursos em busca de lucros extraordinários.

Ambos os argumentos contêm alguma verdade, mas nenhum resiste ao escrutínio. Os Estados Unidos, a Grã-Bretanha e a França têm periodicamente invadido ou apoiado golpes de Estado em muitos países produtores de petróleo, como ocorreu recentemente no Iraque. Mas eles também invadiram países sem petróleo.[8] Nas últimas décadas, muitos países produtores de petróleo, como, por exemplo, o Irã, a Líbia, a Venezuela, a Rússia, o Sudão e a Birmânia, não apenas mostraram-se invulgarmente imunes às pressões dos países ocidentais, como também os desafiaram ativamente, ainda que enfrentando os mesmos problemas de outros países ricos em petróleo mais submissos.

Ao longo da maior parte do século XX, companhias internacionais de petróleo como Shell, British Petroleum (BP), Exxon e Mobil tiveram notável influência sobre o destino dos países produtores de petróleo no mundo em desenvolvimento, e isso até poderia, de fato, justificar muitos dos problemas desses países. Porém,

[8] Sobre essa questão, consulte Soysa, Gartzke e Lin, 2009; Colgan, 2010b e Sarbahi, 2005.

o papel dessas companhias petrolíferas diminuiu drasticamente desde o início da década de 1970, quando a maioria dos países em desenvolvimento nacionalizou suas indústrias petrolíferas. Se as empresas estrangeiras fossem realmente a fonte do problema, a nacionalização deveria ter sido a cura. Esse livro, no entanto, mostra que os acontecimentos de 1970, incluindo a nacionalização, só agravaram os problemas dos países produtores de petróleo.

A maioria dos cientistas sociais aponta a maldição do petróleo para os governos dos países produtores de petróleo, porém não concorda em praticamente mais nada. Quase todos os estudos se concentram em apenas um dos problemas que parecem estar ligados ao petróleo, como o fraco desempenho econômico, a falta de democracia ou a frequência incomum de guerras civis. Eles oferecem muitas explicações para esses problemas, mas não abordam a suposta relação do petróleo com a corrupção, a caça à renda, a desigualdade, as políticas de visão estreita e o enfraquecimento das instituições públicas. Essas e outras teorias, algumas com fundamentos consistentes, outras nem tanto, são discutidas ao longo desse livro.

Meu argumento é de que os problemas políticos e econômicos dos países produtores de petróleo advêm das características incomuns das receitas do petróleo. O modo com que os governos usam essas receitas - para beneficiar poucos ou muitos - é certamente importante. Mas, independentemente de como serão usadas, as receitas do petróleo terão efeitos profundos e de longo alcance no bem-estar político e econômico de um país.

As receitas do petróleo têm quatro qualidades distintivas: sua escala, origem, estabilidade e confidencialidade.[9]

Sua escala pode ser enorme. O tamanho do setor público nos países produtores de petróleo é, em média, quase 50% (como fração da economia do país) maior do que nos países não produtores. Nos países de baixa renda, a descoberta de petróleo pode desencadear uma explosão nas finanças do setor público. De 2001 a 2009, por exemplo, o total de gastos do setor público aumentou em 600% no Azerbaijão e 800% na Guiné Equatorial. O volume dessas receitas possibilita aos governos autoritários silenciar mais facilmente a dissidência. É também uma das razões pelas quais tantos países produtores de petróleo têm insurreições violentas. As pessoas que vivem nas regiões ricas em petróleo de um determinado país muitas vezes querem uma parte maior dos lucros imensos arrecadados pelo governo central.

O volume dessas receitas, por si só, não pode explicar a maldição do petróleo. Muitos países europeus democráticos e pacíficos têm dimensões estatais maiores que as de muitos países produtores de petróleo autocráticos conflituosos. A fonte dessas receitas também é importante. Países financiados pelo petróleo não são fi-

[9] Outros estudiosos também têm enfatizado a importância das receitas do petróleo, embora geralmente concentrando-se em diferentes qualidades. Consulte, por exemplo, Karl (1997); Jensen e Wantchekon (2004); Morrison (2007) e Dunning (2008).

nanciados pelos impostos taxados sobre seus cidadãos, mas pela venda dos ativos detidos pelo Estado, ou seja, pela riqueza petrolífera de seu país. Isso ajuda a explicar por que tantos países produtores de petróleo são antidemocráticos: quando os governos são financiados por meio de impostos, tornam-se mais limitados pelos seus cidadãos; quando financiados pelo petróleo, tornam-se menos suscetíveis à pressão pública.

Outros problemas podem afetar a estabilidade, ou melhor, a instabilidade das receitas do petróleo. A volatilidade dos preços mundiais e a ascensão e queda das reservas de um país podem produzir grandes flutuações nas finanças de um governo. Os governos ficam sobrecarregados com tarefas que raramente são capazes de gerir por causa dessa instabilidade financeira, o que pode ajudar a explicar por que eles frequentemente desperdiçam sua riqueza de recursos. A instabilidade das receitas também agrava os conflitos regionais, dificultando o diálogo entre o governo e os rebeldes.

Por fim, a confidencialidade das receitas do petróleo agrava esses problemas. Os governos são, muitas vezes, coniventes com as companhias internacionais de petróleo, que costumam ocultar suas transações, e também usam as próprias companhias petrolíferas nacionais para esconder as receitas e as despesas. Quando Saddam Hussein era presidente do Iraque, mais da metade dos gastos de seu governo foram canalizados através da Companhia Nacional de Petróleo do Iraque, cujo orçamento era secreto.[10] Outros países têm práticas semelhantes. O sigilo é uma das principais razões pelas quais as receitas do petróleo são tão comumente perdidas para a corrupção, os ditadores conseguem permanecer no poder ocultando as provas de sua ganância e incompetência, e os insurgentes mostram-se relutantes em abdicar das armas. Eles desconfiam das promessas do governo de compartilhar e distribuir as receitas do petróleo do seu país de forma mais equitativa.

O petróleo tem outras qualidades incômodas. O processo de extração normalmente cria alguns benefícios diretos, mas muitos problemas socioambientais para as comunidades do entorno. As instalações de petróleo e gás natural têm grandes custos irrecuperáveis, o que as torna vulneráveis à extorsão. Quando produzido em grandes quantidades, o petróleo pode afetar as taxas de câmbio de um país e reduzir o tamanho dos setores agrícola e manufatureiro, o que, por sua vez, pode extinguir as oportunidades econômicas para as mulheres. Essas características podem nos dar mais percepções sobre os efeitos paradoxais da riqueza do petróleo e serão discutidas nos capítulos posteriores.

O fato político mais importante em relação ao petróleo, porém, e o motivo pelo qual ele causa tantos problemas em tantos países em desenvolvimento é que as receitas que proporciona aos governos são extraordinariamente vultuosas, não advêm de impostos, flutuam de forma imprevisível e podem ser facilmente escondidas.

[10] Alnasrawi, 1994.

Situando o Petróleo ao Longo da História

As receitas do petróleo nem sempre tiveram essas características, e a riqueza do petróleo nem sempre foi uma maldição.

Até os anos 1970, os países produtores de petróleo se pareciam muito com o resto do mundo: tinham aproximadamente a mesma probabilidade de ser governados por ditadores e de sofrer com guerras civis dos demais países, ofereciam mais ou menos os mesmos tipos de oportunidades às mulheres e o desenvolvimento econômico e as taxas de crescimento eram estáveis e bem acima da média mundial. Depois da década de 1970, tudo isso mudou.

Essa inversão foi, em grande parte, causada por mudanças nos mercados globais de petróleo entre as décadas de 1960 e 1970 que transformaram a escala, a fonte e a volatilidade das receitas de petróleo. Antes da década de 1970, o mundo do petróleo era dominado por um punhado de grandes empresas, amplamente conhecidas como "Sete Irmãs", que conspiravam para manter o controle do abastecimento mundial.[11] Em quase todos os países, as Sete Irmãs compravam ou dominavam subsidiárias locais que extraíam e exportavam petróleo. Elas também controlavam o transporte e a comercialização de quase todo o petróleo do mundo, o que lhes permitiu manter os preços estáveis e capturar a maior parte dos lucros. O poder militar e econômico dos Estados Unidos e de seus aliados europeus ajudou a manter esse arranjo altamente injusto.

Para os governos dos países ricos em petróleo, como o Irã, o Iraque, a Arábia Saudita, a Líbia, a Argélia, a Nigéria e a Indonésia, o poder dessas empresas era intolerável, uma vez que os privava do controle sobre os ativos de seu país e sobre os lucros. Desse modo, resolveram forçá-las a extrair mais ou menos petróleo, o que eles acreditavam que serviria aos interesses de sua nação.

Nas décadas de 1960 e 1970, os mercados internacionais de petróleo foram transformados por uma série de eventos estreitamente relacionados. O fornecimento de petróleo começou a crescer com mais força, uma vez que o aumento da demanda ultrapassou a descoberta de novas fontes. Os maiores exportadores de petróleo do mundo em desenvolvimento começaram a conspirar através da Organização dos Países Exportadores de Petróleo (OPEP). Os Estados Unidos também passaram a se tornar cada vez mais dependentes de fornecedores estrangeiros, já que a própria produção doméstica começou a declinar, enquanto o consumo aumentou. Além disso, o sistema de taxas de câmbio fixas Bretton Woods, que havia contribuído para manter os preços estáveis, ruiu.

[11] As sete empresas eram a Standard Oil, de New Jersey (mais tarde Exxon), a Standard Oil, da Califórnia (mais tarde, Chevron), a Anglo-Iranian Oil Company (mais tarde BP), a Mobil, a Texaco, a Gulf e a Royal Dutch Shell. Por volta de 2010, elas foram consolidadas em quatro empresas, a ExxonMobil, a BP, a Shell e a Chevron Texaco, e ainda estavam publicamente entre as maiores companhias de petróleo do mundo.

Talvez ainda mais importante tenha sido o fato de que quase todos os países exportadores de petróleo no mundo em desenvolvimento nacionalizaram suas indústrias de petróleo e, em seguida, criaram empresas estatais para geri-las.[12] Em toda parte, a nacionalização era vista como um triunfo, desencadeando gloriosas celebrações. O arquiteto da nacionalização do Iraque, Saddam Hussein, que na época era subsecretário-geral do Conselho do Comando Revolucionário, tornou-se famoso. A expropriação das companhias estrangeiras que ocorreu no México em 1938 ainda hoje é comemorada com um feriado nacional.

Em alguns aspectos, a nacionalização foi um passo gigante para os países produtores de petróleo. Eles ganharam maior controle sobre seus ativos e começaram a capturar uma parcela muito maior dos lucros do setor. Na década de 1970, eles também foram capazes de elevar os preços mundiais a níveis recordes, causando uma transferência de riqueza sem precedentes dos países importadores para os exportadores de petróleo.

Esses eventos transformaram as finanças dos países produtores de petróleo. As receitas dos governos cresceram drasticamente, graças à nacionalização e à disparada dos preços. Eles passaram a ser financiados pela venda de petróleo através de suas companhias nacionais e não mais pelos impostos e royalties sobre as empresas estrangeiras. Isso ajudou a manter as receitas do petróleo em sigilo. Os preços mundiais do petróleo e, portanto, as finanças dos governos, também começaram a flutuar de forma imprevisível.

A revolução nos mercados de energia tornou os países ricos em petróleo mais ricos e mais poderosos do que jamais imaginado. Mas, para seus cidadãos, os resultados foram, em muitos casos, desastrosos. A transmissão dos poderes das empresas estrangeiras para o setor público tornou mais fácil para os governantes silenciar a dissidência e sufocar as pressões por democracia. As minorias étnicas nas regiões produtoras de petróleo pegaram em armas para lutar por uma fatia maior das receitas do governo. Além disso, em muitos países, a onda de receitas produziu novos postos de trabalho para os homens, mas não para as mulheres. A maioria desses ganhos advindos do crescimento econômico na década de 1970, porém, foi perdida após a queda dos preços nos anos de 1980.

As Fronteiras do Petróleo

As mudanças nos mercados globais de energia estão fazendo com que a maldição do petróleo se espalhe. Nos próximos 25 anos, a demanda global por petróleo e outros combustíveis líquidos aumentará em cerca de 28% e a demanda por gás natural em cerca de 44% se as políticas energéticas atuais permanecerem inalteradas.

[12] Kobrin, 1980; Victor, Hults e Thurber, 2011.

Os Estados Unidos atualmente lideram a importação, mas a maior parte da nova demanda virá de países em desenvolvimento como a China e a Índia.[13]

As empresas estão perfurando cada vez mais em países de baixa renda a fim de atender a essa crescente demanda. Historicamente, já foi encontrado petróleo em países ricos. Desde o início da era do petróleo, em meados do século XIX, os países ricos têm apresentado uma probabilidade 70% maior de produzir petróleo do que os países pobres, não porque estão situados em territórios com mais petróleo, mas porque têm mais dinheiro para investir na localização e extração.[14] Hoje, as democracias ricas da América do Norte e da Europa atraem cerca de dez vezes mais investimento estrangeiro direto na mineração por quilômetro quadrado do que o resto do mundo (consulte a figura 1.1).

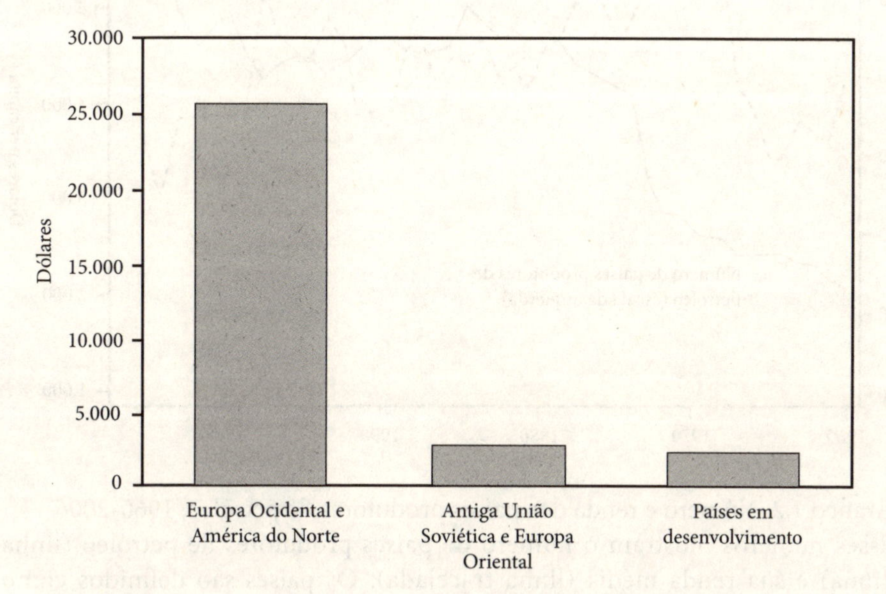

Gráfico 1.1. Investimento estrangeiro direto em indústrias extrativas em 2007

Esses números mostram o investimento estrangeiro direto na mineração e extração de petróleo no ano de 2007 expresso em dólares por quilômetro quadrado de território.

Fonte: dados da Conferência das Nações Unidas sobre Comércio e Desenvolvimento de 2009, Banco Mundial, n.d.

No novo milênio, isso começou a mudar: as fronteiras do petróleo se estenderam para países cada vez mais pobres. Após os choques nos preços na década

[13] Energy Information Administration, 2010.

[14] Entre 1857 e 2000, 63% de todos os países produtores de petróleo registraram renda média ou acima da média no ano de início da produção. Consulte o anexo 1.1.

de 1970, o número de países produtores de petróleo manteve-se relativamente estável, entre 37 e 44 países, de 1976 a 1998 (consulte o gráfico 1.2). De 1998 a 2006, o número de países produtores de petróleo aumentou de 38 para 57, sendo quase todos de média e baixa renda. Como o número de países produtores aumentou, a renda média caiu drasticamente da faixa de US$ 5.200 per capita em 1998 para apenas US$ 3.000 em 2004, indicando que países cada vez mais pobres juntaram-se ao grupo.

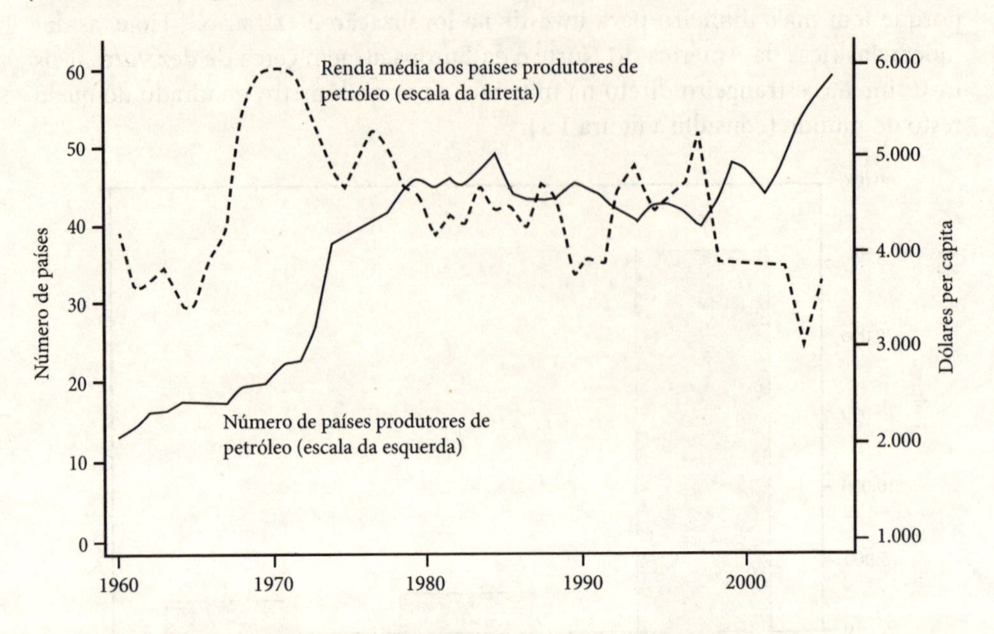

Gráfico 1.2. Número e renda dos países produtores de petróleo, 1960-2006

Esses números mostram o número de países produtores de petróleo (linha contínua) e sua renda média (linha tracejada). Os países são definidos como produtores de petróleo se geram pelo menos US$ 100 per capita (em dólares constantes de 2000) a partir da produção de petróleo e gás natural em um determinado ano.

Fonte: calculado a partir de dados da BP de 2010; Banco Mundial, n.d

Em janeiro de 1999, o petróleo era vendido por apenas US$ 10 o barril. Até junho de 2008, tinha subido para US$ 145 o barril. Graças ao aumento dos preços do petróleo, as empresas descobriram que os riscos de operar em países remotos e muitas vezes mal administrados foram sendo gradativamente superados pelos benefícios de encontrar novas reservas. Belize, Brasil, Chade, Timor Leste, Mauritânia e Moçambique tornaram-se, todos, exportadores de petróleo e gás natural a partir de 2004. Nos próximos anos, cerca de dezesseis novos países, a maioria pobres e situados na África, deverão ser incluídos nessa lista.[15] A maior parte das novas fontes de hidrocarbonetos do mundo virá de países em desenvolvimento nas próximas décadas.[16]

Isso significa que uma enxurrada de novas receitas de hidrocarbonetos está apenas começando a atingir alguns dos países mais pobres do mundo. Se não existisse a maldição dos recursos, essa seria uma notícia espetacular, uma oportunidade historicamente única de escapar da pobreza. Todavia, os países de baixa renda que mais precisam desesperadamente de dinheiro também são os mais propensos a ser atingidos pela maldição. A menos que algo seja feito, essas cascatas de receitas trarão prejuízos, e não benefícios, às pessoas que vivem nas fronteiras do petróleo.

Olhando para o Futuro

Minha análise começa no Capítulo 2, explicando por que as receitas do petróleo têm tais qualidades incomuns. Algumas dessas qualidades podem ser atribuídas às características econômicas distintas do setor: a propriedade das reservas de petróleo e gás natural pelos governos; o fato de que essas reservas podem se esgotar; os enormes investimentos iniciais que são necessários para extraí-los; os lucros extraordinários que podem gerar; o efeito prejudicial que a extração pode ter sobre outros tipos de negócios, causando a valorização da moeda; a capacidade de operar como enclaves econômicos e a sensibilidade dos preços do petróleo a pequenas mudanças na oferta e na demanda.

Muitas dessas características são observadas na indústria do petróleo desde o século XIX. Mas as receitas do petróleo também foram moldadas por fatores mais recentes, como o encolhimento do suprimento global de combustíveis fósseis devido ao aumento da demanda e do consumo; a extinção do sistema de taxas de câmbio fixas Bretton Woods; o declínio do poder das empresas internacionais de petróleo, que nos anos 1960 e 1970 levou à criação da OPEP e a uma onda de nacionalizações. Essas e outras alterações tornaram as receitas do petróleo maiores e menos estáveis e ajudam a explicar por que muitas características da maldição dos recursos só surgiram na década de 1980.

O Capítulo 3 mostra como a escala, a fonte e a confidencialidade das receitas do petróleo ajudaram a manter governos autoritários no poder. Parte dessa história vai soar familiar para os cientistas políticos. Quando os ditadores são financiados por meio de impostos, eles são confrontados com pedidos de maior responsabilidade.

[15] Países que podem se tornar novos exportadores de petróleo ou gás nos próximos anos incluem Cuba, Gana, Guiné, Guiné-Bissau, Guiana, Israel, Libéria, Mali, São Tomé e Príncipe, Senegal, Serra Leoa, Tanzânia, Togo e Uganda. Indonésia e Tunísia, exportadores que se tornaram importadores, também podem voltar a exportar. Sobre a disputa pelos recursos de petróleo da África, consulte Klare, 2006.

[16] Energy Information Administration (2010).

Quando podem financiar-se com a venda de ativos estatais como o petróleo e o gás natural, podem sufocar pressões democratizantes. A esse padrão, acrescentei alguns novos elementos. Demonstrei que o petróleo só passou a ter efeitos antidemocráticos a partir da convulsão de 1970; que o petróleo tende a manter regimes autoritários no poder e minar democracias de baixa renda; que as receitas do petróleo não conseguem desencadear pressões democratizantes, em parte devido ao sigilo que as cerca; e que líderes autoritários são, paradoxalmente, mais ansiosos do que os democráticos em manter os preços dos combustíveis baixos em seus países.

Para ilustrar o modo como o petróleo é capaz de manter governos autoritários no poder, o Capítulo 3 analisa o caso da União Soviética. Uso o exemplo da Rússia pós-União Soviética para mostrar de que modo o petróleo pode conduzir à erosão das contas públicas nas democracias fracas. Um anexo fornece um olhar mais atento às relações estatísticas que estão resumidas no capítulo.

Algumas dimensões da maldição dos recursos são surpreendentes. O Capítulo 4 explica como a riqueza do petróleo reduziu as oportunidades econômicas e políticas para as mulheres em muitos países de baixa e média renda, principalmente no Oriente Médio e no norte da África. Isso deve-se, em parte, à escala das receitas do petróleo, cujas aplicações pelos governos não incentivam o ingresso das mulheres na força de trabalho, e em parte ao fato de que a produção de petróleo pode acabar absorvendo outros setores que, de outra forma, contratariam mulheres, contribuindo para a conquista de mais direitos políticos e econômicos para elas. O resultado é que houve menos progresso político e econômico para as mulheres no Oriente Médio do que em outras regiões do mundo. Alguns observadores afirmam que o Islã é o verdadeiro impedimento para o progresso das condições das mulheres no Oriente Médio. Eu mostro que essa afirmação é falsa, uma vez que as mulheres do Oriente Médio se saem melhor nos países produtores de petróleo pobres do que nos ricos da região.

Para ilustrar esse argumento, eu comparo três países que são semelhantes de muitas maneiras: Argélia, Marrocos e Tunísia. Apenas um deles (Argélia) produz quantidades significativas de petróleo. O petróleo reduziu o ritmo do progresso econômico das mulheres na Argélia. No Marrocos e na Tunísia, porém, elas obtiveram ganhos rapidamente. Um anexo com estatísticas apresenta em números essas evidências.

A partir da década de 1980, as receitas do petróleo também passaram a aumentar os riscos de guerras civis, conforme explicado no Capítulo 5. Entre os países de baixa e média renda, os produtores de petróleo mostraram-se duas vezes mais propensos que os não produtores a ter guerras civis. Alguns desses conflitos foram menores, como o movimento de independência na província de Xinjiang, na China, ou o Levante Zapatista no México. Outros, como as guerras em Angola, na Colômbia e no Sudão, foram extremamente desastrosos.

Nesse capítulo, afirmo que há dois tipos de conflitos alimentados pelo petróleo: as guerras separatistas travadas por minorias marginalizadas em regiões de produção de petróleo e os conflitos liderados por rebeldes que se financiam com a extor-

são de dinheiro da indústria do petróleo. Para traçar os caminhos que conectam o petróleo à insurreição, eu uso estudos de casos de conflitos recentes na Colômbia, no Congo-Brazzaville, na Guiné Equatorial, na Indonésia, na Nigéria e no Sudão. As relações estatísticas entre petróleo e conflitos violentos são mais cuidadosamente descritas no anexo.

O Capítulo 6 analisa os efeitos econômicos das receitas do petróleo e como os governos as gerenciam. Muitos estudos afirmam que o petróleo tem levado a um crescimento econômico anormalmente lento nos países em desenvolvimento devido à tendência das riquezas minerais de danificar as instituições públicas, prejudicando a eficiência burocrática, impulsionando a corrupção e dificultando a manutenção do Estado de Direito. Essa "sabedoria convencional" está errada: o crescimento econômico nos países produtores de petróleo tem sido extraordinariamente volátil, porém não tem se dado de maneira mais rápida ou mais lenta que no resto do mundo. Também há pouca evidência de que a riqueza do petróleo tenha a tendência de prejudicar as instituições públicas. Alegações em contrário são normalmente com base no que pode ser chamado de "falácia de Beverly Hillbillies" e "falácia dos encargos despercebidos".

O verdadeiro problema não é o fato de o crescimento nos países produtores de petróleo ser lento quando deveria ser "normal", mas, sim, o fato de ele ser normal quando deveria ser mais rápido do que o normal dadas as enormes receitas que esses governos têm coletado. Dois fatores podem ajudar a explicar esse crescimento médio decepcionante: o fracasso dos países produtores de petróleo em gerar mais empregos para as mulheres, o que teria reduzido as taxas de fertilidade e o crescimento da população e impulsionado o crescimento da renda per capita, e a incapacidade de seus governos de lidar com os desafios extraordinários criados pela volatilidade das receitas.

A existência da maldição do petróleo tem implicações de longo alcance, discutidas no capítulo final. Ele oferece novas percepções sobre um dos mais antigos quebra-cabeças no campo da economia política: de que modo as nações são moldadas por seus ambientes naturais? Os cientistas sociais têm argumentado que os países são profundamente afetados por sua posição nos continentes, pelo meio ambiente que os cerca e pelo acesso ao mar. Esse livro mostra como, em determinadas condições, o caminho para o desenvolvimento de um país também pode ser moldado pela sua geologia.

A maldição do petróleo também nos recorda de que mais renda nem sempre é melhor, mesmo para os países de baixa renda: isso depende de onde a renda vem e de como ela afeta a política de um país. A compreensão da maldição do petróleo pode nos dar uma visão especial sobre o Oriente Médio, a região com a maior abundância de riqueza petrolífera e a mais gritante falta de democracia e igualdade de gêneros. Isso não quer dizer que os movimentos pela democracia e os direitos de gênero da região estão condenados ao fracasso. Os efeitos do petróleo são formidáveis, mas não imutáveis: muito pode ser feito para mudar o fluxo de receitas do petróleo para os governos, e as reformas na gestão dessas receitas podem conduzir a uma maior coesão econômica, social e política.

O último capítulo explica como os países poderiam mitigar a maldição do petróleo alterando as características problemáticas de suas receitas de petróleo. Descreve uma série de estratégias para alterar a escala, a fonte, a estabilidade e a confidencialidade das receitas do petróleo, que vão de simples (extraí-lo mais lentamente) a mais complexas (através de contratos de permuta, empréstimos denominados em petróleo e privatização parcial). Uma vez que existem limites para o que pode ser alterado em relação a essas receitas, também aponto outras aplicações e usos das mesmas pelos governos.

Há uma solução que pode ajudar em todos os lugares: mais transparência no modo como os governos coletam, gerenciam e gastam suas receitas do petróleo. Melhorar a transparência pode forçar os governos a se tornarem mais responsáveis em relação aos seus cidadãos, reduzir o perigo de conflitos violentos e minimizar as perdas econômicas causadas pela corrupção. Reformas na transparência dos países importadores de petróleo - cuja demanda voraz por combustíveis fósseis está na raiz da maldição dos recursos - poderiam ter um efeito bastante potente.

As reformas são mais urgentes nos países à beira de crises devido ao petróleo. Todos os meses, novas reservas de petróleo e gás natural são descobertas em algum lugar na África, na América Latina, no Oriente Médio ou na Ásia. Muitas são encontradas em países pobres, não democráticos e mal equipados para gerenciar grandes receitas. Para os cidadãos desses países, esse livro é um guia sobre o que deu errado no passado e o que pode ser feito de modo diferente no futuro.

Anexo 1.1: Uma Nota sobre Métodos e Medidas

Esse livro traz uma série de argumentos sobre o impacto das receitas de petróleo de um país em seu desenvolvimento político e econômico. Ele sustenta esses argumentos com uma combinação de dados quantitativos e qualitativos e com base na obra de outros estudiosos.

A análise quantitativa é baseada em dados observacionais de todos os países desde 1960.[17] Há limites importantes para as inferências causais que podem ser feitas usando dados observacionais, principalmente ao cruzar dados nacionais. Uma vez que o livro aborda questões que exigem o uso de dados observacionais, fiz um esforço es-

[17] Incluí todos os 170 países que, no ano de 2000, eram soberanos e tinham população superior a 200.000 habitantes. Os dados foram registrados pelos países em 1960, ou no seu primeiro ano de independência se em 1960 eles se encontravam sob o domínio colonial. Países que desapareceram entre 1960 e 2000, como o Vietnã do Sul, o Iêmen do Sul e a Alemanha Oriental, foram excluídos. Trato a Alemanha como o país sucessor da Alemanha Ocidental, o Vietnã como o sucessor do Vietnã do Norte, o Iêmen como o sucessor do Iêmen do Norte e a Rússia como o sucessor da União Soviética.

pecial para mitigar alguns dos problemas que podem comprometer essas conclusões: a utilização de uma variável causal afetada por outras variáveis no modelo, procedimentos estatísticos desnecessariamente complexos e insuficientemente transparentes, correlações não robustas que refletem apenas peculiaridades nos dados, decisões metodológicas arbitrárias ou a presença de observações altamente influentes e uma falta de clareza sobre os processos causais que ligam as variáveis mais importantes.

Medindo o Petróleo

A inovação mais significativa desse livro é a apresentação de uma medida aprimorada da riqueza do petróleo e do gás natural que soluciona os problemas de endogeneidade das medidas anteriores, pode ser compilada de uma maneira confiável e transparente e está disponível para todos os países e todos os anos.

A maioria dos estudos anteriores sobre a maldição dos recursos usava a dependência das exportações de hidrocarbonetos de um país, ou seja, o valor das suas exportações de petróleo como uma fração do seu produto interno bruto (PIB), como variável independente.[18] Mas essa variável tem duas falhas: uma é conceitual, e a outra é uma polarização que pode originar falsas correlações entre o petróleo e problemas como regime autoritário, guerra civil e fraco desempenho econômico.

A falha conceitual é que essa variável só mede o combustível que é exportado e torna difícil ver por que o combustível que é vendido no mercado interno não deve ser contabilizado. Os governos recebem receitas do petróleo provenientes das vendas internas e externas. Mesmo quando o combustível é vendido no mercado interno a preços subsidiados, o verdadeiro valor do petróleo e, consequentemente, o custo desse subsídio para o governo devem ser contabilizados.

A medida também pode ser tendenciosa para cima nos países mais pobres, o que pode produzir associações espúrias entre a dependência da exportação de petróleo e uma variedade de males econômicos e políticos altamente correlacionados a baixa renda. Mesmo que dois países com a mesma população produzam a mesma quantidade de petróleo, o numerador, ou seja, as exportações, será maior no país mais pobre. Países produtores de petróleo geralmente consomem uma fração de seu petróleo no mercado interno e exportam o excedente. Os países ricos consomem mais de seu próprio petróleo, enquanto os países pobres consomem menos e, portanto, exportam mais. Por exemplo, em uma base per capita, os Estados Unidos produzem mais petróleo do que Angola ou Nigéria, mas Angola e Nigéria exportam mais que os Estados Unidos, porque os Estados Unidos são mais ricos e seu mercado interno consome mais petróleo. Quando medimos as exportações de petróleo, estamos indiretamente medindo o tamanho da economia não petrolífera de um país.

---

[18] Para exemplos, consulte Sachs e Warner (1995); Collier e Hoeffler (1998); Ross (2001[a]).

Um problema semelhante ocorre no denominador. Mesmo que dois países exportem a mesma quantidade de petróleo, o país mais pobre terá um PIB menor e, portanto, um índice de exportações de petróleo mais elevado em relação ao PIB. Isso pode gerar vários problemas de endogeneidade. Por exemplo, uma alta taxa de exportações de petróleo em relação ao PIB pode causar um crescimento econômico lento (ou corrupção, ou guerra civil), mas também pode ser resultado de um desses problemas, uma vez que eles tendem a reduzir o PIB de um país. Isso torna difícil interpretar as correlações entre dependência das exportações de petróleo e conflitos, pois ambos podem ser impulsionados de forma independente pela pobreza de um país, produzindo uma falsa correlação.

Para superar esses problemas, calculo o valor total da produção de petróleo e gás natural em vez de calcular apenas as exportações e o divido pela população do país, não pelo total de suas exportações ou pelo PIB. A variável resultante, renda do petróleo per capita, pode ser usada para avaliar uma versão dramática da maldição do petróleo: o valor da produção de petróleo de um país, independentemente de quão bem é administrado e de como influencia o resto da economia, pode afetar sua política?

A variável resultante da renda do petróleo também tem um significado mais intuitivo do que o apresentado pelo índice de exportações de petróleo em relação ao PIB. Se dois países com populações semelhantes, como, por exemplo, Angola e Holanda, produzirem quantidades semelhantes de petróleo e gás natural, eles terão níveis semelhantes de renda per capita de petróleo (nesse caso, cerca de US$ 500 per capita em 2003). Se a medida a ser considerada, porém, for o índice de exportações de petróleo em relação ao PIB, a de Angola será maior (0,789) que a da Holanda (0,056), pois Angola é um país pobre que não consome muito do seu próprio petróleo (o que aumenta o numerador maior) e tem PIB muito menor (o que diminui o denominador).

A variável resultante da renda do petróleo tem dois pontos fracos importantes. Em primeiro lugar, a distribuição de valores entre os países é altamente desigual: a maioria dos países produz pouco ou nenhum petróleo, enquanto alguns produzem enormes quantidades. Isso pode criar problemas quando a variável for utilizada em regressões. Tomei várias medidas para reduzir esses problemas. Uso o logaritmo natural da renda do petróleo nas regressões nos Capítulos 3 e 5 (porém não no Capítulo 4, pelos motivos explicados no anexo 4.1) para tornar a distribuição de valores menos distorcida. Uma vez que o logaritmo da renda do petróleo ainda apresenta uma distribuição anormal, submeto novamente todas as minhas descobertas a teste nos Capítulos 3, 4 e 5 utilizando uma medida dicotômica de renda do petróleo que identifica os países produtores de petróleo quando eles têm renda per capita inferior a US$ 100 (em dólares constantes de 2000) em receitas de petróleo e gás natural em um determinado ano. Em todos os capítulos, emprego tabulações cruzadas em que os países são novamente divididos em produtores e não produtores de petróleo, de modo que minhas inferências não são impulsionadas por valores extremos em um pequeno número de casos.

A segunda desvantagem é que a renda do petróleo não corresponde ao conceito de riqueza do petróleo na minha teoria, mesmo estando intimamente relacionada a ele.

A maioria dos meus argumentos sugerem que o petróleo é politicamente prejudicial justamente devido às receitas que gera para os governos.[19] Infelizmente, a confidencialidade dessas receitas tem dificultado muito a mensuração nos últimos anos, com exceção de alguns países. Mesmo com informações completas e precisas sobre as receitas do petróleo disponíveis, essa medida tem uma desvantagem: as receitas do petróleo de um país são afetadas pelas instituições e políticas do governo e, portanto, não podem ser invocadas para identificar o efeito causal da riqueza do petróleo em sua governança. Para obter uma medida da riqueza do petróleo mais exógena e disponível para mais países ao longo de um período de tempo mais longo, confio na mensuração da renda do petróleo.

A renda do petróleo pode ser facilmente calculada para todos os países e anos desde 1960. Os dados sobre a produção de petróleo e gás natural entre 1970 e 2001 foram obtidos no site do Banco Mundial, na parte dedicada a economia e indicadores ambientais. Os gráficos com dados a partir de 2001 são da BP Statistical Review of World Energy (Revisão Estatística de Energia Mundial da British Petroleum). Os dados de produção de petróleo e gás natural antes de 1970 e depois de 2001 para os países não abrangidos pela BP foram retirados do Anuário Mineral da United States Geological Survey (Pesquisa Geológica dos Estados Unidos). Também uso dados sobre a produção soviética, que não são bem avaliados em outros conjuntos de dados, retirados dos estudos de Marshall Goldman e Jonathan Stern e dados sobre os preços do petróleo e do gás natural retirados do BP Statistical Review.[20]

Endogeneidade

Se a renda do petróleo fosse distribuída aleatoriamente entre os países, sendo, portanto, verdadeiramente exógena para as condições econômicas e políticas de um país, a identificação causal seria fácil: correlações estatisticamente significativas entre a renda do petróleo e a governança sugeririam fortemente que o primeiro é a causa do segundo.

Infelizmente, a distribuição da renda do petróleo não é aleatória, o que faz com que seja importante entender por que varia ao longo do tempo e de país para país. A variável resultante da renda do petróleo é uma função de três fatores subjacentes:

---

[19] Isso não constitui um problema para todas as partes do meu argumento. Em alguns casos, sustento que a receita gerada pelo petróleo pode causar transtornos, sendo ou não traduzida em receitas do governo, ao englobar indústrias que costumam contratar mulheres (Capítulo 4) ou facilitar rebeliões armadas por meio de extorsão (Capítulo 5).

[20] Goldman 2008; Stern, 1980.

a dotação geológica de um país, que determina a quantidade e a qualidade física do petróleo que pode ser explorado; os investimentos feitos para extraí-lo, que afetam a quantidade a ser descoberta e comercialmente explorada em qualquer dado momento; e o preço do petróleo, que determina tanto a taxa de extração quanto o montante em dinheiro que será gerado pelas vendas do petróleo. A dotação geológica de um país e o preço mundial do petróleo não são afetados pelas características econômicas e políticas do país.[21] A governança e a economia de um país, no entanto, influenciam os investimentos feitos na exploração de petróleo. Os países mais ricos, mais abertos ao investimento estrangeiro e que proporcionam melhores proteções legais aos investidores provavelmente atraem mais investimentos para o setor.[22]

Embora dados em nível nacional sobre os investimentos em petróleo sejam escassos e não confiáveis, dados em nível regional estão disponíveis e são bastante precisos. Os países em desenvolvimento cobrem quase 60% da massa terrestre do mundo (fora a Antártida), porém recebem menos de 20% do investimento estrangeiro direto em extração e mineração de petróleo. As ricas democracias da Europa, América do Norte, Austrália e Nova Zelândia cobrem apenas 25% da massa terrestre do mundo, mas detêm quase 75% do total de investimento estrangeiro direto em extração e mineração de petróleo.[23] Isso indica que as democracias ricas recebem cerca de dez vezes mais investimento estrangeiro direto em todos os tipos de mineração por quilômetro quadrado que qualquer país em desenvolvimento ou da antiga União Soviética e do sudeste da Europa (consulte o gráfico 1.1). Na verdade, isso subestima a vantagem do investimento das democracias ricas. Enquanto os países em desenvolvimento são fortemente dependentes de investimentos estrangeiros, incluindo a dispendiosa tecnologia ocidental, para desenvolver seus setores de petróleo, as democracias ricas têm mais investimento nacional disponível.

Uma vez que existe um clima mais propício a investimentos nos países industrializados avançados (que também costumam ser mais democráticos e pacíficos e contar com maior participação feminina no governo), devemos esperar, *ceteris paribus*, níveis mais elevados de receita de petróleo nesses países. Isso também significa que, se níveis mais elevados de receita de petróleo estão correlacionados a autoritarismo, guerra civil e ausência de direitos para as mulheres, essas relações não devem ser espúrias e podem subestimar o verdadeiro efeito do petróleo.

---

[21] A Arábia Saudita pode ser uma exceção parcial. Devido ao seu papel único como "produtor swing" (produtor com o poder de balançar o mercado), ela pode ter a capacidade de afetar unilateralmente os preços globais, pelo menos no curto prazo.

[22] Christian Daude e Ernesto Stein (2007) defendem que países com "melhores instituições", incluindo pontuações mais altas em medidas de "eficiência do governo" e "qualidade regulatória", atraem mais investimento direto estrangeiro, apesar de não analisarem separadamente o investimento em petróleo. Rabah Arezki e Markus Brückner (2010) mostram que a corrupção tende a reduzir a produção de petróleo.

[23] Conferência das Nações Unidas sobre Comércio e Desenvolvimento (2009).

Outra forma de verificar a existência de exogeneidade é analisando se a probabilidade de extração do petróleo é maior em países que eram mais ricos ou mais pobres antes de começarem a produzir petróleo. O gráfico 1.3 mostra as receitas iniciais de todos os 103 países que começaram a produzir petróleo entre 1857 e 2009 em relação a outros países no mesmo ano.[24] Os países acima do percentual cinquenta marcados no eixo y tiveram receitas acima da média; os que estão abaixo do percentual cinquenta tiveram receitas inferiores à media.

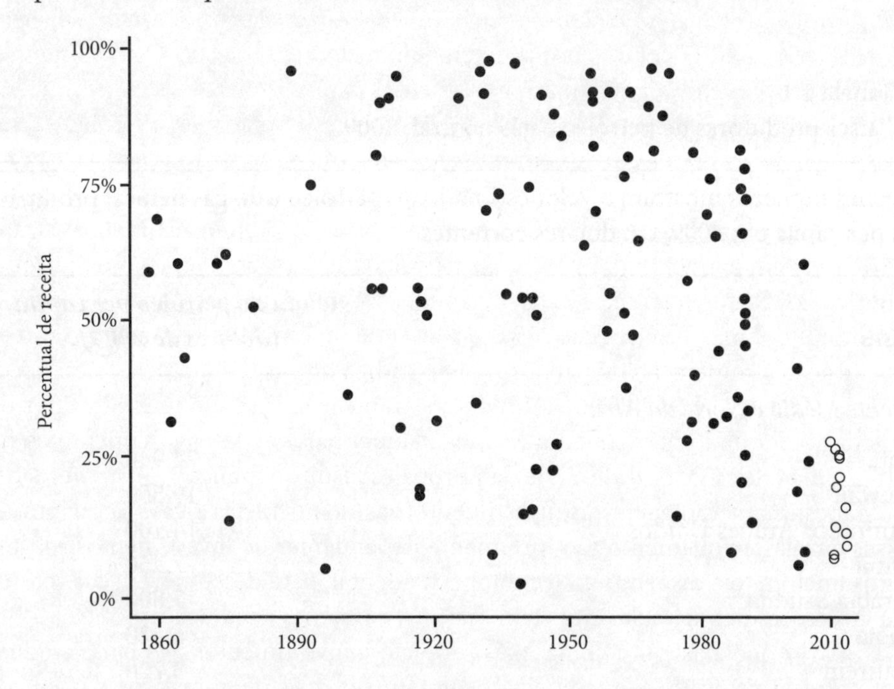

Gráfico 1.3. Renda dos novos produtores de petróleo, 1857 a 2015

Os pontos mostram a renda per capita dos países no ano em que começaram a produzir petróleo ou gás natural, expressa como o percentual de todos os países soberanos nesse ano.

Os pontos vazios no canto inferior direito representam os países com expectativa de início de produção entre 2010 e 2015.

Fonte: calculado a partir de dados em Haber e Menaldo (2009); Maddison (2009).

Quarenta e um países começaram a produzir petróleo quando sua renda estava abaixo da média mundial; quatro iniciaram a produção com renda dentro da média mundial e cinquenta e oito começaram a produzir com renda acima da média

[24] Uso a renda dos países que dominavam a região de extração no início da produção, mesmo que os territórios tenham mudado de mãos posteriormente ou tenham se tornado independentes. Agradeço a Steve Haber e Victor Menaldo por compartilharem seus dados sobre as datas de produção inicial.

mundial. Isso sugere, uma vez mais, que a probabilidade de extração de petróleo e gás natural é maior em países que já são ricos e, portanto, provavelmente mais democráticos e pacíficos. Somente a partir de 2000 os países de baixa renda se tornaram mais propensos que os de alta renda a começar a produzir petróleo, refletindo a movimentação das fronteiras do petróleo para países mais pobres. No gráfico 1.3, os pontos vazios assinalam os países com expectativa de início de produção entre 2010 e 2015. Todos são de baixa renda.

Tabela 1.1
Países produtores de petróleo e gás natural, 2009

Esses números mostram o valor estimado do petróleo e do gás natural produzidos per capita em 2009, em dólares correntes.

Países	***Renda do petróleo per capita (dólares de 2009)***
Oriente Médio e Norte da África	
*Catar	24.940
* Kuwait	19.500
* Emirados Árabes Unidos	14.100
* Omã	7.950
* Arábia Saudita	7.800
* Líbia	6.420
* Bahrein	3.720
* Argélia	1.930
* Iraque	1.780
* Irã	1.600
* Síria	450
Iêmen	270
Egito	260
Tunísia	250
América Latina e Caribe	
* Trinidad	6.250
* Venezuela	2.130
* Equador	820
Suriname	680
* México	610
* Argentina	530

Colômbia	430
Bolívia	270
Brasil	240
Cuba	110
África Subsaariana	
Guiné Equatorial	12.310
* Gabão	3.890
* Angola	2.400
* República do Congo	1.940
* Nigéria	370
Sudão	260
Chade	230
Camarões	100
América do Norte, Europa, Austrália e Nova Zelândia	
* Noruega	13.810
* Canadá	2.530
Dinamarca	1.270
* Austrália	790
* Estados Unidos	730
* Países Baixos	670
Nova Zelândia	430
* Romênia	170
* Reino Unido	150
Croácia	140
Ucrânia	110
Sudeste da Ásia	
* Brunei	11.590
Timor Leste	1.910
* Malásia	860
Indonésia	140
Tailândia	150
Papua Nova Guiné	120
Antiga União Soviética	
* Turquemenistão	1.810
* Rússia	2.080
* Cazaquistão	2.370
* Azerbaijão	2.950
* Uzbequistão	340
Ucrânia	110

* Definido como um "produtor de petróleo a longo prazo." Isso indica que o país produziu pelo menos US$ 100 per capita em renda de petróleo e gás natural

(usando dólares de 2000) por, pelo menos, dois terços do tempo desde 1960 ou, se ele se tornou independente depois de 1960, por dois terços de seus anos de soberania.

Fontes: os cálculos são baseados na BP de 2010; US Geological Survey, n.d .; Banco Mundial, n.d.

Alguns céticos sugerem que líderes autoritários ou líderes de países em guerra civil podem ser mais *ávidos* por receitas e, portanto, mais propensos a produzir petróleo do que os líderes de países democráticos.[25] No entanto, fora da Arábia Saudita é difícil encontrar exemplos de líderes com capacidade de ajustar a produção de petróleo do seu país. As taxas de produção são geralmente determinadas pelas condições geológicas, que limitam a rapidez com que o petróleo pode ser extraído, e pelos preços do petróleo, que determinam a quantidade de petróleo em campos comercialmente marginais que pode ser vendida com lucro. Mesmo que os governantes pudessem controlar esses fatores, os líderes democráticos, que enfrentam concorrência política regular e têm taxas elevadas para descontos, seriam tão ou mais *ávidos* por receitas que os líderes autoritários.[26]

A renda do petróleo não é verdadeiramente exógena para as características econômicas e políticas de um país, mas deve ser tendenciosa para cima em países mais democráticos, pacíficos e estáveis e, portanto, tendenciosa em relação à constatação de uma maldição do petróleo.

Transparência e Robustez da Análise

Tentei analisar os dados usando os métodos mais simples e transparentes, incluindo diagramas de dispersão, tabulações cruzadas e testes de diferença de médias.[27] Sempre que possível, uso tabelas e gráficos para exibir os países que são consistentes com um determinado padrão e aqueles que não são. Faço um esforço especial para minimizar o uso de termos ambíguos ou opacos. Todos os meus dados estão incluídos no meu site disponível em http://www.sscnet.ucla.edu/polisci/faculty/ross/.

Esse livro argumenta que a transparência pode encorajar os governos a melhor gerir suas receitas petrolíferas; talvez possa também incentivar os cientistas sociais a ter mais cuidado em suas análises.

---

[25] Haber e Menaldo, 2009; Tsui, 2011.

[26] De fato, um estudo realizado por Gilbert Metcalf e Catherine Wolfram (2010) conclui que países produtores de petróleo democráticos tendem a extrair suas reservas de forma mais rápida que países produtores não democráticos.

[27] De acordo com Christopher Achen (2002, 442): "Nenhuma das generalizações empíricas importantes na disciplina emergiu da pesquisa metodológica de alta potência. Em vez disso, quase sem exceção, elas foram encontradas com gráficos e tabulações cruzadas". Consulte também Shapiro, 2005.

Nos anexos dos capítulos 3, 4 e 5, eu uso a análise de regressão para mostrar que as alegações principais do capítulo também podem ser ilustradas com métodos mais sofisticados. Mesmo aqui, tento manter meus modelos simples, ignorando o aviso de Christopher Achen de que "com mais de três variáveis independentes, ninguém pode fazer a análise dos dados com a garantia de que a especificação do modelo seja precisa e os pressupostos se encaixem perfeitamente, como afirma o pesquisador".[28]

Os pesquisadores podem fazer inferências enganosas quando seus conjuntos de dados estão incompletos e as observações ausentes são "não aleatórias". Faço um esforço especial para construir conjuntos de dados completos ou quase completos. Uma vez que é muitas vezes impossível obter dados econômicos anteriores a 1980 de todos os países - para países de baixa e média renda eles são especialmente escassos - nas tabelas de regressão eu relato a fração de observações ausentes em cada estimativa.

Todos os meus principais resultados foram submetidos a uma bateria de testes de robustez para ver se as correlações dependem de um pequeno número de casos influentes, da utilização de conjuntos de dados em particular, da omissão de variáveis fictícias (pelo menos as que podem ser facilmente medidas) ou de decisões metodológicas arbitrárias. Uma vez que grande parte do petróleo do mundo está concentrado no Oriente Médio e no Norte da África, eu relato como meus resultados de regressão são afetados pela inclusão de uma variável fictícia para o Oriente Médio e, mais drasticamente, pela retirada de todos os países do Oriente Médio da análise. A maioria dos meus resultados resiste a esses testes, mas alguns não.

Os cientistas políticos frequentemente relatam o efeito "substancial" de sua principal variável explicativa sobre a sua variável dependente. No entanto, estes valores só são válidos se estamos estimando o modelo causal verdadeiro, o que não é o caso, e medindo nossas variáveis com grande precisão, o que, muitas vezes, não estamos. Normalmente, estes números são sensíveis a mudanças em nossos pressupostos subjacentes e podem criar uma falsa impressão de precisão científica. E, uma vez que as receitas de petróleo são quase certamente tendenciosas para cima em países democráticos mais estáveis e mais ricos, minhas estimativas provavelmente vão subestimar o verdadeiro efeito do óleo.

Acho que é mais honesto e transparente informar que, para um dado variável, os países produtores de petróleo têm valores significativamente diferentes do que os não produtores, e que diferenças são essas. Isso deve dar aos leitores uma impressão mais ampla da magnitude do impacto do óleo, evitando afirmações enganosas.

Entendendo Processos Causais

Nos capítulos de 3 a 6, eu desenvolvo modelos teóricos simples para esclarecer meus argumentos sobre processos causais que conectam o petróleo a resultados diferentes.

[28] Achen, 2002, 446.

O modelo começa no Capítulo 3, com apenas dois atores - um grupo de cidadãos que pretende melhorar o seu bem-estar e um governante que deseja permanecer no cargo - para retratar de forma mais explícita como as receitas do petróleo deverão afetar a capacidade do governante de permanecer no poder. No Capítulo 4, descrevo a distinção entre os cidadãos masculinos e femininos e mostro como um aumento na renda do petróleo pode desencorajar as mulheres de ingressar na força de trabalho e mantê-las econômica e politicamente marginalizadas. O modelo no Capítulo 5 divide a população em dois grupos: aqueles que vivem na região petrolífera de um país produtor e aqueles que vivem fora dela, e mostra como riqueza do petróleo pode aumentar a probabilidade de uma rebelião armada na região petrolífera quando os rendimentos são baixos. O Capítulo 6 emprega um conjunto mais flexível de modelos - desenvolvido sobretudo por outros estudiosos - para destacar os fatores que podem influenciar a capacidade de um dirigente para fazer acordos intertemporais e, portanto, gerir um fluxo volátil das receitas do petróleo ao longo do tempo.

Ao investigar os mecanismos causais empiricamente, mesmo a melhor análise estatística não pode nos levar muito longe. O problema é mais agudo quando usamos os dados observacionais, e nossa unidade de análise é tão grande e opaca quanto um país.[29] Assim, eu também uso breves estudos de caso para mostrar que as associações apresentadas nos dados transnacionais podem plausivelmente explicar os resultados a nível do país e analiso mais de perto processos causais que ligam as receitas do petróleo a resultados específicos. Os estudos de caso abrangem uma ampla variedade de países, incluindo a Colômbia, a República do Congo, Guiné Equatorial, Indonésia, Nigéria, Coreia do Sul, União Soviética e Rússia, Sudão e o estado americano de Louisiana.

No Capítulo 5, onde eu argumento que a produção de petróleo de um país pode ter um efeito negativo sobre as mulheres, eu uso o método de estudo de caso mais deliberadamente, comparando três países que são semelhantes em muitos aspectos (Argélia, Marrocos e Tunísia), mas apenas um deles (Argélia) produz quantidades significativas de petróleo. Eu mostro como o petróleo diminuiu o progresso econômico das mulheres na Argélia, enquanto as mulheres no Marrocos e na Tunísia tiveram ganhos de modo muito mais rápido.

Ambas as análises quantitativas e qualitativas nesse livro têm importante limitações. Espero que o esforço em tornar minha análise mais transparente ajude os leitores a pesar as evidências por si mesmos.

---

[29] Para discussões importantes destas limitações, consulte Brady e Collier, 2004; King e Zeng, 2006; Przeworski, 2007.

Capítulo Dois

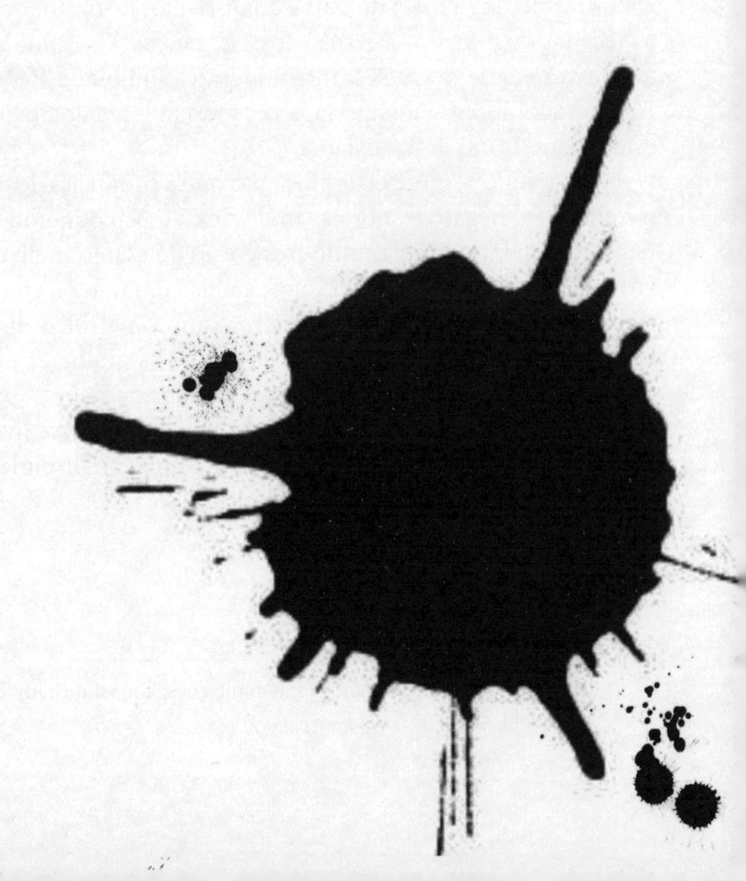

O Problema das Receitas de Petróleo

O espírito de um povo, seu nível cultural, sua estrutura social, os atos de que sua política é capaz – tudo isso e mais está escrito em sua história fiscal, desnudado de todas as frases. Aquele que souber como ouvir sua mensagem vai discernir ali o trovão da história mais claramente do que em qualquer outro lugar.

—Joseph Schumpeter, "The Crisis of the Tax State" (A Crise do Estado do Imposto)

Assim como as pessoas são afetadas pelo tipo de comida que comem, os governos são afetados pelo tipo de receitas que arrecadam. Uma vez que a maioria dos governos recebe os mesmos tipos de receitas ano após ano, é fácil ignorar sua importância. Apenas quando há uma mudança brusca nessas receitas, tais como quando é descoberto petróleo, é que sua importância implícita se torna clara.

As receitas do petróleo são marcadas por seu tamanho excepcionalmente grande, sua fonte incomum, sua falta de estabilidade e sua confidencialidade. Essas quatro qualidades se refletem tanto na organização histórica da indústria do petróleo quanto nas revoluções dos anos 1960 e 1970, que transformaram o mundo produtor de petróleo.

A Escala e a Fonte das Receitas do Petróleo

A indústria do petróleo gera muito mais receita para o governo que outros tipos de indústrias. Isso faz com que os governos de países produtores de petróleo sejam maiores do que os de países semelhantes, mas sem petróleo.

Considere a Nigéria, que se tornou um grande produtor de petróleo após o fim da Guerra de Biafra, no final dos anos 1960 (consulte o gráfico 2.1). De 1969 a 1977, o volume de petróleo que a Nigéria produziu cresceu 380%, enquanto o preço real do petróleo quase quadruplicou. O total de receitas do governo nigeriano - do petróleo e de todas as outras fontes - subiu de 4,9 bilhões de dólares para 21,5 bilhões de dólares ao longo desses oito anos, descontada a inflação. Ao mesmo tempo, os gastos governamentais subiram de cerca de 10% para mais de 25% da economia nigeriana. Não só o governo nigeriano se expandiu rapidamente; ele se expandiu mais rapidamente que o resto da economia nigeriana.[1]

---

[1] Bevan, Collier e Gunning, 1999.

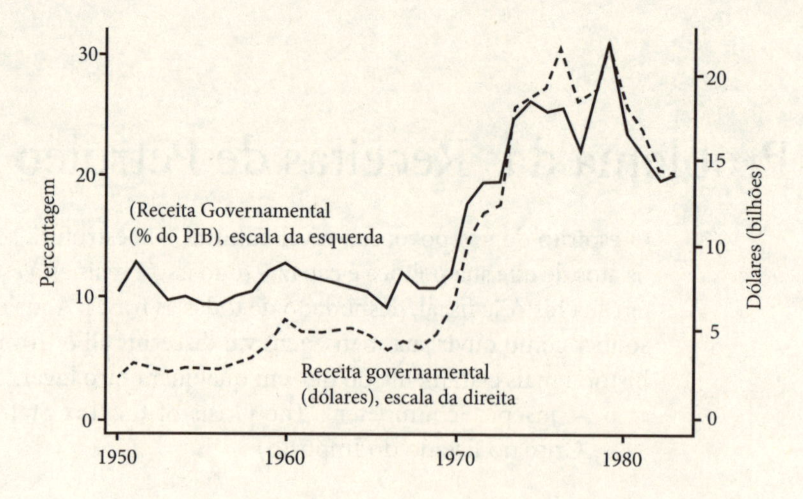

Gráfico 2.1. O tamanho do setor público na Nigéria, 1950-1984

Fontes: Os números sobre as receitas do governo em dólares são de Bevan, Collier e Gunning (1999); os números sobre as receitas do governo enquanto percentual do PIB são de Heston, Summers e Aten, n.d., tabela 6.2.)

Mais recentemente, no início dos anos 2000, o Azerbaijão e a Guiné Equatorial tornaram-se exportadores de petróleo significativos, ao mesmo tempo em que os preços do petróleo estavam subindo. De 2001 a 2009, os gastos do governo aumentaram 600% no Azerbaijão e 800% na Guiné Equatorial, depois de descontada a inflação.[2]

Como os governos muitas vezes escondem a verdadeira dimensão de suas receitas petrolíferas, é difícil medir com precisão o tamanho do setor público nos países produtores de petróleo. No entanto, mesmo dados ruins - que quase certamente subestimam o tamanho real de governos ricos em petróleo - podem ser indicativos. O gráfico 2.2 apresenta as receitas de petróleo de 134 países (no eixo horizontal) e os tamanhos estimados de seu setor público como percentual da economia do país (no eixo vertical). Conforme a linha inclinada para cima indica, quanto mais petróleo o país produzir, tanto maior será o seu setor público.

[2] Antes de contabilizar a inflação, os gastos do governo no Azerbaijão aumentaram 12 vezes e os da Guiné Equatorial cerca de 13 vezes. Essas estimativas estão baseadas nos artigos IV dos relatórios do FMI de 2005 e 2010 sobre ambos os países.

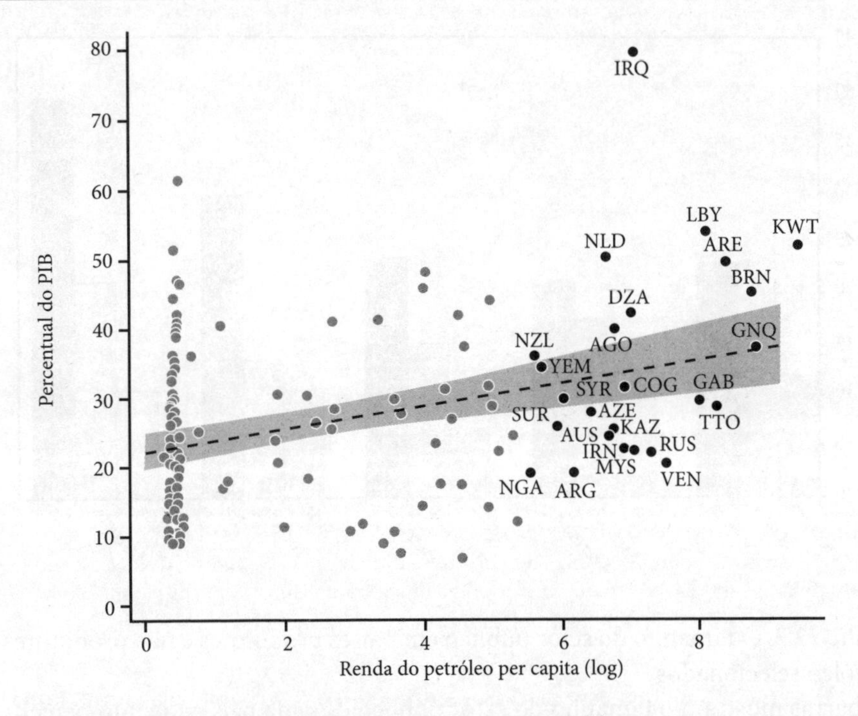

Gráfico 2.2. O petróleo e o tamanho do setor público

Fonte: O eixo vertical mostra o tamanho das receitas do governo enquanto percentual do PIB do país. Os dados sobre as receitas de governo são do artigo IV de relatórios do FMI para os anos mais recentes (entre 1997 e 2007) nos quais existem dados disponíveis; os dados sobre rendas de petróleo são do mesmo ano.

O quanto o petróleo faz diferença? Uma maneira de responder a essa questão é comparando os governos dos países produtores de petróleo com os de países vizinhos com renda semelhante, mas sem petróleo (consulte o gráfico 2.3). Nesses exemplos, os governos financiados pelo petróleo são de 16% (Azerbaijão e Armênia) a 250% (Argélia e Tunísia) maiores do que os de países vizinhos sem petróleo.

Outra maneira de responder a essa pergunta é comparando o tamanho do setor público em países com renda de petróleo significativa (que eu defino como possuidores de uma renda per capita de US$ 100 em um determinado ano, utilizando dólares constantes do ano 2000) com aqueles que ganham menos, usando simples tabulações cruzadas (consulte o gráfico 2.1). Mais uma vez, os países produtores de petróleo têm setores públicos dramaticamente maiores - cerca de 45% maiores, em média.[3]

[3] Nessa tabela, e em todas as tabelas subsequentes com tabulações cruzadas, uso testes de diferença de riqueza padronizados para indicar se os países produtores de petróleo são significativamente diferentes dos não produtores.

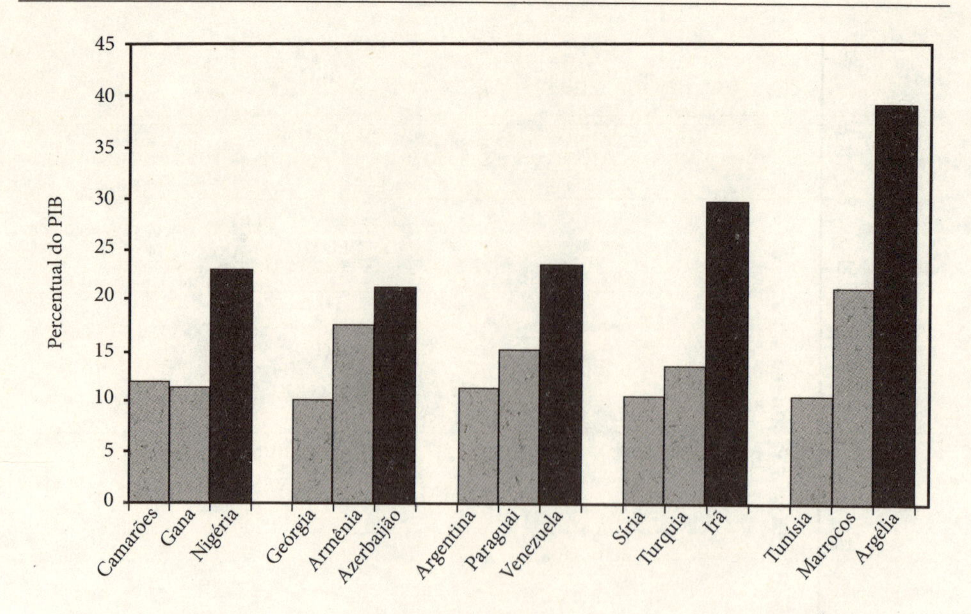

Gráfico 2.3. O tamanho do setor público em países produtores e não produtores de petróleo selecionados

As barras mostram o tamanho do setor público de cada país enquanto percentual da economia do país. As barras mais escuras são os países produtores de petróleo.

Fonte: os dados sobre as receitas de governo são do artigo IV de relatórios do FMI para os anos mais recentes (entre 1997 e 2007) nos quais existem dados disponíveis.

Graças à escala dessas receitas, a riqueza petrolífera também tem um impacto poderoso sobre a fonte de financiamento governamental. A maioria dos governos é financiada por impostos. Mas, à medida que a riqueza de petróleo de um país cresce, seu governo se torna menos dependente de impostos e crescentemente dependente de "receitas não tributárias". A tabela 2.2 exibe a conexão entre a indústria de petróleo de um país e a dependência de imposto de seu governo. Seja em países de baixa ou alta renda, em autocracias ou democracias, os produtores de petróleo são cerca de 30% menos dependentes de impostos sobre bens e serviços do que os não produtores.

Tabela 2.1
Tamanho do setor público, 2003

Os números mostram o total de receitas de governo como percentual do PIB.

	Não produtores de petróleo	*Produtores de petróleo*	*Diferença*
Baixa renda (abaixo de US$ 5.000)	21,2	27,7	6,5 **
Alta renda (acima de US$ 5.000)	32,8	44,6	11,8 *
Todos os países	23,5	33,2	9,6 **

* Significativo em 5%
** Significativo em 1%
Fonte: os cálculos são baseados no artigo IV do relatório do FMI para 2003 para os países em que esses valores estão ausentes. Usei o ano anterior mais recente para o qual os dados do FMI estavam disponíveis.

Tabela 2.2
Impostos sobre bens e serviços, 2002

Os números mostram os impostos sobre bens e serviços enquanto percentagem das receitas governamentais.

	Não produtores de petróleo	*Produtores de petróleo*	*Diferença*
Baixa renda (abaixo de US$ 5.000)	32,8	24,9	-7,9 **
Alta renda (acima de US$ 5.000)	29,6	24,1	-5,5 *
Todos os países	31,6	24,5	-7,1 ***

* Significativo em 10%, em um teste t de intervalo único
** Significativo em 5%
*** Significativo em 1%
Fonte: os cálculos foram baseados em dados do Banco Mundial, n.d.

Pode parecer banal que, quando os países são mais dependentes de receitas do petróleo, se tornem menos dependentes de impostos. Mas isso subestima o impacto das receitas de petróleo. A indústria do petróleo gera mais receitas do que outras indústrias de porte similar e, quando os governos recebem mais receitas de petróleo, eles tendem a responder com menor arrecadação de receitas através de impostos.

Como resultado, os governos de países produtores de petróleo não são meramente dependentes de receitas petrolíferas; eles são desproporcionalmente dependentes delas e desproporcionalmente liberados de impostos.[4]

Se os governos recebessem financiamento de todas as indústrias na proporção de suas contribuições para a economia nacional, as finanças do governo refletiriam a composição da economia. Se um quarto da renda da nação, por exemplo, viesse do petróleo, isso corresponderia a um quarto das receitas governamentais. Mas isso quase nunca acontece, como mostra o gráfico 2.4 sobre os 31 países mais ricos em hidrocarbonetos. Em média, o setor de petróleo responde por 19% da economia desses países, mas financia em 54% seu orçamento.

Essa relação entre as receitas do petróleo e impostos mais baixos não deve ser surpreendente. Os governos acham burocraticamente mais fácil e politicamente mais popular arrecadar receitas de seus setores de petróleo do que de impostos da população em geral. Isso também faz sentido econômico, pelo menos até um certo ponto. Quando o tesouro está lotado de receitas do petróleo, o governo pode transferir alguns desses fundos para o público, cortando impostos. Como veremos nos capítulos posteriores, no entanto, a dependência do governo das receitas do petróleo tem profundas consequências para a política e a economia de um país.

[4] Consulte Bornhorst, Gupta e Thornton, 2009; McGuirk, 2010. Isso também significa que os setores públicos de países produtores de petróleo seriam ainda maiores do que são se eles mantivessem os impostos em níveis "normais".

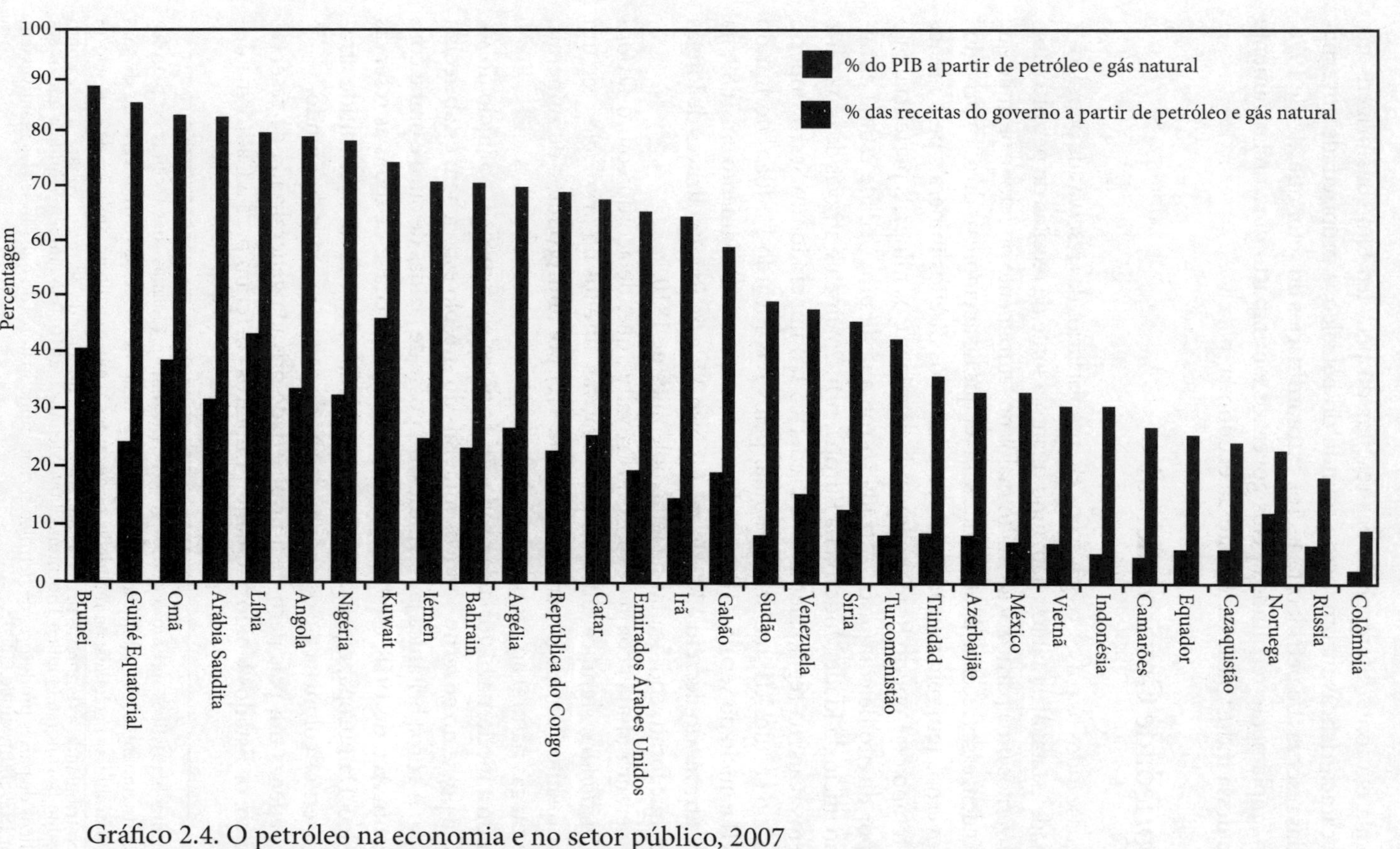

Gráfico 2.4. O petróleo na economia e no setor público, 2007

As barras escuras mostram o valor do petróleo enquanto percentual da economia; as barras claras mostram o valor das receitas petrolíferas enquanto percentual de todas as receitas governamentais.

Fonte: Bornhorst, Gupta, e Thornton, 2009.

A escala e a fonte diferenciada das receitas do petróleo têm suas origens nas mesmas características incomuns do mundo do petróleo: a propriedade governamental das reservas de petróleo, os lucros extraordinários do setor que, desde 1970, têm sido amplamente recolhidos pelos governos e o impacto *direto* relativamente pequeno dessa indústria sobre o resto da economia.

Propriedade Governamental

Em quase todos os países, os governos são proprietários das reservas de petróleo. A propriedade estatal afeta tanto o tamanho quanto a fonte de receitas de petróleo. Isso dá aos governos uma participação muito maior no faturamento do setor e permite que eles arrecadem essas receitas diretamente, sem ter que taxar empresas do setor privado.[5]

Os governos têm reivindicado a propriedade dos direitos minerais pelo menos desde o tempo do Império Romano, quando as minas e os minerais pertenciam ao Estado por direito de conquista. A tradição romana de propriedade estatal enraizou-se no início da Idade Moderna na Europa, principalmente através de uma série de decretos reais: na região alemã, por Frederico I, o imperador do Sacro Império Romano, no século XII; na Grã-Bretanha, pelos reis Ricardo I e João, no fim do século XII e início do século XIII, e também em um ato do Parlamento em 1689; na Espanha, através do decreto 1383 do rei Alfonso XI; e na França, através de longas tradições que foram codificadas na lei napoleônica de 1810.

Essa herança ainda ecoa na expressão "royalty", que, de acordo com o *Oxford English Dictionary,* significa tanto "as prerrogativas, direitos ou privilégios" de um monarca quanto "um pagamento executado" (...) por um produtor de minerais, petróleo ou gás natural ao proprietário do local.

Quando a moderna história da produção de petróleo começou, no início do século XX, a posse do governo sobre os minerais do subsolo estava bem estabelecida na Europa. A coroa britânica já reivindicara a posse de jazidas de ouro e prata; com o Petroleum Act, de 1918, estabeleceu também a propriedade de todas as reservas de petróleo. Da Europa, o princípio da propriedade soberana foi transmitido através de governos coloniais até os códigos legais de países ao redor do mundo.[6]

Hoje, apenas um país permite a propriedade privada generalizada de reservas de petróleo: os Estados Unidos.[7] Quando mineiros correram para a Califórnia du-

[5] Para fins heurísticos, presumo que os governos recolham todas as suas receitas do petróleo através de instrumentos não tributários, como royalties, taxas de concessão e transferências de suas empresas petrolíferas nacionais; na realidade, os governos também ganham dinheiro de seus setores de petróleo tributando as empresas privadas que trabalham no setor do petróleo. Voltarei a esse ponto no Capítulo 7.

[6] Elian 1979; Bunyanunda, 2005.

[7] Nem todas as reservas norte-americanas são de propriedade privada. O governo possui as reser-

rante a Corrida do Ouro, em 1849, os Estados Unidos não tinham legislação de mineração aplicável.

Para proteger seus direitos e regular disputas, os mineiros tiveram de estabelecer suas próprias regras. As leis estaduais e federais foram gradualmente reconhecendo essas reclamatórias e regulamentações locais e por fim codificaram o direito de qualquer pessoa que fizesse benfeitorias em uma mina a comprar seu título de propriedade do governo por um preço razoável.

Esse processo "de baixo para cima" levou a um sistema que é incomum no favorecimento da propriedade privada e único entre os maiores produtores de petróleo do mundo.[8]

Geração de Receitas

Mesmo que a propriedade governamental seja importante, ela pode ou não levar a grandes receitas não tributárias.

Os governos por vezes possuem outros tipos de empresas, como siderúrgicas e fábricas de automóveis, que perdem dinheiro. Mas, graças à disponibilidade de lucros extraordinários, ou *aluguéis,* a propriedade governamental do petróleo pode ser incrivelmente lucrativa.

Na maioria das indústrias, as empresas obtêm lucros "normais", determinados pelas leis da oferta e da procura. Se seus lucros ficassem muito abaixo dessa faixa normal, algumas dessas empresas deixariam a atividade, o que elevaria os lucros das empresas remanescentes. Se os seus lucros ficassem muito acima da faixa normal, novas empresas entrariam nessa indústria para concorrer a esses retornos excepcionais, o que reconduziria os lucros a um nível normal.

As empresas do ramo do petróleo, no entanto, podem conquistar rendas e lucros acima e além dos custos de produção, em que os custos incluem uma faixa normal de retorno sobre o capital investido.

---

vas de petróleo offshore, que representam cerca de um quarto da produção norte-americana. Reservas sob terrenos públicos também podem ser de propriedade do governo. Jones Luong e Weinthal (2010) apontam que há diferenças importantes em padrões de propriedade entre os países. Voltarei à questão da propriedade e da privatização no capítulo final.

[8] Sobre a evolução das leis de mineração dos EUA, consulte Libecap (1989). Como Gavin Wright e Jesse Czelusta (2004, 11) apontam, isso não significa que os Estados Unidos tinham um sistema de direitos minerários funcional:

> Grande parte dos melhores terrenos minerais dos EUA foi transferida para mãos privadas fora dos procedimentos previstos pela lei federal. Cerca de 6 milhões de acres de carvão foram privatizados entre 1873 e 1906, por exemplo, na sua maioria disfarçados de terras agrícolas. A maior parte dos terrenos de ferro do norte de Minnesota e Wisconsin foram obtidos de modo fraudulento, de acordo com as disposições do Homestead Act.

Há duas condições gerais que geram receitas de petróleo ou de qualquer outra atividade extrativa. Uma delas é a geografia favorável, que dá a alguns produtores acesso a petróleo mais barato e de melhor qualidade do que seus concorrentes. Algumas reservas produzem petróleo de qualidade relativamente baixa a um alto preço e geram apenas um lucro normal, mas outras produzem petróleo de alta qualidade a baixo custo e, consequentemente, geram receitas "diferenciadas" para seu proprietário.[9] Uma vez que há uma oferta limitada de campos com baixo custo de extração e petróleo de alta qualidade, as novas empresas que entram no negócio de petróleo não podem obter essas receitas facilmente.

Os produtores também podem ganhar receitas advindas da escassez quando a demanda por petróleo supera temporariamente a oferta. Em teoria, o fornecimento de petróleo acabará sintonizado com a demanda, ou a demanda cairá para satisfazer o abastecimento. Mas esses ajustes podem levar anos, seja porque os fornecimentos de petróleo estão escasseando ou, mesmo que isso não ocorra, porque a elasticidade de preço da oferta é relativamente baixa, o que significa que é preciso um longo tempo para os produtores entregarem mais petróleo ao mercado, respondendo aos preços mais altos.

O gráfico 2.5 mostra a magnitude dessas receitas em 2008 para onze líderes em exportação. As barras pretas mostram o custo médio de produção de um barril de petróleo e as barras cinza mostram seu preço aproximado no mercado mundial, refletindo diferenças na qualidade do petróleo de cada país. Ao final de 2008, o custo médio de extração por barril variou de cerca de US$ 1,80 na Arábia Saudita para US$ 31,40 no Canadá, enquanto os preços variaram de US$ 38 no Canadá para US$ 53 na Nigéria. A diferença entre esses dois valores foi a receita, que variou de cerca de US$ 6 por barril no Canadá para US$ 42 por barril na Nigéria.[10]

Os pesquisadores há muito são fascinados por receitas. Em *Princípios de Economia Política,* John Stuart Mill sugeriu que o conceito de receita é uma das doutrinas fundamentais da economia política e, até que ele seja entendido, nenhuma explicação consistente pode ser dada para muitos dos fenômenos industriais mais complexos. A evidência dessa verdade se manifestará com um grande aumento na clareza.[11]

[9] Esse tipo de receita - produzido por diferenças inerentes à qualidade ou custos de produção de um bem - é às vezes chamado de receita "ricardiana", pois foi descrito pela primeira vez pelo economista David Ricardo, no século XIX.

[10] As estimativas de receitas são reconhecidamente imprecisas; esses números são baseados em dados produzidos por Kirk Hamilton e Michael Clemens (1999) e atualizados para compensar a inflação.

[11] Mill [1848] 1987, 16: 3. Muitos cientistas sociais argumentam que a caça à renda é a raiz de muitos males, inclusive de desperdício econômico, corrupção e violência. Consulte, por exemplo, Krueger, 1974; Buchanan, Tollison e Tullock, 1980; Colander, 1984. No entanto, teorias sobre rendas são mais fáceis de se construir do que de se testar.

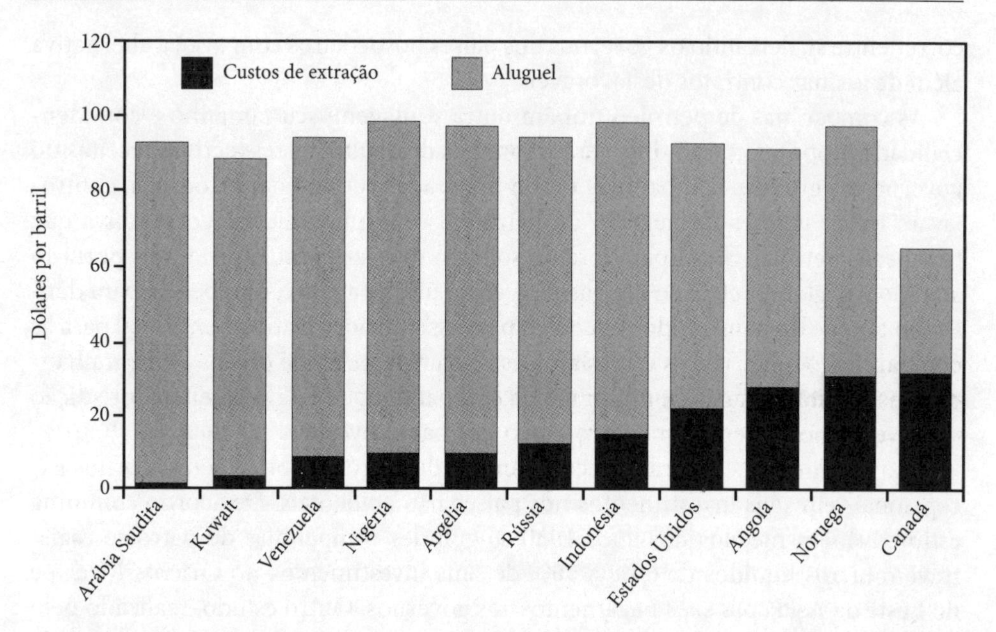

Gráfico 2.5. Os preços e as receitas de petróleo em países selecionados, 2008
A altura das barras representa o preço do petróleo exportado por cada país em janeiro de 2008. As seções mais escuras mostram os custos de extração e a seções mais claras mostram as receitas.
Fontes: os preços de petróleo foram retirados do site da Energy Information Administration Web, disponível em http://www.eia.doe.gov (acessado em 25 de janeiro de 2009); os custos de extração, ajustados para a obtenção dessas informações, foram tomados de Hamilton e Clemens, 1999.

Grande parte das políticas de petróleo é moldada pela luta entre as companhias de petróleo e os governos pelo controle dessas receitas. De acordo com princípios estabelecidos há tempos, receitas provenientes da venda de um ativo devem pertencer ao proprietário desse ativo. Posso contratar uma empresa para transportar minha coleção de moedas de ouro, que eu armazeno em um cofre de banco, até minha casa, mas isso não dá à empresa de transportes o direito de reter algumas dessas moedas, uma vez que eu pague a taxa normal de transporte. Da mesma forma, um governo pode oferecer a uma companhia o direito de extrair petróleo de reservas estatais, mas isso não dá à companhia o direito de reter quaisquer receitas desse petróleo.

Antes das mudanças dos anos 1960 e 1970, a dimensão das empresas de petróleo e sua capacidade de conspirar tornou quase impossível para os governos recolher as receitas de empresas de petróleo que por direito deveriam ter ido para o Estado. Em tese, os governos poderiam ter usado a concorrência de mercado para forçar as empresas a pagar as receitas - por exemplo, leiloando os direitos de concessão pelo maior lance. Na prática, as grandes companhias de petróleo recusaram-se a concorrer entre si, deixando os governos dos países hospedeiros com pouca alternativa além de assinar contratos desfavoráveis.

As companhias de petróleo tinham outra vantagem: seu tamanho e confidencialidade proporcionavam inúmeras maneiras de ocultar as respectivas receitas do governo. As grandes companhias foram integradas verticalmente, ou seja, controlavam todas as fases do negócio do petróleo: a mesma entidade corporativa que bombeava petróleo bruto para fora do solo em um país também iria transportá-lo ao redor do globo, refiná-lo em gasolina e, em última análise, bombeá-lo para dentro do tanque do consumidor em outro país. Isso tornou relativamente fácil para as companhias ocultar lucros extras através da transferência de preços - embaralhando suas receitas a partir de um braço da companhia que estava sujeito à jurisdição do governo hospedeiro para outro braço que não estivesse.

Isso permitiu que as grandes companhias de petróleo obtivessem retornos excepcionais em seus investimentos nos países não ocidentais. De acordo com uma estimativa, em meados dos anos 1950 as grandes companhias de petróleo registravam lucros líquidos de 60% a 90% de seus investimentos no Oriente Médio e no Leste da Ásia *após* seus pagamentos aos governos. Outro estudo, realizado pelo Departamento de Comércio dos EUA, constatou que, em 1960, as companhias de petróleo dos EUA tinham obtido lucros pós-impostos que representavam 50% de retorno sobre o valor contábil de seus investimentos no Oriente Médio e 29% de retorno sobre seus investimentos na Venezuela.[12] Por qualquer mensuração, essas companhias obtiveram lucros extraordinários de suas operações em países em desenvolvimento.

Capturando Receitas

Na década de 1950, os governos dos países em desenvolvimento nominalmente eram proprietários da riqueza petrolífera de suas nações, mas a maioria recebeu apenas uma fração das receitas criadas por isso. Muitas vezes, eles não podiam sequer controlar o quanto de petróleo era retirado de seu solo e exportado por via oceânica. Tudo isso foi mudado pela onda de nacionalizações que varreu a indústria mundial do petróleo nas décadas de 1950, 1960 e 1970.

Os primeiros países a nacionalizar suas produções de petróleo foram Argentina (1910), União Soviética (1918), Bolívia (1937) e México (1938). No entanto, antes da Segunda Guerra Mundial, nacionalizações eram raras. Ao final dos anos 1950, as chamadas Sete Irmãs controlavam 98% do petróleo comercializado no mundo fora dos Estados Unidos e do bloco comunista.[13]

[12] Hartshorn, 1962.

[13] Levy, 1982.

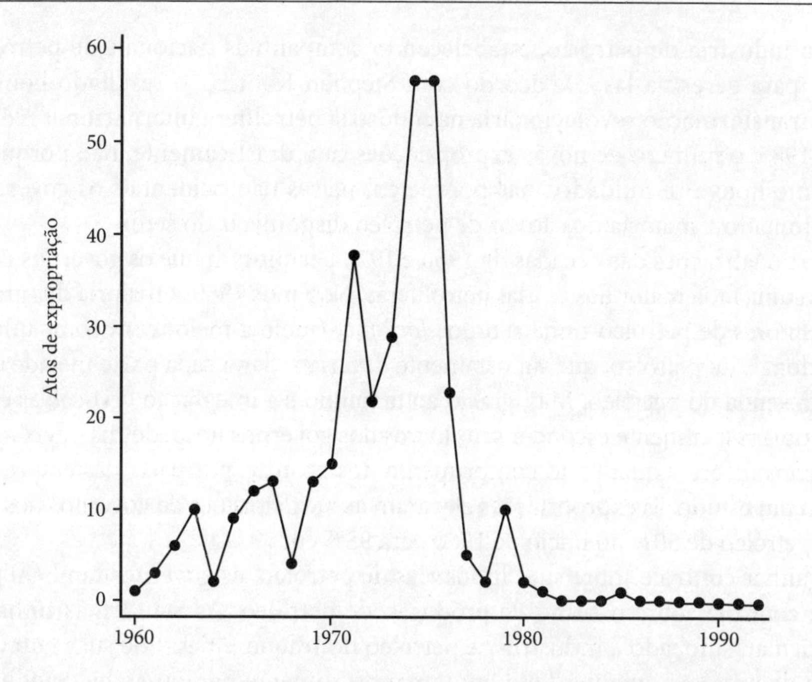

Gráfico 2.6. A expropriação de companhias petrolíferas pelo governo, 1960 a 1993

A linha indica o número de "atos de expropriação" significativos ao redor do mundo em cada ano de calendário, definidos como "expropriação formal, venda forçada, renegociações e intervenções não legais" em companhias de petróleo.

Uma única empresa pode ter sido submetida a vários atos de expropriação ao longo do tempo.

Fontes: Kobrin, 1980; Minor, 1994.

Entre 1950 e 1970, no entanto, o equilíbrio de poder entre as companhias de petróleo e os governos hospedeiros mudou dramaticamente. Como escreveu a historiadora de economia Edith Penrose em 1976:

Exploração e concessões de produção asseguradas nos primeiros dias foram repetidamente renegociadas, invariavelmente em favor dos países; onde as concessões cobriam uma proporção grande da área de extração de um país, elas foram reduzidas em tamanho; foram introduzidas regulamentações mais duras a respeito de requisitos de perfuração, manutenção de reservatórios e questões semelhantes; além disso, acordos financeiros de todos os tipos foram melhorados em favor dos países.[14]

A mudança de poder das corporações para os governos culminou em uma onda de expropriações que atingiu o pico entre 1971 e 1976 (consulte a figura 2.6). Por volta de 1980, quase todos os países em desenvolvimento tinham nacionali-

[14] Penrose, 1976, 198.

zado sua indústria de petróleo, estabelecendo companhias nacionais de petróleo (NOCs) para gerenciá-las. De acordo com Stephen Kobrin, "o resultado líquido foi uma transformação revolucionária na indústria petrolífera internacional".[15] Depois de 1985, o número de novas expropriações caiu drasticamente, não porque o sentimento houvesse mudado, mas porque em países não ocidentais os governos tinham tomado a maioria dos ativos de petróleo disponíveis do setor.

As nacionalizações das décadas de 1960 e 1970 permitiram que os governos capturassem uma fatia maior das rendas petrolíferas. Nos anos 1950, a maioria dos grandes produtores de petróleo tinha acordos *fifty-fifty* (meio a meio) com companhias internacionais de petróleo, que supostamente deveriam dar a cada parte metade dos lucros da venda do petróleo. Mas, graças ao tamanho e à integração vertical, as empresas podiam facilmente esconder seus lucros dos governos hospedeiros - deixando os governos incertos quanto ao cumprimento dos acordos por parte das empresas. Segundo um estudo, as expropriações elevaram as participações de governos nos lucros do petróleo de 50% no início de 1960 para 98% em 1974.[16]

Ao ganhar controle sobre suas indústrias de petróleo, os governos também ganharam controle sobre o ritmo de produção de petróleo. As Sete Irmãs tinham, em particular, sufocado a indústria de petróleo do Iraque. Apesar de suas notáveis reservas de petróleo, que perdiam em tamanho somente para a Arábia Saudita e eram semelhantemente baratas de se extrair, a companhia de propriedade estrangeira Iraqi Petroleum Company (IPC) colocou limites precisos sobre a produção de petróleo a fim de evitar a queda nos preços globais.

Depois que o governo iraquiano nacionalizou a IPC, em 1972, sua produção mais que dobrou ao longo dos sete anos seguintes.

O que causou essa onda de nacionalizações? Um dos fatores foi o aumento do sentimento nacionalista no mundo em desenvolvimento nos anos 1950 e 1960, que testemunharam a descolonização. Esses sentimentos misturaram-se com a antipatia em relação às empresas estrangeiras, cujas subsidiárias locais eram frequentemente estabelecidas durante o governo colonial e com ele intimamente associadas. Isso tornou populares as nacionalizações de empresas petrolíferas estrangeiras.

No México, por exemplo, a desapropriação de empresas petrolíferas estrangeiras em 1938 foi recebida com tal entusiasmo que o dia em que isso aconteceu, 18 de março, passou, desde então, a ser celebrado como feriado. Em 1951, o primeiro-ministro iraniano Mohammed Mossadegh foi obrigado a nacionalizar a companhia de propriedade britânica Anglo-Iranian Oil (AIOC), depois que seu predecessor - que foi contrário à nacionalização - foi assassinado. A tomada da AIOC foi recebida com festas exuberantes e um feriado nacional especial.[17]

---

[15] Kobrin, 1980, 17. Consulte também Jodice, 1980; Minor, 1994.

[16] Mommer, 2002.

[17] Yergin, 1991, 463.

Políticos ligados a essas nacionalizações, por vezes, ganharam grande aclamação. No Iraque, a tomada da IPC foi organizada pelo subsecretário-geral do Conselho do Comando Revolucionário – Saddam Hussein - polindo sua imagem pública e aumentando o apoio popular ao Partido Baath. De acordo com um biógrafo, a nacionalização do IPC tornou-se "a porta da fama" para Hussein.[18]

Com toda a sua popularidade, essas nacionalizações não teriam sido possíveis sem um segundo desenvolvimento: o declínio no poder de negociação das grandes companhias de petróleo. Até o início da década de 1960, poucos governos exportadores de petróleo ousaram desafiar as principais empresas petrolíferas, que firmemente controlavam o comércio internacional de petróleo. Qualquer governo que impusesse controle sobre a indústria petrolífera de seu país não seria capaz de vender seu petróleo no exterior, uma vez que as Sete Irmãs controlavam quase toda a distribuição internacional e os canais de comercialização. Os governos que nacionalizaram suas indústrias de petróleo pagaram um alto preço. Depois que o México nacionalizou sua indústria de petróleo, em 1938, as companhias internacionais boicotaram seu petróleo, negaram-se a locar navios petroleiros e se recusaram a vender-lhe chumbo tetraetila, um aditivo de crítica importância para a fabricação de gasolina.[19] Quando o Irã nacionalizou a AIOC, em 1951, foi punido com um embargo incapacitante e, após dois anos recusando-se a ceder, o governo Mossadegh foi derrubado por um golpe liderado pelos serviços secretos dos EUA e da Grã-Bretanha. Após o xá ter sido recolocado no poder, ele efetivamente reverteu a nacionalização da AIOC.[20]

Porém, nas década de 1950 e 1960, o poder de barganha das grandes companhias de petróleo começou a se deteriorar. Um dos motivos foi o surgimento de produtores de petróleo "independentes", que reduziram a participação de mercado das principais empresas petrolíferas; esses incluíam a Getty Oil, a Standard Oil of Indiana, a estatal italiana ENI, um consórcio japonês chamado Arabian Oil Company e a União Soviética. Igualmente importante foi o surgimento de empresas de menor porte que podiam fornecer aos governos exploração especializada, perfuração e serviços de engenharia que antes eram disponíveis apenas a partir das Sete Irmãs.

Outro fator foi a fundação da OPEP, em 1960. No início, os membros da OPEP simplesmente compartilhavam informações anteriormente sigilosas sobre seus contratos com as companhias petrolíferas. Ao longo do tempo, eles desenvolveram estratégias de negociação coordenadas, que, em última análise, melhoraram as condições de seus contratos.

Também foi importante a crescente relutância das principais potências oci-

---

[18] Coughlin, 2002, 108.

[19] Krasner, 1978.

[20] Mahdavi, 2011.

dentais - Estados Unidos, França e Grã-Bretanha - em usar força militar e assim proteger seus interesses econômicos no exterior. A operação conjunta EUA-Reino Unido para derrubar o governo Mossadegh no Irã, em 1953, foi considerada um sucesso naquele momento. Mas as próximas duas décadas testemunharam humilhantes derrotas militares para as grandes potências ocidentais, incluindo a França, no Vietnã; a Argélia, a Grã-Bretanha e a França na Guerra do Suez, em 1956, e os Estados Unidos no Vietnã e no Camboja. No fim dos anos 1960, as potências ocidentais começaram a relutar em enviar suas tropas ao exterior para proteger regimes amigos ou derrubar os hostis.

E, finalmente, a posição negocial dos países anfitriões melhorou ao longo do tempo, graças às qualidades incomuns do negócio do petróleo. A extração de petróleo requer grandes investimentos iniciais, que são utilizados para a compra de ativos muito específicos - como concessões, poços, estações de bombeamento e gasodutos, que não podem facilmente ser movidos para outros lugares ou utilizados para outros fins. Uma vez que as empresas fazem esses investimentos, se torna proibitivamente caro para elas se retirar, uma vez que teriam de deixar esses investimentos para trás.

Isso confronta as companhias com o que os economistas chamam de problema da "consistência temporal". Antes dos investimentos iniciais, as companhias estão em uma forte posição de barganha e podem negociar contratos altamente favoráveis com os governos hospedeiros. Mas, uma vez que elas fazem seus investimentos, perdem muito de seus poderes de barganha - deixando os governos hospedeiros livres para revogar quaisquer cláusulas contratuais de que não gostarem, com pouco medo de que as companhias retirem seus investimentos.[21]

Enquanto as grandes companhias de petróleo tiveram controle exclusivo sobre o transporte e a distribuição de petróleo e foram apoiadas pelo poder militar de seus governos nacionais, elas mantiveram poder de barganha suficiente para impor seus contratos aos governos. Quando o aumento das companhias independentes de petróleo quebrou o oligopsônio das Sete Irmãs e as potências ocidentais tornaram-se relutantes em usar a força no exterior, não havia muito a fazer para dissuadir os governos hospedeiros de quebrar seus contratos com as grandes companhias de petróleo e substituí-las por suas próprias companhias petrolíferas nacionais.

Desde os anos 1970, as empresas petrolíferas nacionais têm dominado o fornecimento de petróleo mundial. Um punhado de países, nomeadamente México e Líbia - expulsaram empresas estrangeiras e trabalhadores estrangeiros e administraram suas indústrias de petróleo com pouca assistência internacional. No entanto, na maioria dos países, as companhias petrolíferas internacionais (IOCs) continuam desempenhando um papel importante, graças ao seu acesso a capital, qualificações técnicas e redes de comercialização internacionais.

[21] Raymond Vernon, 1971, refere-se a esse problema como "barganha obsolescente."

Hoje, as relações entre NOCs e companhias privadas variam amplamente na forma.[22] Em um punhado de países - a maioria no Oriente Médio - as NOCs exercem o dia a dia operacional dessa indústria e só contratam companhias internacionais para contratos de serviço dedicados a tarefas específicas. Na maioria dos outros países, os governos assinaram acordos de concessão, acordos de partilha de produção ou joint ventures com companhias estrangeiras, dando a suas companhias nacionais maior controle sobre operações cotidianas.

Tabela 2.3
Maiores empresas de petróleo e gás natural do mundo por valor de mercado, 2005

Posição	*Empresa*	*Propriedade*	*Valor de mercado (US$ bilhões)*
1	ExxonMobil	setor privado	349,5
2	BP	setor privado	219,8
3	Royal Dutch Shell	setor privado	208,3
4	Gazprom (Rússia)	híbrida	160,2
5	Total	setor privado	154,2
6	Petrochina	estatal	146,6
7	Chevron	setor privado	127,4
8	Eni	setor privado	111
9	ConocoPhillips	setor privado	80,7
10	Petrobras (Brasil)	híbrida	74,7
11	Lukoil	setor privado	50,5
12	Statoil (Noruega)	híbrida	50,3
13	Sinopec (China)	estatal	48,7
14	Surgutneftegaz (Rússia)	híbrida	45,8
15	ONGC (Índia)	estatal	37,2

Fonte: PFC Energy, disponível em http://www.pfcenergy.com

O ramo do petróleo agora é administrado por uma combinação de NOCs, empresas do setor privado e companhias híbridas que combinam posse estatal e privada. Em sua maioria, elas são tão grandes e complexas que é difícil saber seu verdadeiro valor. As companhias que estão cotadas em bolsa de valores podem ser medidas pelo valor de suas ações em circulação no mercado. Por essa mensuração,

[22] Para uma discussão sobre as muitas formas que esses contratos podem assumir, consulte Johnston, 2007. Paul Stevens (2008) sugere que houve ciclos de nacionalismo de recursos naturais, especialmente no Oriente Médio.

as maiores empresas de petróleo do mundo em 2005 foram a ExxonMobil, a BP e a Royal Dutch Shell (consulte a tabela 2.3). Mas empresas que são propriedade exclusiva de países não estão cotadas publicamente. Se usarmos uma medida alternativa - o tamanho das reservas comprovadas de petróleo - nove das dez maiores empresas são NOCs (consulte o gráfico 2.4). Um estudo de 2003 descobriu que NOCs controlavam cerca de 80% das reservas mundiais de petróleo e 75% da produção global.[23]

Mesmo antes das nacionalizações das décadas de 1950 e 1960, os governos de países produtores de petróleo vinham acumulando grandes e às vezes até mesmo colossais receitas de petróleo. Mas a mudança na direção da propriedade nacional lhes permitiu obter o controle total sobre suas indústrias de petróleo e iniciar – beneficiando-se disso - aumentos acentuados dos preços do petróleo nos anos 1970.

Tabela 2.4

Maiores empresas de gás e petróleo do mundo por reservas comprovadas, 2005

Posição	*Empresa*	*Propriedade*	*Reservas de petróleo (barris)*
1	Saudi Aramco	Corp. estatal	262
2	National Iranian Oil	Corp. estatal	125
3	Iraqi National State Oil	Corp. estatal	115
4	Kuwait Petroleum	Corp. estatal	101
5	Abu Dhabi National Oil	Corp. estatal	98
6	PDVSA (Venezuela)	Corp. estatal	77
7	Líbia NOC	Corp. estatal	39
8	Nigerian National Petroleum	Corp. estatal	35
9	Lukoil	Setor privado	16,1
10	Qatar Petroleum	Corp. estatal	15,2
11	Rosneft (Rússia)	Corp.estatal	15
12	PEMEX (México)	Corp. estatal	14,6
13	Sonatrach (Argélia)	Corp. estatal	11,8
14	ExxonMobil	Setor privado	10,5
15	BP	Setor privado	9,6

Fontes: EIA Annual Energy Review 2007, acessível em http://www.eia.doe.gov, relatórios de companhias; as estimativas de reservas de petróleo são aproximadas e variam ligeiramente segundo diferentes fontes.

[23] McPherson, 2003.

O Petróleo e o Setor Privado

O petróleo pode aumentar as receitas do governo, mas por que ele pode fazer com que o setor estatal cresça mais rapidamente que o resto da economia? Como é que a produção de petróleo não leva a um crescimento igualmente rápido no setor privado? De fato, as teorias econômicas populares nas décadas de 1950 e 1960 sugeriam que booms de recursos tipicamente produziam um padrão diversificado de crescimento na iniciativa privada.[24] No entanto, os benefícios para o setor privado sobre booms de petróleo vinham, em grande parte, do aumento dos gastos do governo, especialmente em países de baixa renda.

Compreender essa razão ajuda a explicar por que o petróleo faz com que os governos cresçam *em relação* ao setor privado: enquanto o petróleo estimula as receitas governamentais, ele faz muito menos para ajudar - e pode até mesmo prejudicar - outras indústrias do setor privado.

Há três forças por trás desse estranho padrão. A primeira é a propriedade governamental das reservas de petróleo. Se os recursos do subsolo de um país fossem de propriedade privada, a extração de petróleo enriqueceria mais as empresas privadas e menos os governos.

Os direitos de soberania do Estado sobre as reservas de petróleo ajudam a limitar o impacto delas sobre o setor privado. O segundo é a natureza de "enclave" da maioria dos projetos de petróleo. Mesmo quando o Estado controla a extração, o processamento e o transporte de petróleo, ainda podemos esperar que essas atividades estimulem o crescimento em outras partes da economia de um país.

Mas o ramo do petróleo normalmente opera como um enclave. Em alguns casos, as empresas literalmente trabalham em enclaves geográficos - áreas isoladas e autônomas, áreas como plataformas offshore de perfuração de petróleo. Contudo, isso nem sempre é assim.

Às vezes, as máquinas de extração de petróleo se estendem por centenas ou milhares de quilômetros. De acordo com um estudo, em 2006 a Nigéria tinha 5.284 poços terrestres e offshore, 7.000 quilômetros de dutos, 275 estações de fluxo, dez plantas de gás, dez terminais de exportação, quatro refinarias e três plantas de liquefação de gás.[25] Ainda assim, a produção de petróleo ocorre geralmente em um enclave *econômico*, o que significa que isso tem poucos efeitos diretos sobre o resto da economia.[26]

---

[24] Spengler, 1960; North, 1955; Watkins, 1963.

[25] Lubeck, Watts e Lipschutz, 2007.

[26] Esse problema, e a necessidade de "conexões fiscais" para substituir a falta de encadeamentos "à montante e à juzante" entre o setor mineral e o resto da economia, foi tematizado pela primeira vez em Hirschman, 1958.

Para sublinhar esse problema, considere por um momento um tipo diferente de atividade econômica: a fabricação. O crescimento da indústria de transformação de um país vai estimular o crescimento do resto da economia através de pelo menos três vias: seus funcionários vão comprar bens e serviços produzidos por outras empresas (o "efeito emprego"); seus funcionários vão aprender habilidades que poderão levar para trabalhos futuros (o efeito "aprender-fazendo") e as fábricas vão, elas mesmas, comprar mercadorias provenientes de outras empresas, usando-as como insumos de seus produtos (o efeito de "encadeamento à montante"). Estudos em uma ampla gama de países têm documentado a escala e importância desses efeitos colaterais.[27]

No entanto, nenhuma dessas três vias funciona bem no setor de petróleo por duas razões.

Em primeiro lugar, a exploração e a produção de petróleo são extraordinariamente intensivas em capital: elas demandam muitos equipamentos caros, mas relativamente pouco trabalho.[28] A Arábia Saudita é o maior produtor de petróleo do mundo, com o petróleo e o gás natural representando cerca de 90% do PIB do país.

No entanto, os setores de petróleo e minerais empregam apenas 1,6% da força de trabalho ativa e 0,35% da população total.[29] A crescente popularidade da perfuração offshore está tornando a indústria ainda mais intensiva em capital. A construção de uma única plataforma para águas profundas pode custar mais de US$ 500 milhões. E pode ser alugada por mais de US$ 200 milhões por ano. Uma vez colocada em seu lugar, no entanto, ela opera com menos de duas centenas de pessoas, a maioria estrangeiros, que vivem a bordo da plataforma.[30]

Uma forma de medir a intensidade de capital é dividindo os investimentos de uma empresa em ativo imobilizado (propriedades e equipamento) pelo número de trabalhadores que contrata. Um estudo recente de empresas norte-americanas que operam no exterior descobriu que empresas têxteis fizeram um valor de investimento de US$ 13.000 por empregado, tornando essa indústria a de mais baixa intensidade de capital. As companhias de petróleo e gás natural gastaram US$ 3,2

[27] Javorcik, 2004; Moran 2007. Em teoria, as empresas também podem criar "encadeamentos à jusante" fornecendo insumos de baixo custo para outras indústrias, o que as tornaria mais competitivas. Na prática, os estudos raramente encontram efeitos significativos nesses encadeamentos.

[28] Na verdade, essa é uma das razões pelas quais o petróleo triunfou sobre o carvão na década de 1950 como primeira fonte de combustível mundial. Como a produção de carvão é intensiva em trabalho, era mais suscetível a greves de trabalhadores e, consequentemente, rupturas de abastecimento. As greves entre os mineiros de carvão nos Estados Unidos e na Europa no início do período pós-guerra incentivaram muitas empresas a mudar do carvão para o petróleo, que exigia menos trabalhadores e era menos vulnerável a greves. Consulte Yergin, 1991, 543-45.

[29] Organização Internacional do Trabalho, 2005.

[30] Williarns, 2006.

milhões por empregado, tornando-as de longe as de mais alta intensidade de capital (consulte o gráfico 2.7).[31]

Como o setor de petróleo cria relativamente poucos empregos locais, os efeitos emprego e aprender-fazendo tendem a ser pequenos.

Em segundo lugar, os produtores de petróleo compram relativamente poucos insumos de empresas locais e, assim, geram poucos encadeamentos à montante para a economia local. As companhias de petróleo usam muitos equipamentos, mas esses equipamentos tendem a ser altamente especializados e fabricados em países de alta renda. A maioria das plataformas de perfuração para águas profundas, por exemplo, são feitas em Cingapura ou na Coreia do Sul. Para muitas empresas, sua principal "compra" local é o direito de extrair petróleo, que eles compram diretamente do governo.

[31] Schultz, 2006.

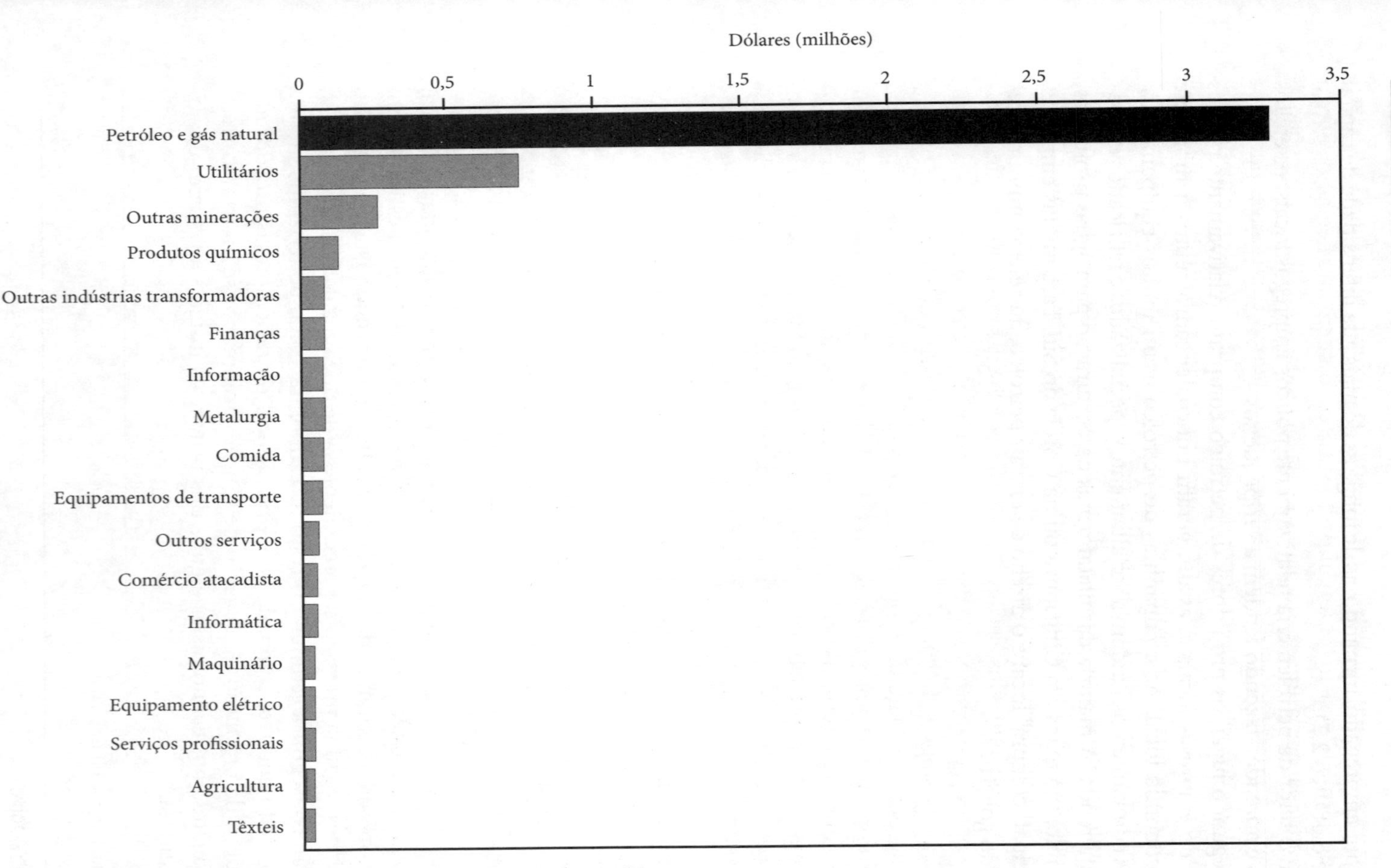

Figura 2.7. A relação capital/trabalho nas grandes indústrias
Essas barras mostram a quantidade de dinheiro (em milhões de US$) investido por funcionário em empresas norte-americanas que operam no exterior.
Fonte: Schultz, 2006.

Graças a essas duas qualidades, a produção de petróleo e, por extensão, as companhias de petróleo, podem ter um impacto surpreendentemente pequeno sobre o setor privado, particularmente em países de baixa renda. Na República do Congo, por exemplo, a produção de petróleo foi por muito tempo responsável por cerca de um terço da economia. No entanto, um estudo recente do FMI constatou que, entre 1960 e 2004, a produção de petróleo não teve um impacto direto sobre o crescimento da economia não petrolífera.[32]

Em seu livro *Crude World*, o jornalista Peter Maass descreve sua visita a uma instalação de gás natural de US$ 1,5 bilhão na Guiné Equatorial, que foi construída e era operada pela Marathon Oil, com sede em Houston, e quase inteiramente composta por trabalhadores estrangeiros:

A usina - como muitas instalações petrolíferas semelhantes nos países em desenvolvimento - poderia estar na lua, no que tange ao benefício oferecido a empresas locais. (...) Em vez de comprar cimento de uma empresa de Malabo, que talvez não pudesse entregar no prazo, a Marathon construiu uma pequena fábrica de cimento no local da construção. As matérias-primas foram importadas e a fábrica seria desmantelada quando a construção terminasse. Os trailers em que os trabalhadores (estrangeiros) viviam eram unidades pré-fabricadas - nenhum material ou força de trabalho local foi utilizado para construí-los. A usina tinha sua própria rede de telefone via satélite, que era conectada à rede da companhia no Texas - se você pegasse o telefone, o código seria o de Houston e se ligasse para Malabo seria uma ligação internacional. A instalação também tinha suas próprias usinas de geração de energia e de purificação de água e sistema de esgoto. Ela existia completamente fora da rede local.[33]

Finalmente, o petróleo muitas vezes não consegue impulsionar o crescimento do setor privado devido à "doença holandesa". A revista *Economist* cunhou o termo em novembro de 1977 para descrever o efeito das exportações de gás natural na economia holandesa. Mas a referida síndrome foi notada pela primeira vez no século XIX, após a corrida do ouro na Califórnia, em 1849, e da corrida do ouro na Austrália, em 1851.

William Newmarch, um banqueiro (e, ironicamente, um colaborador ocasional do *Economist)* argumentou que esses booms de mineração de ouro estimulariam outros setores das economias dos EUA e Austrália. Mas o economista irlandês John Elliot Cairnes fez uma previsão surpreendente: a de que uma corrida do ouro não apenas não conseguiria estimular o resto da economia, como poderíamos supor a partir do efeito enclave, como, de fato, *prejudicaria* outras empresas provocando uma redução da produção. A alegação de Cairnes acabou por se mostrar correta, proporcionando aos economistas alguns dos primeiros insights a respeito da doença holandesa.[34]

---

[32] Bhattacharya e Ghura, 2006.

[33] Maass, 2009, 35-36.

[34] Bordo, 1975.

Jornalistas usam às vezes os termos "doença holandesa" e "maldição dos recursos" para se referir a todas as dificuldades que podem estar ligadas à exportação de recursos. Para os economistas, o termo "doença holandesa" tem uma definição estrita: é o processo que faz com que um boom no setor de recursos naturais de um país produza um declínio em seus setores industrial e agrícola.

Esse declínio é resultado de dois efeitos. O primeiro é o "efeito da movimentação de recursos": o boom no setor de recursos naturais tira força de trabalho e capital dos setores agrícola e industrial, aumentando seus custos de produção. O segundo é o "efeito gastos": o dinheiro do boom de recursos naturais entra na economia, elevando as taxas de câmbio reais. A taxa de câmbio real mais elevada torna mais barato importar produtos agrícolas e bens manufaturados do que produzi-los domesticamente.

Como resultado, os setores industrial e agrícola podem perder participação no mercado interno, graças à concorrência de importações mais baratas, e terão mais dificuldade para competir nos mercados mundiais, graças ao aumento dos custos de produção e da taxa de câmbio real mais elevada. Bens e serviços que não podem ser importados (ou seja, "bens não comercializáveis", como construção civil, segurança e educação) estão protegidos contra esses efeitos e não sofrem qualquer dano. Um boom nas exportações de recursos, portanto, levará a uma queda no tamanho relativo dos setores agrícola e industrial, os outros permanecem iguais.[35]

Há pouca dúvida de que a doença holandesa é real. Depois dos booms dos anos 1970, a doença holandesa prejudicou os setores agrícola e industrial de muitos países exportadores de petróleo, incluindo Argélia, Colômbia, Equador, Nigéria, Trinidad e Venezuela.[36] Na Nigéria, a doença holandesa fez com que o valor da produção agrícola caísse a partir do início dos anos 1970 até meados dos anos 1980 e devastou indústrias construídas sobre a exportação de cacau, óleo de palma (azeite dendê) e borracha.[37] Na Argélia, o boom das exportações de petróleo levou a uma queda nas exportações de manufaturados duas vezes - pela primeira vez no final dos anos 1970 e novamente no final dos anos 1990 e início de 2000.

De uma perspectiva puramente econômica, a doença holandesa não é tão grave como o próprio nome indica. De acordo com a teoria da vantagem comparativa, um aumento das exportações de petróleo e gás natural *deve* desencorajar outros tipos de exportações, uma vez que conota uma mudança na vantagem comparativa de um país.

Se a receita gerada pelo setor de petróleo é maior do que a receita perdida na manufatura e na agricultura - o que deve ser verdade, de acordo com modelos econômicos simples - o país ainda deve sair desse processo fortalecido.[38]

---

[35] Corden e Neary, 1982; Neary e van Wijnbergen, 1986.

[36] Gelb and Associates, 1988; Auty, 1990.

[37] Bevan, Collier e Gunning, 1999.

[38] Matsen e Torvik, 2005.

A doença holandesa, no entanto, pode ser prejudicial se a produção de petróleo tiver repercussões negativas, ou se a agricultura e a indústria tiverem repercussões positivas, que podem não aparecer em uma análise econômica simples. Se for assim, então, um país com um setor de petróleo maior, juntamente com setores agrícolas e industriais menores, pode sofrer de outras maneiras - por exemplo, tendo maior volatilidade econômica, menos democracia, menos oportunidades para mulheres e mais conflitos violentos. Uma vez que esses problemas são contabilizados, a doença holandesa se torna muito mais preocupante.

Agora, observe como a doença holandesa afeta o tamanho do governo enquanto parte da economia: uma vez que os setores de petróleo são geralmente propriedade de governos, a riqueza do petróleo amplia o governo; uma vez que os setores agrícola e industrial são tipicamente atividades privadas, sua rentabilidade decrescente reduzirá o tamanho do setor privado. A doença holandesa ajuda a transferir as atividades econômicas do país do setor privado para o governo.

E o que acontece com outro setor importante da economia, o setor de serviços? Durante booms de petróleo, o setor de serviços de um país tende a prosperar, já que ele fornece à economia coisas que não podem ser facilmente importadas - como serviços de construção, cuidados de saúde e comércio varejista. O setor de serviços deve sair ileso de um aumento na taxa de câmbio. Em países com excepcional riqueza de petróleo, a maior parte do setor privado é tipicamente composta por empresas de serviços. De acordo com dados do Banco Mundial para 1990 - o ano mais recente com dados relativamente completos – nos países da OPEP, 56% da força de trabalho foram contratados pelo setor de serviços; fora dos países da OPEP, a média foi de 40%.[39] Em países produtores de petróleo, essas empresas de serviços muitas vezes dependem de contratos governamentais - por exemplo, para construir os projetos financiados pelo Estado, como estradas, pontes e hospitais, e prestação de serviços à indústria de petróleo.

Em suma, a doença holandesa tende a tornar alguns setores econômicos (agricultura e indústria) menores e mais dependentes de ajuda do governo, e outros setores (o de serviços) maiores, em parte através de contratos com o governo. Juntamente com o efeito enclave, a doença holandesa ajuda a explicar por que a riqueza do petróleo faz muito pouco para ajudar outras partes da economia e por que as empresas sobreviventes se tornam mais dependentes do governo.

A Estabilidade das Receitas do Petróleo

A terceira característica das receitas do petróleo é a sua instabilidade: elas podem cair ou subir inesperadamente. Essa volatilidade é produzida por uma combinação de três fatores: mudança nos preços do petróleo, mudança no ritmo de pro-

[39] Banco Mundial, 2004.

dução e os contratos entre governos e companhias petrolíferas, que tanto podem amenizar quanto acentuar essas flutuações.

Mudanças de Preços

Em janeiro de 1861, menos de um ano após a descoberta de petróleo em Titusville, na Pensilvânia, um barril era vendido por dez dólares; nos 12 meses seguintes o preço caiu em 99%, para 10 centavos de dólar o barril.[40] O preço do petróleo tem oscilado desde então.

Muito dessa volatilidade de preço pode ser rastreada até um simples fato econômico: no curto prazo, tanto o suprimento quanto a demanda por petróleo são inelásticos em termos de preço. Isso significa que nem fornecedores nem consumidores podem se adaptar rapidamente às mudanças de preço através da mudança de quantidades fornecidas ou consumidas. Quando os preços sobem, por exemplo, pode levar anos até que os produtores extraiam mais petróleo, já que os investimentos iniciais são tão grandes e levam muitos anos para gerar frutos.[41] Também leva meses ou anos para que os consumidores reduzam seu consumo de petróleo – por exemplo, isolando termicamente suas habitações ou comprando veículos mais eficientes energeticamente.[42]

Graças a essas inelasticidades, uma pequena mudança no suprimento ou na demanda pode ter um grande impacto nos preços. Uma pequena queda na oferta de petróleo – talvez em razão de inesperada violência no Iraque, Líbia ou Nigéria – pode produzir uma alta de preços. Analogamente, uma alta modesta na demanda por levar a um aumento de preços. Até mesmo a expectativa de mudanças na oferta e demanda pode causar variações de preços, graças às compras e vendas resultantes de especuladores no mercado. O preço do petróleo é mais volátil que o preço de 95% de todos os produtos vendidos nos Estados Unidos.[43]

Os mercados de petróleo também tiveram seus períodos de instabilidade. O gráfico 2.8 mostra como o preço anual de um barril de petróleo, ajustado pela inflação, variou entre 1861 e 2009. Durante o primeiro século dessa indústria, os preços gradualmente se tornaram mais estáveis. A grande estabilidade aconteceu entre 1935 e 1969, quando o preço real do petróleo subiu ou caiu em média 5,9% por ano e houve apenas um ano (1947) em que os preços mudaram em mais de 20%. Mas desde 1970 o preço do petróleo mudou em *média* 26,5% ao ano. Antes dos anos

---

[40] Yergin, 1991.

[41] Se os fornecedores de petróleo têm capacidade produtiva ociosa, eles podem levar petróleo adicional ao mercado mais rapidamente. Mas mesmo isso pode levar meses para se concretizar, em razão de gargalos no refinamento e no transporte.

[42] Smith, 2009.

[43] Consulte Kilian 2008; Regnier, 2007.

1970, ninguém se preocupava em prever preços de petróleo, pois eles variavam tão pouco; depois de 1973, a previsão de preços do petróleo tornou-se uma atividade importante, ainda que com um histórico desanimador.[44]

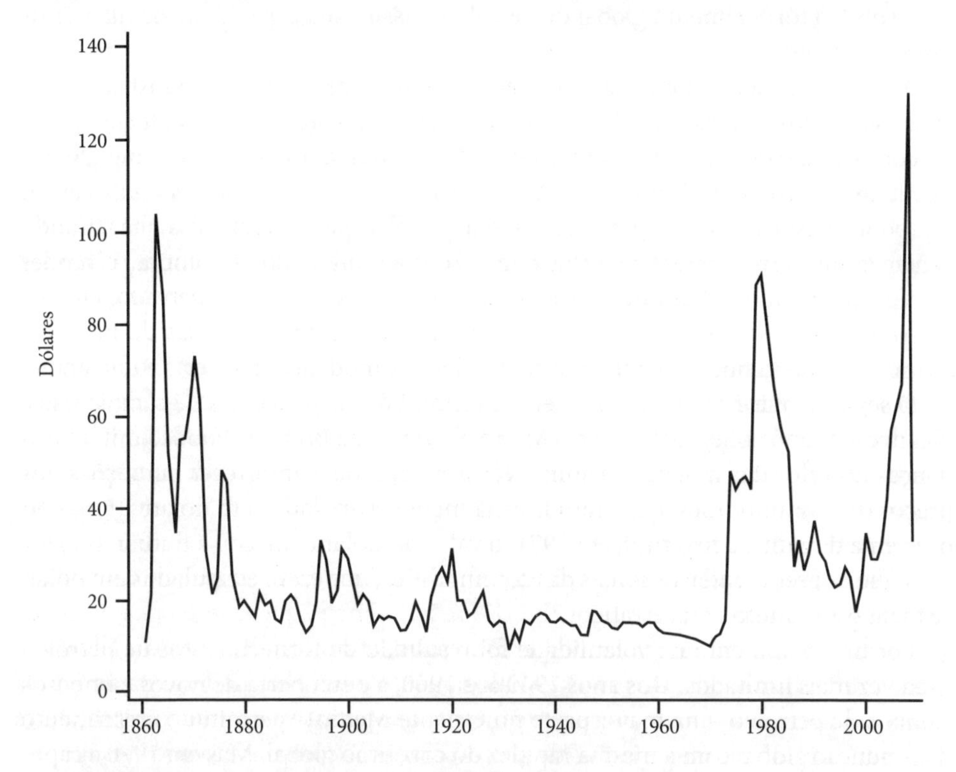

Gráfico 2.8. O preço do barril de petróleo, 1861 a 2009
Os preços do petróleo estão em dólares constantes de 2005.
Fonte: BP 2010.

O retorno da volatilidade de preços em torno de 1970 foi resultado de três fatores.

O primeiro foi a onda de nacionalizações que varreu os países produtores de petróleo nos anos 1960 e 1970. Dos anos 1930 aos 1960, as companhias que dominavam o comércio internacional de petróleo estavam aptas a manter os preços globais estáveis ao incrementar ou reduzir suas produções para acompanhar a demanda.[45] Quando houve uma fartura global de petróleo nos anos 1960, eles limitaram a pro-

[44] Alguns economistas sugerem que desde 1973 os preços do petróleo se aproximam de um 'passeio aleatório' – querendo dizer que a melhor previsão para o preço do ano que vem é o preço desse ano, mas que mesmo essa previsão é espetacularmente imprecisa. Consulte Engel e Valdés, 2000; Hamilton, 2008.

[45] Levy, 1982.

dução no Golfo Pérsico, particularmente no Iraque, e aceitaram lucros mais baixos para manter os preços longe do colapso. Porém, o poder nascente dos governos produtores de petróleo nos anos 1960 e nos 1970 retiraram dessas empresas o controle sobre o fornecimento global de petróleo e assim sua capacidade de manter os preços estáveis.

As nacionalizações dos anos 1960 e dos 1970 fizeram com que a indústria do petróleo se tornasse – pela primeira vez em um século – *menos* verticalmente integrada. As companhias internacionais que controlavam o transporte e o marketing globais não mais controlavam a produção. As companhias estatais que agora controlavam a produção estavam livres para vender seu petróleo pela oferta mais alta, tirando vantagem do novo 'mercado à vista' que permitia a investidores comprar e vender carregamentos individuais de petróleo.[46] Desde que as forças do mercado, em vez de contratos de longo prazo, crescentemente determinavam os preços do petróleo, os preços podiam flutuar livremente para refletir as mudanças na oferta e demanda.

O segundo fator foi o fim do sistema Bretton Woods para taxas de câmbio fixas. Nas décadas após a Segunda Guerra Mundial, o sistema Bretton Woods limitou mudanças no valor das moedas nacionais e, assim, ajudou a amortecer flutuações nos preços das commodities, que eram normalmente estipulados em dólares. Quando o sistema de câmbio fixo ruiu, em 1971, o valor do dólar começou a flutuar. Isso fez com que os preços internacionais das commodities, que eram estipulados em dólar, se tornassem muito mais erráticos.[47]

Por fim, o aumento na volatilidade foi resultado de fornecimentos de petróleo cada vez mais limitados. Dos anos 1940 aos 1960, a descoberta de novos e imensos campos de petróleo – na maior parte no Oriente Médio – permitiu o crescimento da produção global com a mesma rapidez do consumo global. Mas em 1970 a capacidade produtiva da indústria se expandia mais lentamente, mesmo que a demanda por petróleo continuasse em forte expansão.

A posição dos Estados Unidos era especialmente influente. Dos anos 1860 até a metade dos 1970, os Estados Unidos eram tanto o líder mundial de produção quanto de consumo de petróleo.[48] Mas, em outubro de 1970, a produção americana chegou ao seu auge histórico e então começou a decair constantemente; ao mesmo tempo, o consumo americano continuou crescendo rapidamente (consulte a figura 2.9). Como resultado disso, as importações americanas começaram a disparar, dobrando entre 1969 e 1973. Até 1970, o mundo tinha capacidade ociosa para acom-

---

[46] Leonardo Maugeri (2006) oferece um relato particularmente bom da emergência do mercado à vista.

[47] Cashin e McDermott, 2002.

[48] Exceto no período de 1898 a 1901, quando a Rússia czarista por um breve período superou a produção dos EUA, segundo Goldman (2008).

panhar suavemente altas de demanda; depois de 1970, os produtores de petróleo não podiam mais responder ao aumento da demanda aumentando a produção e, em vez disso, aumentaram os preços.

Todas essas forças se encontraram em 1973-74, quando o preço real do petróleo triplicou. E duplicou de novo entre 1978-79. Em moeda da época, o preço do petróleo subiu de US$ 1,80 o barril em 1970 para mais de US$ 36 o barril em 1980.

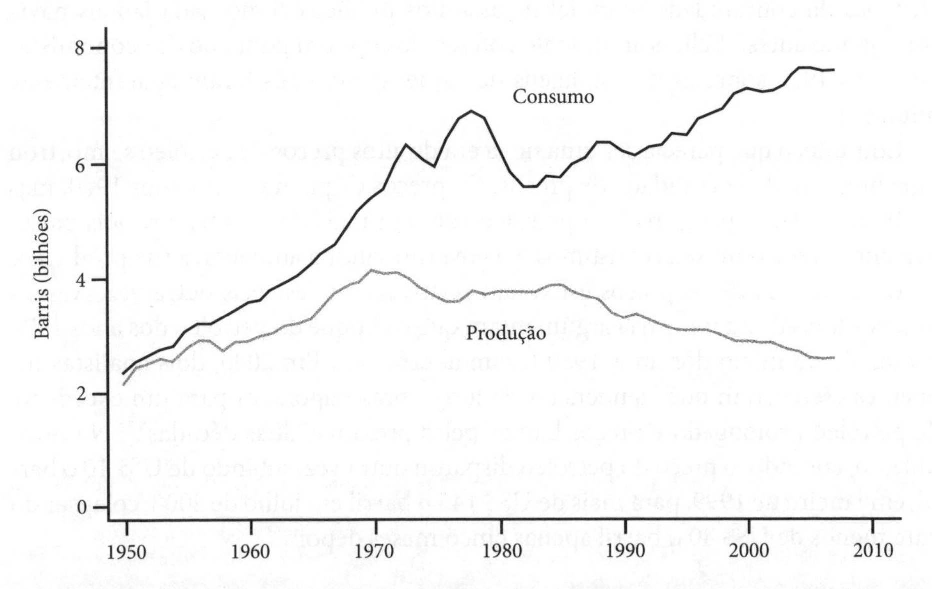

Gráfico 2.9. A produção e o consumo de petróleo nos Estados Unidos entre 1947–2007

As linhas mostram o consumo dos EUA (linha superior) e a produção dos EUA (linha inferior) em bilhões de barris ao ano.

Fonte: Energy Information Administration, disponível em http://www.eia.doe.gov (acessado em 15 de janeiro de 2009).

Segundo observadores da época, o choque do petróleo de 1973-74 foi causado pelo boicote organizado pelos membros árabes da OPEC em resposta à Guerra do Yom Kippur entre Israel e seus vizinhos. Mas essa explicação estava incompleta. Dois boicotes árabes anteriores – um após a Crise de Suez, em 1956 e depois em 1967, na Guerra dos Seis Dias – tiveram pouco impacto nos preços globais. O boicote árabe de petróleo em 1973 foi diferente porque as companhias internacionais de petróleo haviam perdido suas capacidades de aumentar a produção nos campos que antes elas controlavam e porque os Estados Unidos perderam sua posição de produtor "swing" (produtor com o poder de balançar o mercado).[49]

[49] Tetreault 1985. N. do T.: swing producer, no original.

Nos anos 1970, vários formuladores de políticas acreditaram que o mundo entrava em uma nova era de preços de petróleo cronicamente altos. O relatório do Clube de Roma, em 1972, intitulado *Os Limites do Crescimento*, previa que commodities primárias se tornariam cada vez mais escassas nas décadas seguintes, dando aos países ricos em recursos um posto privilegiado no sistema internacional.[50] De acordo com o economista John P. Lewis, o relatório do Clube de Roma "congelou atenções da comunidade mundial de assuntos públicos como nada jamais havia conseguido antes." Velhos argumentos oferecidos por um punhado de economistas nos anos 1950 sobre as desvantagens de riquezas minerais foram aparentemente refutados.[51]

Contudo, o que parecia ser uma nova era de altos preços de petróleo se mostrou uma nova era de volatilidade de preços. Os preços dispararam nos anos 1970, mas de 1980 a 1986 o preço real do petróleo caiu em mais de dois terços, pois países ocidentais reduziam seus consumos e o governo saudita aumentava sua produção.

De 1986 a 1999, os preços estiveram relativamente estáveis outra vez. Alguns observadores dessa indústria argumentam que o choque do petróleo dos anos 1970 e a queda do início dos anos 1980 foram aberrações. Em 2000, dois analistas influentes escreveram que "tendências de longo prazo apontam para um excedente de petróleo prolongado e preços baixos pelas próximas duas décadas".[52] No novo milênio, contudo, o preço do petróleo disparou outra vez, subindo de US$ 10 o barril, em janeiro de 1999, para mais de US$ 145 o barril em julho de 2008, colapsando para menos de US$ 40 o barril apenas cinco meses depois.[53]

Mudando a Produção

As receitas de petróleo de uma nação também podem flutuar em razão de mudanças no volume de produção. Quando um país começa a extrair petróleo ou gás natural, suas receitas aumentam rapidamente – frequentemente mais rápido do que a capacidade governamental de utilizá-las sabiamente, como o Capítulo 6 vai apontar.

É claro que a produção também pode cair. Já que os países têm reservas de petróleo limitadas, no longo prazo o número de barris que eles trazem do solo vai de-

[50] Meadows et al., 1972.

[51] Lewis 1974, 69. Consulte, por exemplo, Prebisch (1950); Singer 1950; Nurske (1958); Levin (1960); Hirschman (1958). Esses e outros estudos são resenhados em Ross (1999).

[52] Jaffee e Manning, 2000.

[53] Esses são preços de mercado à vista para petróleo Brent cru em dólares correntes, de acordo com dados informados no site da Energy Information Administration, acessíveis em http://www.eia.doe.gov (acessado em 13 de abril de 2010).

clinar. Nem todo país rico em petróleo precisa preocupar-se com o fim de seu petróleo em um futuro previsível. Aqueles com as maiores reservas, incluindo Arábia Saudita, Kuwait, Iraque e Irã, têm o suficiente para manter suas receitas por muitas décadas, talvez mesmo séculos (consulte o gráfico 2.10). Mas a maioria dos países produtores de petróleo têm reservas menores, cujo esgotamento poderia levar a uma queda na renda. Países cujas rendas já são baixas e dependem das receitas de seus setores de petróleo enfrentam grandes desafios. Vários grandes produtores de petróleo e gás natural, incluindo Indonésia, Equador e Gabão, esgotaram a maioria de suas reservas nos anos 1980 e 1990, embora cada um tenha experimentado alívio com descobertas posteriores. Outros países, como Síria, Bahrein e Iêmen, devem esgotar suas reservas de petróleo em um futuro próximo.

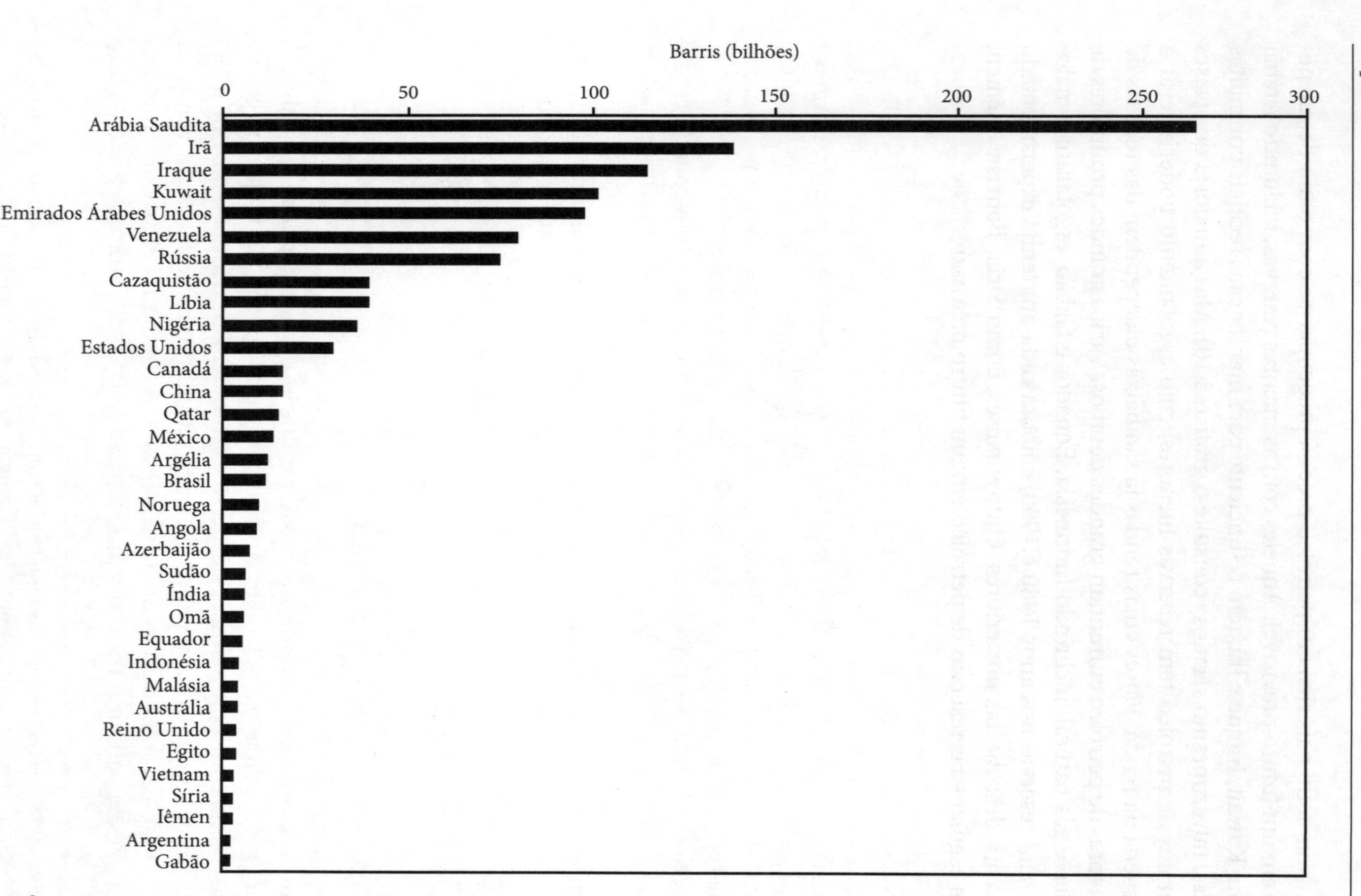

Gráfico 2.10. Reservas comprovadas de petróleo, 2005
Essas barras representam reservas de petróleo comprovadas, em bilhões de barris; gás natural não está incluído.
Fonte: BP 2010.

Por um lado, mudanças na produção de petróleo são menos preocupantes que mudanças de preços, pois elas podem ser antecipadas com anos de antecedência e não provocam o mesmo grau de incerteza. Mas, por outro lado, elas são mais preocupantes, porque criam problemas extras para governos – o problema de compensar o esgotamento dos recursos minerais do país.

Países cujas receitas provêm do esgotamento de seus recursos naturais estão passando por um processo fundamentalmente diferente daqueles cujas rendas provêm de bens e serviços. Para melhor compreender essas diferenças, é útil distinguir entre renda e riqueza. As rendas de diferentes indivíduos são seus salários, enquanto que suas riquezas são o dinheiro que pouparam. A renda de um país é o total de valores de bens e serviços produzidos em um certo ano, enquanto que sua riqueza são seus bens acumulados.

Todos os países têm quatro tipos de riqueza: capital físico, que inclui estradas, prédios e outras infraestruturas; capital humano, que significa tamanho, qualidade e educação da força de trabalho; capital social, que consiste nos valores, normas e organizações civis comuns a todos; e capital natural, que é feito de seu território, florestas e minerais.[54] Capitais físico, humano e social são recursos renováveis. Se cultivados corretamente, podem gerar receita indefinidamente.

Receitas advindas de petróleo, contudo, vêm quase que inteiramente do capital natural.[55] Alguns tipos de capital natural, como solo e florestas, podem ser sustentados indefinidamente se propriamente mantidos. Contudo, o petróleo é um recurso limitado e, uma vez explorado, não pode ser recriado. É uma forma de riqueza não renovável. Quando um país extrai e vende seu petróleo, está reduzindo seu estoque de capital natural. A menos que substitua esses ativos com outras formas de capital, como estradas e escolas, o esgotamento de seu petróleo levará a uma queda na renda do país.

Desestabilizando Contratos

Mudanças de preços e de níveis de produção podem explicar parcialmente por que receitas de petróleo são instáveis, mas os contratos que os governos assinam com companhias de petróleo também desempenham um papel importante. Contratos determinam quanto do dinheiro gerado pela venda de petróleo seguirá para o governo e quanto para as companhias privadas que ajudam a extrair, refinar e transportar esse petróleo. Esses contratos podem tanto

[54] Essas categorias correspondem aproximadamente à divisão clássica de fatores de produção em "terra" (recursos naturais), "mão de obra" (capitais humano e social) e "capital" (capital físico).

[55] Estritamente falando, o dinheiro obtido pela venda de minerais sequer deveria ser classificado como renda, mas como receita da venda de ativos. Para uma análise criteriosa dessa questão e de como ela frequentemente leva a confusões, consulte Heal, 2007.

suavizar quanto agravar a volatilidade causada pela mudança nos preços e nos índices de produção.[56]

Para entender por que esses contratos são importantes, é útil pensar no preço do petróleo como possuidor de componentes variáveis e fixos. Imagine que o preço do petróleo flutue ao longo do tempo entre US$ 20 e US$ 120 o barril, em uma média de preço de US$ 70. O componente fixo do preço é US$ 20 – já que o preço nunca cai abaixo desse valor – enquanto o componente variável oscila de zero a US$ 100, com um valor médio de US$ 50. Se um contrato divide a renda de uma jazida de petróleo dentro desses dois componentes, qualquer entidade que receba o componente fixo não vai enfrentar qualquer volatilidade de preço e qualquer entidade que receba o componente variável vai enfrentar toda essa volatilidade. Na verdade, o possuidor do componente variável vai experimentar ainda mais volatilidade do que as mudanças de preço poderiam sugerir. Enquanto o preço global do petróleo varia em um fator de seis (de US$ 20 a US$ 120), o componente variável pode variar em um fator de cem (de US$ 1 a US$ 100). No longo prazo, o componente variável gera mais receita do que o fixo, pois seu valor médio é US$ 50, mas lidar com essa volatilidade pode ser custoso.

Até os anos 1950, os contratos de petróleo ofereciam aos governos uma porção mais ou menos fixa das receitas do petróleo e às companhias internacionais uma porção maior, porém mais variável. Enquanto as companhias ganhavam a maior parte dos benefícios da extração de petróleo, elas também incorriam em maiores riscos, incluindo aquele da flutuação de preços. Por exemplo, um contrato de 1948 entre a Getty Oil e o governo da Arábia Saudita dava ao governo um royalty fixo de US$ 0,55 por barril, independentemente do preço mundial – que na época estava em cerca de US$ 2 o barril.[57] O governo saudita ganhava uma renda estável e previsível, mas perdia em lucros inesperados quando os preços estavam altos. A Getty às vezes obtinha grandes lucros inesperados, mas também arcava com os riscos da flutuação de preços. Essa era uma razão pela qual as grandes companhias trabalhavam tão duro para estabilizar preços com aumento ou diminuição da produção: porque elas arcavam com a maior parte dos custos da volatilidade de preço. Quando os governos nacionalizaram seus setores de petróleo nos anos 1960 e 1970, os termos desses contratos foram amplamente revertidos. Hoje, as companhias estrangeiras recebem uma parte relativamente fixa dos lucros do petróleo, enquanto os governos arrecadam uma parte maior, porém mais variável. Um estudo de um contrato de petróleo angolano mostrou

[56] Esses contratos são parte da política global de tributos – a composição de impostos, royalties e outras taxas que o governo cobra para obter receita. A política de tributos também afeta a estabilidade das receitas do governo: impostos sobre propriedade em conjunto com impostos unitários ou ad valorem produzem um fluxo relativamente constante de receitas; impostos sobre lucratividade e renda criam fluxos mais voláteis de receitas (Barma, Kaiser, Le e Viñeula 2011).

[57] Yergin, 1991.

que um acréscimo de 50% no preço do petróleo levaria a um aumento de 82% nas receitas do governo, mas apenas um aumento de 9% nas receitas da companhia de petróleo; uma queda nos preços do petróleo também produziria uma queda exagerada nas receitas.[58] Quando o mercado está em expansão, os governos se beneficiam desproporcionalmente; quando ele colapsa, eles também perdem desproporcionalmente.[59]

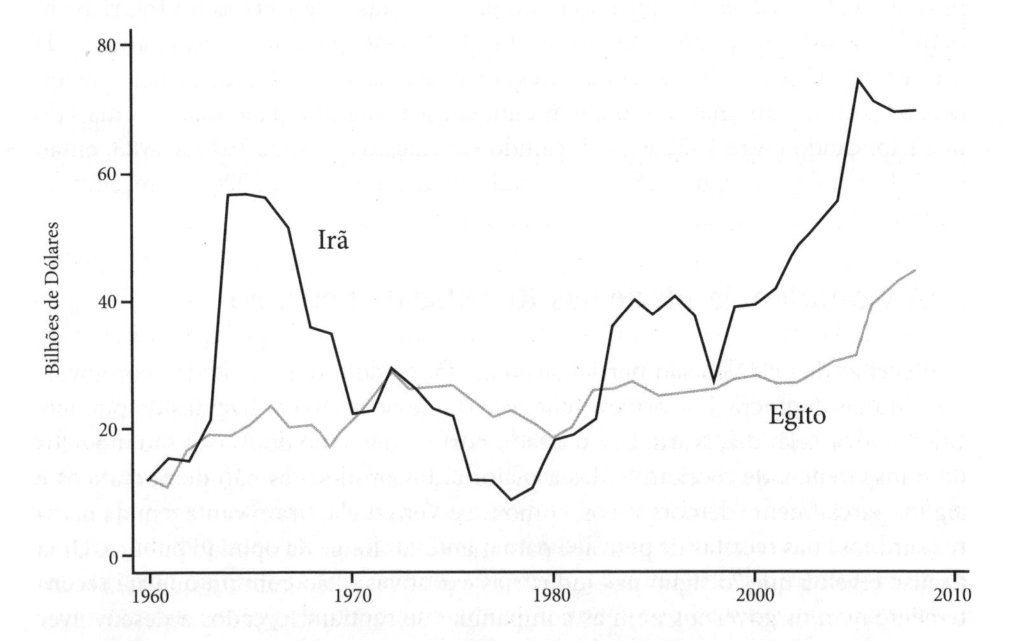

Figura 2.11 Receitas do governo no Irã e no Egito, 1970-2009
Fontes: Banco Central do Egito, relatórios anuais, Banco Central do Irã, relatórios anuais

Contratos também afetam a estabilidade de receitas de outras maneiras. Quando um contrato é fechado, os governos frequentemente recebem um imediato "bônus de assinatura", que funciona como um único lucro inesperado. As companhias recuperam o custo desses bônus e outros investimentos iniciais ao pagarem impostos ou royalties menores durante os primeiros anos da produção. Depois de receber o bônus de assinatura, um governo pode então arrecadar pouca receita de petróleo por alguns poucos anos seguintes – causando uma expansão e uma contração nas receitas do governo, mesmo que os preços e a produção se mantenham estáveis.

[58] Shaxson, 2005.

[59] Michael Shafer (1983) formulou esse argumento há muito tempo, ao analisar as desastrosas consequências para Zâmbia e República Democrática do Congo na nacionalização de suas indústrias de cobre.

Os governos têm pouco controle sobre os preços do petróleo, mas têm bastante controle sobre os contratos. Contudo, em vez de projetar contratos que estabilizem suas receitas, a maioria dos governos agora assina contratos que parecem desestabilizá-las ainda mais.

Reunidas, estas três características - preços mutáveis, produção mutável e contratos desestabilizadores - tornam os orçamentos de países produtores de petróleo normalmente voláteis. A figura 2.11 compara receitas de governos no Irã, rico em petróleo, e no Egito, pobre em petróleo. Em 1970, esses governos arrecadaram cada um cerca de US$ 12 bilhões (em dólares constantes de 2009). Desde então, as receitas do Irã cresceram mais rápido, mas também se tornaram mais voláteis - mais do que triplicando entre 1972 e 1974, caindo em mais de 80% de 1974 a 1988, então subindo rapidamente, mas também erraticamente, de 1988 a 2005. As receitas do Egito também cresceram, mas mais lenta e suavemente.

A Confidencialidade das Receitas de Petróleo

Receitas de petróleo são particularmente fáceis de serem ocultadas por governos. Muitas democracias tornam suas receitas de petróleo conhecidas do público: Brasil, Nova Zelândia, Noruega e o estado norte-americano do Alasca são modelos de transparência de receitas.[60] Mas a maioria dos produtores não democráticos e alguns parcialmente democráticos, como Irã e Venezuela, tiram vantagem da natureza ardilosa das receitas de petróleo para mantê-las longe da opinião pública. Uma análise revelou que "o sigilo nas indústrias extrativas é tão comum que até recentemente nem os governos nem as companhias se sentiam forçados a desenvolver argumentos sofisticados para defendê-lo".[61]

O sigilo é intrinsecamente difícil de ser medido. Não há meio de se documentar quanto dinheiro um governo está escondendo do público. Mesmo assim, muitos estudos nacionais mostram que as finanças de países ricos em recursos são incomumente opacas[62]. Uma análise recente da República dos Camarões, por exemplo, revelou que apenas 46% das receitas de petróleo entre 1977 e 2006 foram transferidas para o orçamento; os restantes 54% não puderam ser contabilizados[63]. Uma pesquisa de 2010 sobre políticas de orçamento em 94 países ao redor do mundo

---

[60] Consulte Revenue Watch Institute (2010).

[61] Rosenblum e Maples, 2009, 12.

[62] Sobre sigilo e abuso de receitas de petróleo em Angola, Camboja, Congo-Brazzaville, Guiné Equatorial, Casaquistão e Turcomenistão, consulte relatórios da Global Witness, uma ong baseada em Londres, disponíveis em http://www.globalwitness.org. Sobre problemas semelhantes no Chade e na Nigéria, consulte relatórios de outra ong, Publish What You Pay, disponíveis em http://www.publishwhatyoupay.org.

[63] Gauthier e Zeufack, 2009.

descobriu que os orçamentos nacionais de países dependentes de hidrocarbonetos eram dramaticamente menos transparentes que os de outros países.[64]

O excepcional sigilo dos países produtores de petróleo pode ser debitado em parte a seu uso de contabilidades extraorçamentárias não reveladas. Governos financiados pelo petróleo frequentemente usam contabilidades assim para manter grandes partes de seus gastos fora dos livros contábeis, às vezes escondidos nas fendas de companhias de petróleo nacionais, cujas finanças são ocultadas da fiscalização pública. Por exemplo:

- Antes de ser deposto, em 1998, o presidente Suharto, da Indonésia, usou a companhia nacional de petróleo, Pertamina, para secretamente distribuir benefícios a seus apoiadores. No auge, a Pertamina controlou cerca de um terço do orçamento do governo e era isenta de divulgações públicas.[65]
- Durante o governo de Saddam Hussein, mais de metade do orçamento nacional do Iraque era canalizado através da Companhia Nacional de Petróleo Iraquiana, cujo orçamento era secreto.[66]
- No Azerbaijão, cerca de metade do orçamento do governo passava pela companhia de petróleo nacional, conhecida como SOCAR. O valor real, mais uma vez, era secreto.
- Uma grande parte do orçamento do governo angolano passa pela Sonangol, sua companhia nacional de petróleo. O valor jamais foi informado publicamente, mas uma análise do FMI, de 1995, sugeriu ser em torno de 40% dos gastos governamentais.[67]
- O partido que governou o México de 1929 a 2000, o Partido Revolucionário Institucional (PRI), dependia fortemente do financiamento da companhia nacional Petróleos Mexicanos (PEMEX).[68] Durante as eleições de 2000, a PEMEX supostamente canalizou mais de 100 milhões de dólares para a campanha de reeleição do PRI através do sindicato dos trabalhadores do petróleo.[69] A eleição foi precedida de súbitos aumentos nas doações discricionárias a "associações cívicas, escolas, fundações, comunidades agrícolas, cooperativas pesqueiras, sindicatos e governos municipais" em regiões políticas importantes.[70]

---

[64] International Budget Partnership 2008. Descrevo esta pesquisa mais detalhadamente no Capítulo 3.

[65] Crouch, 1978.

[66] Alnasrawi, 1994.

[67] Human Rights Watch, 2004.

[68] Ascher 1999; Greene, 2010.

[69] Schroeder, 2002.

[70] Mesmo depois da transição do México para a democracia, em 2000, as doações da PEMEX cresceram acentuadamente em anos de eleições (Moreno 2007).

- Quando a guerra civil irrompeu na Líbia, no início de 2011, o coronel Muamar
- Kaddafi sobreviveu às sanções internacionais usando "dezenas de bilhões" em dinheiro vivo, que haviam sido secretamente escondidos em Trípoli para financiar forças leais e contratar mercenários. Segundo o *New York Times*, oficiais de inteligência disseram que era difícil distinguir entre os ativos do governo líbio, incluindo seu fundo de bens da soberania nacional, e os ativos da família Kaddafi.[71]

Problemas com Receitas de Petróleo

Enquanto muitos exemplos notórios de financiamento extraorçamentário vêm de governos autoritários, a mesma síndrome pode ocorrer em países parcialmente democráticos. O governo iraniano transfere lucros do petróleo a figuras políticas poderosas através de *bonyads* – empresas semipúblicas que nominalmente estão fora do âmbito do governo e protegidas da fiscalização pública.[72]

O exemplo da Venezuela é ainda mais revelador. Nos anos 1980 e 1990, a Petróleos de Venezuela S.A. (amplamente conhecida pelo acrônimo PDVSA) era uma das companhias de petróleo nacionais mais independentes politicamente e bem administradas no mundo. No início dos anos 2000, Hugo Chávez retirou da PDVSA sua autoridade independente e substituiu seus mais altos representantes por seguidores leais. Ele então colocou a PDVSA a cargo da administração de uma série de programas sociais, intimamente ligados à sua máquina política. Em 2004, dois terços do orçamento da PDVSA seguiam para programas sociais e não para atividades relacionadas ao petróleo. Conforme esses programas sociais cresciam, a transparência da PDVSA diminuía. Depois de 2003, suas divulgações financeiras caíram acentuadamente e observadores independentes relataram que as atividades da empresa se tornaram cada vez mais difíceis de monitorar.[73]

As companhias nacionais de petróleo de democracias ocidentais podem ser igualmente corruptas. Na metade dos anos 1990, uma série de auditorias revelou que a companhia nacional de petróleo da França, Elf Aquitaine, havia sido uma importante fonte de financiamento de campanha para partidos políticos, especialmente o gaullista Reagrupamento Pela República (RPR). John Heilbrunn nota que promotores descobriram evidência de que alguns administradores da Elf desviaram aproximadamente 400 milhões de euros que utilizaram para financiar campanhas, subornar políticos estrangeiros e enriquecer a si mesmos. Em 2003, começaram

[71] Risen and Lichtblau, 2011.

[72] Brumberg e Ahram 2007; Mahdavi, 2011.

[73] Mares e Altamirano 2007; International Crisis Group, 2007.

os julgamentos de 37 pessoas implicadas no escândalo. Nele estiveram envolvidos vários ex-ministros e o presidente do conselho constitucional francês, assim como o ex-primeiro-ministro alemão Helmut Kohl, o presidente do Gabão, Omar Bongo, e o presidente do Congo, Denis Sassou-Nguesso.[74]

Duas das características dessa indústria, discutidas acima, ajudam a explicar por que receitas de petróleo são tão fáceis de esconder. Como reservas de petróleo são de propriedade estatal, as companhias apenas têm acesso a elas negociando com contratos detalhados com o governo, frequentemente através de companhias nacionais de petróleo. Esses contratos são notoriamente complexos, mas ao final determinam quanto as companhias vão pagar.[75] Como os termos desses contratos são normalmente secretos, é quase impossível para os observadores saber o tamanho desses pagamentos. Mesmo que as companhias internacionais pudessem divulgar os pagamentos que fazem a governos, elas raramente fazem isso.[76] Se as reservas de petróleo não fossem estatais, essas negociações seriam desnecessárias: as companhias estariam aptas a comprar direitos petrolíferos do mesmo modo como compram direitos de propriedade territorial, e as companhias de petróleo estariam sujeitas aos mesmos impostos que outras companhias.

A outra característica é a prevalência de companhias de petróleo nacionais, que dominaram a indústria desde os anos 1970. Empresas estatais de todos os tipos - em agricultura, manufatura e serviços - eram bem mais comuns até os anos 1980. Nos anos 1980 e 1990, contudo, a maioria dos países privatizou grandes partes de suas companhias estatais, que eram amplamente percebidas como ineficientes, corruptas e drenadoras de recursos governamentais. Em países de baixa renda, a fração de pleno emprego mantida por empresas estatais caiu de 20% em 1980 para 9% em 1997; essa queda foi de 13% a 2% em países de média renda.[77]

Contudo, no ramo do petróleo houve pouco movimento no sentido da privatização. De fato, os altos preços dos anos 2000 levaram a novas privatizações na Venezuela, Bolívia, Equador e Rússia.[78] Em muitos países não democráticos, orçamentos de companhias nacionais de petróleo são isentos de supervisão parlamentar. O papel dos parlamentos em países não democráticos é naturalmente limitado. Mesmo assim, a maioria dos governos autoritários submetem regularmente extratos orçamentários a seus parlamentos e ao público; os orçamentos de companhias nacionais de petróleo são, contudo, normalmente excluídos ou resumidos tão sucintamente que pouco é revelado sobre suas finanças.

---

[74] Heilbrunn, 2005, 277.

[75] Johnston, 2007; Radon, 2007.

[76] Transparency International, 2008.

[77] Guriev e Megginson, 2007.

[78] Guriev, Kolotilin e Sonin 2010; Duncan 2006; Kretzschmar, Kirchner e Sharifzyanova 2010.

Se contabilistas de boa vontade dirigissem governos, as qualidades incomuns das receitas de petróleo poderiam não interessar. Mas governos são dirigidos por políticos com interesses próprios, que são profundamente influenciados pelos tipos de fundos que estiverem às suas disposições. Países cujas receitas são massivas, instáveis, opacas e não provêm de impostos tendem a apresentar estranhas características.

Capítulo Três

Mais Petróleo, Menos Democracia

> O problema é que o bom Deus não achou por bem colocar petróleo e reservas de gás natural onde havia governos democráticos.
>
> — ex-vice-presidente dos EUA Dick Cheney, 2000

Em janeiro de 2011, protestos pró-democracia irromperam através do Oriente Médio. Por décadas, o Oriente Médio teve menos democracia e mais petróleo que qualquer outra região do mundo. Isso não é coincidência: dirigentes financiados pelo petróleo usaram por muito tempo seus petrodólares para se entrincheirarem no poder e bloquear reformas democráticas. Embora manifestantes tenham tomado as ruas em quase todos os países árabes, eles tiveram muito mais facilidade em derrubar dirigentes em países pobres em petróleo, como Tunísia e Egito, do que em países ricos em petróleo, como Líbia, Bahrein, Argélia e Arábia Saudita.

O petróleo nem sempre foi um impedimento à democracia. Até os anos 1970, produtores de petróleo eram tão democráticos - ou não democráticos - quanto outros países. Do final dos anos 1970 até o fim dos anos 1990, uma onda de democracia varreu o globo, levando liberdade a países em virtualmente todas as regiões - exceto aos países ricos em petróleo no Oriente Médio, na África e na antiga União Soviética. De 1980 a 2011, o desnível de democracia entre países produtores e não produtores de petróleo cresceu ainda mais.

Esse capítulo explica como o petróleo manteve autocratas longamente no poder ao permitir-lhes aumentar gastos e reduzir impostos, comprar a lealdade das forças armadas e ocultar a própria corrupção e incompetência. O petróleo não bloqueia *inevitavelmente* liberdades democráticas: um punhado de países em desenvolvimento ricos em petróleo fez transições para a democracia - bem recentemente México e Nigéria. Contudo, entre os países produtores de petróleo, tanto no Oriente Médio como além dele, as transições para a democracia foram decididamente raras. Petróleo e democracia não se misturam facilmente.[1]

---

[1] Estudantes de política do Oriente Médio familiarizaram-se longamente com os efeitos corro-

As Fontes da Democracia

Nenhum tópico recebe mais atenção de cientistas políticos que a democracia. Mas não há consenso nas respostas a muitas questões importantes, incluindo o que faz com que ditaduras se tornem democracias e o que faz com democracias se tornem ditaduras. Mesmo questões simples, sobre como a democracia deveria ser definida e medida, são amplamente debatidas.

Contudo, os estudiosos concordam em alguns pontos fundamentais.

A maioria provavelmente concordaria com Adam Przeworski e seus colegas que, para se qualificar como democracia, um país deve no mínimo atender a quatro condições: o chefe do poder executivo do governo, seja um presidente ou primeiro-ministro, deve ter sido eleito; o poder legislativo deve ter sido eleito; deve haver ao menos dois grandes partidos políticos que possam competir livremente em eleições e pelo menos um governo de situação deve ter sido derrotado e substituído por um sucessor eleito.[2]

Estudiosos também concordam que o número de democracias cresceu ao longo do tempo (consulte o gráfico 3.1). Nos anos 1970, o mundo tinha três ditaduras para cada democracia. Hoje cerca de 60% dos países do mundo são democráticos.

Explicar essa tendência em direção à democracia é mais difícil, e diferentes estudos enfatizam causas distintas. Colocando de lado a questão do petróleo, alguns dos fatores-chave são:

- *Rendas altas.* Muitos estudos indicam que, quando países com governos autoritários têm rendas altas, eles se tornam mais propensos a mudar para a democracia.[3]

---

sivos do petróleo na esponsabilidade governamental. Estudos importantes sobre petróleo e governos autoritários no Oriente Médio incluem Mahdavy 1970; Entelis 1976; First 1980; Skocpol 1982; Beblawi e Luciani 1987; Crystal 1990; Brand 1992; Anderson 1995; Gause 1995; Chaudhry 1997; Vandewalle 1998; Okruhlik 1999; Herb 1999; Lowi 2009. Contudo, por muitos anos os maiores e mais influentes estudos sobre democracia global falaram pouco de petróleo e frequentemente evitaram por completo o Oriente Médio. Veja, por exemplo, O'Donnell, Schmitter e Whitehead 1986; Diamond, Linz e Lipset 1988; Inglehart 1997; Przeworski et al. 2000.
Diamond, Linz, and Lipset 1988; Inglehart 1997; Przeworski et al. 2000.

[2] Przeworski et al., 2000.

[3] Lipset 1959; Londregan e Poole 1996; Epstein et al., 2006.

- *Baixo crescimento econômico.* De acordo com pesquisadores, governos autocráticos são mais propensos a se tornarem democracias diante de crises econômicas.[4]
- *Proximidade geográfica e temporal.* Samuel Huntington consagradamente observou que transições democráticas ocorreram em "ondas": países vizinhos frequentemente avançaram (ou recuaram) na direção de governos democráticos mais ou menos simultaneamente – como na América Latina durante os anos 1980, África e Europa Central e do Leste nos anos 1990 e mesmo partes do Oriente Médio hoje em dia. Estudos mais recentes documentaram e desenvolveram explicações para esses efeitos aglutinadores. Se outros aspectos forem iguais, a transição de um país para a democracia aumenta a possibilidade de que seus vizinhos passem por uma mudança semelhante.[5]

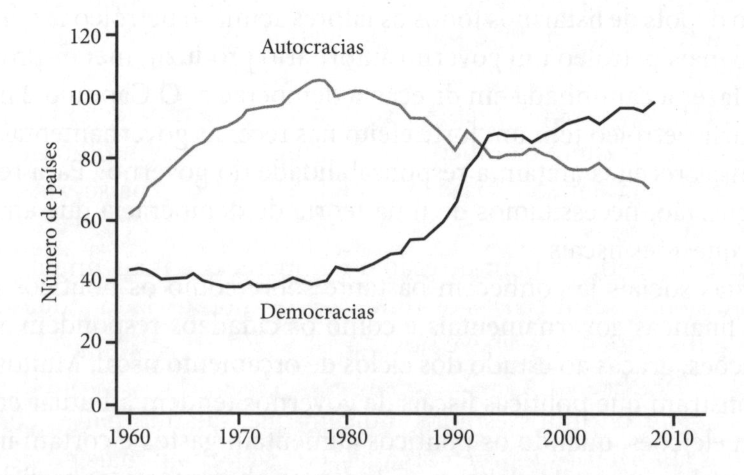

Figura 3.1. Número de democracias e autocracias, 1960-2008
A linha quebrada representa o número de países autocráticos do mundo; a linha sólida representa o número de democracias.
Fonte: Calculado a partir de dados em Cheibub, Gandhi e Vreeland, 2010

[4] Haggard e Kaufman 1995; Przeworski et al. 2000; Epstein et al., 2006.

[5] Huntington 1991; O'Loughlin et al. 1998; Gleditsch e Ward 2006.

- Cultura Islâmica. Muitos argumentam que a cultura e a tradição islâmicas são impedimentos à democracia e que isso explica por que quase todos os países do Oriente Médio e do Norte da África há muito não têm sido democráticos.[6]

Nem todos os estudos concordam que esses fatores são relevantes. Livros recentes de Charles Boix e também de Daron Acemoglu e James Robinson sublinham o papel da desigualdade. Um estudo de Acemoglu, Robinson e seus colegas Simon Johnson e Pierre Yared enfatiza a importância dos governos coloniais e a acumulação de idiossincrasias históricas.[7] Pesquisas nesse tema são vibrantes e controversas.

Por que Políticas Fiscais são Importantes?

Mesmo depois de listarmos todos os fatores acima, o petróleo faz diferença: quanto mais petróleo um governo autoritário produzir, menos propenso ele será a fazer a caminhada em direção à democracia. O Capítulo 2 mostra que produzir petróleo tem um forte efeito nas receitas governamentais, mas por que essas receitas afetam a responsabilidade do governo? Para responder essa questão, necessitamos de uma teoria de democracia que analise o papel das questões fiscais.

Cientistas sociais já conhecem bastante sobre como os políticos manipulam as finanças governamentais e como os cidadãos respondem a essas manipulações, graças ao estudo dos ciclos de orçamento fiscal. Muitos estudos demonstram que políticas fiscais de governos tendem a flutuar em sintonia com eleições, quando os políticos aumentam gastos e cortam impostos para receber apoio de eleitores. Estudiosos observaram esses ciclos em uma ampla variedade de democracias, incluindo os Estados Unidos, países desenvolvidos e industrializados e a América Latina. Ciclos orçamentários também ocorrem em países autoritários: mesmo quando as eleições não são competitivas, autocratas ainda assim tentam aumentar suas popularidades em épocas de eleição.[8]

---

[6] Salamé 1994; Hudson 1995; Midlarsky 1998; Fish 2002.

[7] Boix, 2003; Acemoglu e Robinson, 2005; Acemoglu et al., 2008.

[8] Sobre ciclos orçamentários nos Estados Unidos, veja Tufte 1978; Hibbs 1987. Nos países desenvolvidos e industrializados mais genericamente veja Alesina, Roubini e Cohen 1997. Na América Latina, consulte Ames, 1987. Em países autoritários, consulte Block 2002; Magaloni, 2006; Blaydes, 2006.

Coletivamente, esses estudos implicam que os cidadãos tendem a apoiar governos com maiores orçamentos e baixos impostos. Mas o que isso nos diz sobre democratização?

Podemos obter indicações adicionais de estudos que ligam a arrecadação de impostos com a emergência de governos democráticos. Alguns estudiosos argumentam que, quando autocratas elevam impostos, isso tende a desencadear demandas populares por governos representativos.[9] Evidências dessa ligação vêm de historiadores, que sugerem que governos representativos surgiram no início da Europa moderna, quando monarcas da Inglaterra, França, Espanha, Áustria-Hungria e Holanda foram compelidos a ceder parte de suas autoridades para seus parlamentos em troca do direito de criar novos impostos.[10]

A maioria dos cidadãos norte-americanos tem familiaridade com um exemplo diferente. Nas 13 colônias britânicas que se tornaram os Estados Unidos, a oposição aos impostos britânicos – especialmente o Stamp Act de 1765, que impôs a taxação de muitos produtos impressos – catalisou o movimento pela independência. Mesmo que o imposto tenha sido posteriormente extinto, o fato de o rei George ter "imposto tributos sem nosso consentimento" foi citado na Declaração de Independência de 1776 como um dos ressentimentos principais da rebelião e finalmente resultou na fundação de um governo soberano comprometido com princípios democráticos.[11]

Em um estudo de 2004, mostrei que, em uma versão modificada, a mesma dinâmica ainda está em vigor. A reivindicação original implica que aos cidadãos só importa manter os impostos baixos e que um ditador que eleva impostos será forçado a democratizar. Observando os níveis de impostos em todos os países de 1971 a 1997, não descobri nenhuma sustentação para essa asserção. Minha análise estatística, porém, encontrou evidências para sustentar uma outra hipótese: de que os cidadãos se recusam a pagar impostos mais altos *se eles não recebem benefícios proporcionais.*

---

[9] Brennan e Buchanan, 1980; Bates e Lien, 1985; North, 1990.

[10] Veja Schumpeter [1918] 1954; Hoffman e Norberg, 1994; Morrison, 2009.

[11] Consulte Morgan e Morgan, 1953; Bailyn, 1967. Mesmo que a frase "nenhuma tributação sem representação" seja intimamente identificada com a Revolução Americana – e esteja hoje impressa em placas de automóveis em Washington DC – ela não é encontrada na Declaração de Independência ou na Constituição. John Adams usou a frase no que ficou famoso como "Braintree Instructions," uma declaração de forte repercussão contra o Stamp Act de 1765, mas ela já estava em uso na Irlanda há uma geração (McCullough 2001). Ironicamente, em 1820 a Suprema Corte rejeitou uma reivindicação de não tributação sem representação quando decretou em Loughborough versus Blake que o governo federal tinha o direito de impor impostos em territórios do Estados Unidos sem representação no Congresso.

Isso sugere que os cidadãos importam-se tanto com seus impostos quanto com benefícios estatais. Eles não necessariamente querem diminuir sua carga tributária, independentemente das consequências para seus benefícios. Tampouco querem maximizar seus benefícios estatais independentemente do que terão de pagar em impostos. Em vez disso, eles desejam simultaneamente minimizar os impostos que devem pagar enquanto são maximizados os benefícios que recebem. Se os impostos sobem, mas os benefícios estatais não, ou se os benefícios estatais caem, mas os impostos não, então os cidadãos vão protestar.

Isso significa que os cidadãos não querem um Estado mínimo, mas sim um Estado eficiente – um que garanta a eles o maior retorno sobre suas contribuições. Governos autoritários que mantêm impostos baixos enquanto percentuais do gasto governamental terão mais chances de evitar transições democráticas.[12]

A ideia de que um aumento de impostos relativamente ao gasto estatal possa produzir rebeliões democráticas está intimamente relacionada à noção de um ciclo orçamentário político. Ambos implicam que os cidadãos vão apoiar governos que os provejam com mais benefícios e impostos mais baixos e tentar substituir aqueles que oferecem menos benefícios com impostos mais altos. Se essas rebeliões tributárias ocorrem em ditaduras, elas podem trazer transições para a democracia.

Uma Teoria Fiscal da Democracia

Esses estudos podem nos mostrar muito sobre o impacto da riqueza na democracia. Como o petróleo aumenta o tamanho das receitas governamentais, ele tipicamente aumenta os benefícios estatais. Graças à fonte incomum deste – pois essas receitas não provêm de impostos – os governos podem manter os impostos baixos. O sigilo das receitas do petróleo também é importante. Contudo, antes de examinar seu papel, vamos analisar com mais atenção a lógica que conecta a riqueza petrolífera de um país à responsabilidade de seu governo.

Para tornar mais explícito o argumento sobre petróleo e democracia, é útil empregar um modelo informal – quer dizer, descrever essas relações em

[12] Ross, 2004a. Bryan Jones e Walter Williams (2008) mostram que este padrão é verdadeiro hoje nos Estados Unidos: os eleitores expressaram grande apoio ao governo quando as relações benefícios-impostos subiram, o que infelizmente tende a estimular políticos a incorrer em deficit orçamentários.

um mundo imaginário simplificado.[13] O modelo inclui um grupo de cidadãos que agem coletivamente e podem ser tratados como um ator individual e um dirigente que controla o governo. Em cada um dos três próximos capítulos, eu aumento esse modelo, utilizando-o para ilustrar como as receitas de petróleo podem levar a outros resultados, como guerra civil, menores oportunidades para mulheres e políticas econômicas inadequadas.

Suponha que um dirigente, cujo objetivo é permanecer no poder, lidere o governo. Para isso, o dirigente usa seus poderes fiscais para construir apoio político, gastando dinheiro tanto com clientelismos políticos como em bens públicos e mantendo os impostos baixos. Se o dirigente falha em manter suporte suficiente, um desafiante vai substituí-lo, seja através de eleições, se o país for uma democracia, ou de uma rebelião popular, se for uma ditadura.

Cidadãos são preocupados com seu próprio bem-estar econômico, tanto no presente quanto no futuro. Seu apoio ao dirigente é determinado pelo impacto do governo em suas rendas: eles favorecem governos que tomam pouco deles (em forma de impostos) e lhes devolvem bastante (em mecenatos e bens públicos). Se o governo lhes provê com amplos benefícios e baixos impostos, eles apoiarão o dirigente; se lhes provê poucos benefícios e impostos altos, tentarão substituí-lo.[14]

Sob essas condições, o que aconteceria a um governo autoritário em um país sem petróleo? Suponhamos aqui que o governo não possa administrar nem superávit, nem deficit. Como as receitas de todos os governos vêm de impostos, há uma relação direta entre os impostos que arrecada e os benefícios que distribui. Suponhamos que, quando a economia é forte, o governo seja capaz de oferecer benefícios suficientemente amplos, com impostos suficientemente baixos; mas quando a economia se retrai, o governo seja forçado a cortar benefícios ou aumentar os impostos, o que lhe faz perder popularidade.

Se esse país imaginário fosse uma democracia, os cidadãos poderiam substituir o governo através de eleições; mas, se for uma autocracia, eles não terão um processo constitucional para substituir os governos ao qual se opõem – o que significa que terão que apelar para greves, manifestações ou rebeliões para forçar o líder a renunciar.

---

[13] Para uma análise mais formal dessa questão, distinta dessa descrição em pontos significativos, consulte Morrison, 2009.

[14] Teorias sobre democracia e autoritarismo normalmente concentram-se na distribuição de recursos em clientelismos. Veja Gandhi e Lust-Okar, 2009; Bueno de Mesquita e Smith, 2010. Algumas também incorporam a capacidade de o autocrata usar de repressão violenta – um fator que eu omito. Consulte Wintrobe 2007.

Eliminar um ditador não transforma automaticamente um país em democracia. Mas, se assumirmos que os cidadãos são progressistas, eles podem buscar meios de facilitar a remoção de governos futuros, caso esses se mostrem igualmente impopulares – em outras palavras, pressionar por reformas democratizadoras. Reformas democratizadoras podem também emergir se um ditador com mau desempenho concordar em diminuir seus poderes para evitar a queda. Ao longo do tempo, a propensão dos cidadãos a remover autocratas com mau desempenho e sua preocupação quanto a resultados futuros deve levar a um processo democratizador.[15]

Agora, considere o impacto do petróleo. A produção de petróleo leva a um aumento de receitas não provenientes de impostos – permitindo que os governos ofereçam mais benefícios aos cidadãos do que aquilo que arrecadam com impostos. Em países sem petróleo (ou outros recursos externos à receita fiscal), os governos só conseguem oferecer benefícios acima da arrecadação total ao promover deficit orçamentários – uma estratégia que pode funcionar na época da eleição, mas que é tipicamente insustentável a longo prazo. Contudo, países ricos em petróleo podem oferecer mais benefícios do que arrecadam em impostos indefinidamente, permitindo que mantenham apoio popular e evitando rebeliões democratizadoras. Enquanto autocracias sem petróleo gradualmente tornam-se democráticas, autocracias com petróleo podem manter-se autocráticas.[16]

Até aqui o modelo se sustenta sobre uma hipótese importante: que os cidadãos se preocupam muito com a maneira com que seus governos usam receitas tributárias, mas são indiferentes quanto ao uso de receitas de petróleo. Será isso verdadeiro? Qualquer pessoa que tenha familiaridade com países ricos em petróleo sabe que seus cidadãos se importam muito em obter sua parcela justa dessas receitas. O Capítulo 2 mostra que o povo em países ricos em petróleo tem ativamente apoiado a nacionalização de companhias de petróleo estrangeiras para garantir que as rendas do petróleo não sejam enviadas para o exterior. Como veremos no Capítulo 5, eles às vezes pegam

[15] Há outros meios de explicar como a remoção de um ditador impopular pode levar a uma transição democrática – por exemplo, se não houvesse alternativa com suficiente apoio popular ou força coercitiva para manter a ditadura (consulte Olson, 1993).

[16] Pode parecer estranho que cidadãos recompensem ou punam dirigentes por eventos além do controle do governo, como preços altos ou baixos de petróleo. Contudo, estudos recentes sugerem que é assim que eleitores se comportam. Christopher Achen e Larry Bartels (2004) mostram que eleitores norte-americanos são menos propensos a apoiar candidatos de situação após secas, enchentes e catástrofes – eventos acidentais sobre os quais o candidato à reeleição não tem como controlar.

em armas para receber uma porção maior dessas receitas. Em sua análise das monarquias do Golfo Pérsico, Michael Herb afirma:

Às vezes é dito que cidadãos de monarquias do petróleo são gratos a seus dirigentes por lhes darem dinheiro e que essa gratidão se traduz em suporte político. Porém, gratidão resulta do recebimento de um presente. Os árabes do Golfo, contudo, pensam que eles próprios, enquanto cidadãos, são donos do petróleo e não as famílias dirigentes... Poucos deles são particularmente gratos ao receber algo que eles julgam ser em primeiro lugar deles mesmos.[17]

A maior parte das pessoas em países produtores de petróleo parece reconhecer que eles têm direito a se beneficiar da riqueza mineral de seus países. Não faz sentido fingir que eles não se importam.

Talvez as pessoas realmente não se importem com a relação gasto-arrecadação de impostos de seus governos, mas sim com a relação gasto-receita. Em países sem petróleo, todas as receitas do governo provêm de impostos – então, nesses países, a relação gasto-arrecadação de impostos é idêntica à relação gasto-receita, e o modelo original segue intocado. Mas os cidadãos de países produtores de petróleo sabem que seus governos têm outra fonte de receita e se importam com o modo como isso é gasto. Se eles acreditam que seu governo oferece poucos serviços, dado o tamanho das receitas, vão se rebelar.

Contudo, há uma armadilha. O Capítulo 2 explica como as receitas de petróleo são normalmente fáceis de serem escondidas pelos governos, pois são definidas por contratos secretos e frequentemente canalizadas através de contabilidades externas ao orçamento. Os cidadãos sabem que seu governo recebe *alguma* receita de petróleo; mas não sabem *quanto*.

Até aqui, assumi que os cidadãos tinham "completa informação" sobre seu governo. Eles têm uma boa ideia do quanto ele gasta, o que é plausível, pois podem observar seus programas e projetos, e têm uma boa ideia do que é arrecadado em impostos, o que faz sentido, porque pagam esses impostos.[18]

Cidadãos em países produtores de petróleo, porém, não podem observar diretamente o quanto o governo arrecada em receitas de petróleo. Eles precisam confiar essa informação ao seu governo e à sua mídia. Se eles vivem

[17] Herb, 1999, 241

[18] Mesmo que as pessoas não possam saber os impostos de renda de cada um, eles podem observar o nível de impostos em bens e serviços, que constituem a maior parte das receitas fiscais em países de baixa e média renda. A divulgação pública da carga tributária comum é frequentemente parte das culturas popular e política. Consulte, por exemplo, Scott 1976.

em uma democracia, essa informação está provavelmente disponível.[19] Se vivem em uma autocracia, seu governo pode ocultar algumas dessas receitas e, se os cidadãos não conseguem perceber a magnitude das receitas de petróleo de seus governos, concluirão erroneamente que esse está tendo um bom desempenho, usando receitas relativamente modestas para oferecer uma generosa série de bens e serviços. Ao esconder algumas de suas receitas, autocratas ricos podem aumentar a *percepção* da relação gasto-receita de sua administração.

Todos os autocratas, tendo ou não receitas de petróleo, provavelmente se beneficiam de sigilos. Mas autocratas de países produtores de petróleo têm mais a ganhar com sigilos, porque isso lhes permite enganar seus cidadãos, levando-os a subestimar o tamanho das receitas governamentais. Isso implica que autocratas do petróleo serão mais inclinados a camuflar seus orçamentos e impor fortes restrições à mídia do que autocratas de países não produtores de petróleo.

Em resumo, dirigentes em geral e autocratas em particular permanecem no poder enquanto os cidadãos acreditam que seus governos estão oferecendo muitos benefícios em relação a suas receitas. Em países não produtores de petróleo, isso significa que eles estão recebendo benefícios suficientes pelos seus impostos. Em países produtores de petróleo, isso significa que eles estão recebendo benefícios suficientes tanto por seus impostos quanto pelas receitas de petróleo do governo. Como os cidadãos podem acompanhar os tributos, mas não as receitas de petróleo, autocratas de países produtores de petróleo podem aumentar suas próprias popularidades escondendo do público uma parte de suas receitas de petróleo.

O que acontece se os governos perdem a capacidade de esconder o fluxo de petrodólares? Uma maior transparência poderia desencadear revoltas democráticas se os cidadãos começassem a notar que o dirigente está desperdiçando a riqueza petrolífera da nação. Se essas rebeliões serão bem-sucedidas ou não, vai depender de um fator extra: a lealdade das forças armadas. Richard Snyder, em seu estudo de 1992 sobre revoltas contra "ditaduras neopatrimoniais", afirma que a unidade e a lealdade dos militares pode determinar o destino de revoluções populares.[20] Aqui, outra vez, o tamanho das receitas de petróleo do país pode ajudar a bloquear transições para a democracia: quando autocratas estão melhor financiados e controlam diretamente a dis-

[19] Sobre a transparência de governos democráticos, consulte Rosendorf e Vreeland (2006).

[20] Snyder, 1992.

tribuição de benefícios para os militares, eles têm mais chances de manter o apoio das forças armadas e de extinguir quaisquer rebeliões.

Uma Análise dos Dados

No anexo desse capítulo, uso análises multivariadas para observar a relação estatística entre petróleo e democracia. Mas as ligações básicas entre petróleo e democracia podem ser ilustradas com simples tabulações cruzadas e gráficos.

Há forte evidência de que, quando autocracias têm petróleo, elas são menos propensas a fazer a transição para a democracia. A tabela 3.1 mostra o padrão central. Os números nas células representam o percentual de estados autoritários que fizeram essa transição em média anual. A primeira coluna mostra países não produtores de petróleo, a segunda ilustra países produtores de petróleo e a terceira identifica a diferença.[21]

[21] Uso essa base de dados de Przeworski et al., 2000—atualizada em Cheibub, Gandhi e Vreeland.

Tabela 3.1
Transições para a democracia, 1960 - 2006

Esses números mostram o percentual de estados autoritários que se tornaram democráticos em média anual.

	Não produtores de petróleo	*Produtores de petróleo*	*Diferença*
Todos os países e períodos	2,22	1,19	−1,02**
Por renda			
Baixa renda (abaixo de US$ 5.000)	2,41	1,52	− 0,89*
Alta renda (acima de US$ 5.000)	1,35	0,73	− 0,63
Por período			
1960–79	1,13	1,33	0,20
1980–2006	3,18	1,14	−2,04***
Por região			
América Latina	4,30	11,27	6,96***
Todas as outras regiões	1,93	0,43	−1,50***

*significativo em 10%, em um teste t de intervalo único
**significativo em 5%
***significativo em 1%
Fonte: calculado a partir de dados de Cheibub, Gandhi e Vreeland (2010).

A primeira linha mostra que países autoritários sem petróleo tiveram 2,2% de chance a cada ano de transitar para a democracia; países autoritários com petróleo tiveram apenas 1,2% de chance. As próximas duas linhas mostram que o padrão afeta produtores ricos e pobres da mesma maneira, embora isso só alcance significação estatística entre países pobres.

Alguns estudos argumentam que o impacto líquido da riqueza petrolífera (ou petróleo-dependência) na democracia é ambíguo: enquanto pode atrapalhar transições democráticas através de alguns canais, também promove democratização através de outros.[22] Esses números sugerem que o impacto líquido do petróleo tem sido fortemente negativo.

[22] Herb 2004; Dunning, 2008; Goldberg, Wibbels e Mvukiyehe, 2009.

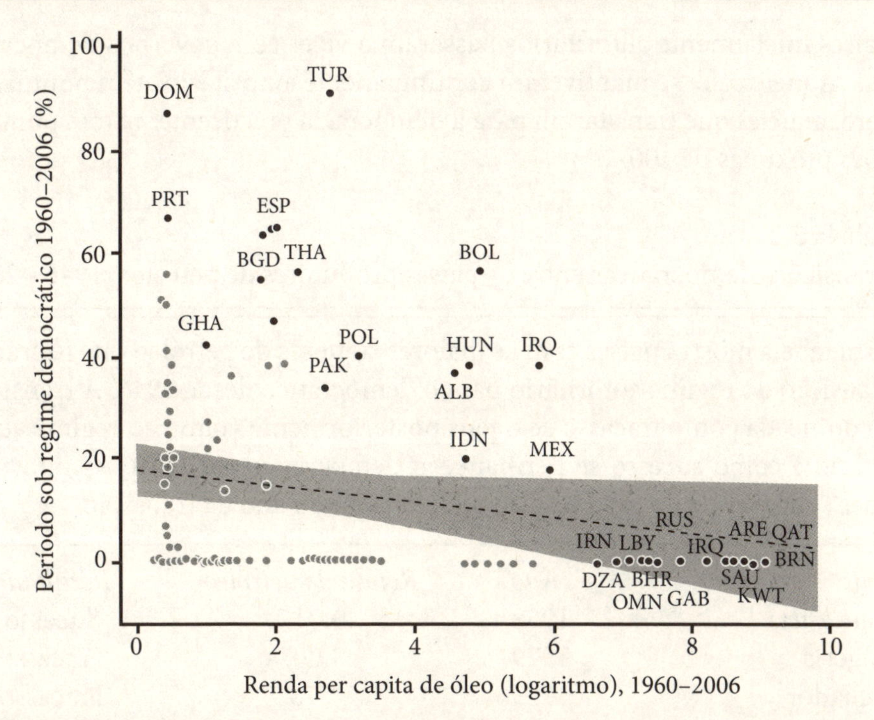

Gráfico 3.2. O petróleo e as transições para a democracia, 1960 a 2006

Cada ponto representa um país que esteve sobre regime autocrático em 1960 ou, se alcançou independência após 1960, esteve sob regime autocrático em seu primeiro ano de independência. O eixo vertical representa o percentual de sua história subsequente vivida sob regime democrático. Países com altos percentuais fizeram transições democráticas precocemente e permaneceram democráticos; países na parte baixa nunca fizeram essas transições.

Fonte: dados sobre as transições democráticas de Cheibub, Gandhi e Vreeland (2010).

Outra forma de observar os dados é com um diagrama de dispersão que inclua todos os países que poderiam ter feito transições do autoritarismo para a democracia entre 1960 e 2008, incluindo todos os 64 países que estiveram sob regime autoritário em 1960, mais os 50 países que tornaram-se independentes depois de 1960 e estiveram sob regime autoritário no primeiro ano de suas independências. O gráfico 3.2 mostra a renda petrolífera desses 114 países ao lado de seus progressos – ou falta de – em direção à democracia. Os valores no eixo horizontal denotam o percentual de tempo (ou desde 1960 ou desde o primeiro ano de independência) em que esses países inicialmente autoritários passaram a viver com governos democráticos. Aqueles que se mantiveram continuamente autoritários têm pontuação zero; aqueles que transitaram para a democracia precocemente têm pontuações próximas de 100.

Tabela 3.2
Transições democráticas entre os países produtores de petróleo, 1946 - 2010

Essa tabela mostra países com as maiores riquezas de petróleo que fizeram a transição do regime autoritário para o democrático desde 1946. A transição é codificada como fracasso se o país posteriormente voltou ao regime autoritário e como sucesso se permaneceu democrático até 2010. As informações sobre renda de petróleo são relacionadas ao ano da transição.

País	*Ano*	*Renda de petróleo*	*Resultado*
Venezuela	1958	1.717	Sucesso
Nigéria	1979	1.007	Fracasso
Equador	1979	773	Fracasso
República do Congo	1992	563	Fracasso
México	2000	442	Sucesso
Argentina	1983	428	Sucesso
Peru	1980	336	Fracasso
Bolívia	1982	307	Sucesso
Equador	2002	280	Sucesso
Bolívia	1979	264	Fracasso

Fonte: dados sobre as transições democráticas em Cheibub, Gandhi e Vreeland, 2010.

A linha em decréscimo mostra a relação global entre petróleo e duração autoritária: quanto maior era a renda petrolífera do país, menor a chance de ele ter feito a transição (e permanecido) para a democracia.[23] Países que transitaram para a democracia cedo e permaneceram democráticos, como República Dominicana, Turquia, Portugal e Espanha, tinham pouco ou nenhum petróleo. Um punhado de países com modesta riqueza de petróleo e gás natural, como Bolívia, Romênia e México, tiveram transições mais recentes (e às vezes erráticas) para a democracia. Mas nenhum país com altos

[23] A área sombreada representa um intervalo de 95% de confiabilidade.

níveis de renda de petróleo e gás teve sucesso em fazer a transição democrática entre 1960 e 2010.

Por sorte, a riqueza do petróleo não freia necessariamente a democratização. A tabela 3.2 lista os dez maiores produtores de petróleo, classificados por renda petrolífera, que mudarem de regimes autoritários para democráticos desde 1946. A transição da Venezuela em 1958 está no topo da lista. Os próximos três produtores a se democratizarem foram Nigéria (1979), Equador (1979) e a República do Congo (1992); todas essas transições foram revertidas mais tarde. Nigéria e Equador posteriormente retornaram à democracia, mas apenas depois que suas rendas petrolíferas caíram a níveis bem mais baixos. Isso sublinha a peculiaridade do sucesso da Venezuela. Desde a transição da Venezuela em 1958, nenhum país com mais petróleo que o México, em 2000, tornou-se e manteve-se democrático.

O Petróleo e a Democracia ao Longo do Tempo

Conforme mostrado no Capítulo 2, houve um aumento dramático no tamanho das receitas de petróleo nos anos 1970, graças à subida estratosférica dos preços e à nacionalização de companhias de petróleo estrangeiras. O aumento nas receitas de petróleo coincidiu com uma queda na possibilidade de os países produtores de petróleo tornarem-se democráticos.

Vamos retornar por um momento à tabela 3.1. Quando todo o período de 47 anos na primeira linha é levado em consideração, os países produtores de petróleo são cerca de 40% menos inclinados a fazer a transição democrática que os não produtores. Mas, se dividirmos o período de 1960-79 do período 1980-2006 (linhas 4 e 5), percebemos uma notável diferença. Antes de 1980, tanto os países produtores de petróleo quanto os não produtores eram igualmente inclinados – ou igualmente não inclinados – a tornarem-se democracias; a diferença entre esses dois grupos não é estatisticamente significativa. Desde 1980, a taxa de democratização entre produtores de petróleo permaneceu a mesma. Os não produtores de petróleo são agora três vezes mais inclinados a tornarem-se democracias.

Também podemos revisitar o gráfico 3.1, que mostra o constante aumento no número de democracias desde os anos 1970. Quando separamos os produtores tradicionais de petróleo do resto do mundo – no gráfico 3.3 – vemos um padrão muito diferente: enquanto o resto do mundo se democratizou, houve pouca mudança entre os produtores tradicionais de petróleo e gás natural.[24] A celebrada "terceira onda" de transições democráticas nos anos 1980 e 1990 deixou intocada a maioria dos países produtores de petróleo. Quase todo o aumento global de democracias desde 1979 veio de países não produtores de petróleo.

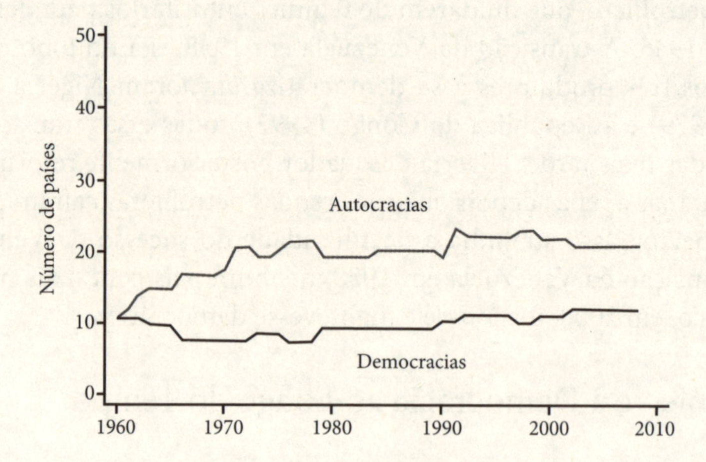

Gráfico 3.3. Número de democracias e autocracias em países produtores de petróleo, 1960 a 2008

Essas linhas mostram os tipos de governo em 35 países tradicionalmente produtores de petróleo

Fonte: calculado a partir de dados de Cheibub, Gandhi e Vreeland (2010).

Isso significa que países ricos em petróleo perfizeram um percentual crescente de países que permanecem autoritários no mundo. Em 1980, os produtores de petróleo constituíam pouco mais de 25% (27 sobre 103) das autocracias do mundo; em 2008, eles constituíam mais de 40% (30 sobre 74). Para os defensores da democracia, os efeitos do petróleo tornaram-se cada vez mais evidentes.[25]

Teria o petróleo tido *quaisquer* efeitos antidemocráticos antes de 1980? É difícil dizer ao certo. De acordo com a análise regressiva no anexo 3.1, isso

[24] É às vezes arriscado generalizar sobre as características de "países produtores de petróleo", pois a presença nesse grupo muda com o tempo. Para contornar esse problema, concentro periodicamente a atenção nos 35 países que podem ser classificados como "produtores tradicionais". Considero-os assim quando eles geraram pelo menos US$ 100 per capita (em dólares constantes de 2000) em renda de petróleo por dois terços dos anos entre 1960 e 2006 ou se eles se tornaram soberanos depois de 1960, por dois terços dos seus anos de soberania. Esses países estão marcados com asteriscos na tabela 1.1. No Capítulo 6, observo diferentes subconjuntos desse grupo – primeiro os 13 maiores produtores dos países em desenvolvimento, depois todos os 28 produtores fora da Europa e da América do Norte.

[25] Consulte, por exemplo, Diamond, 2008.

depende de como se mede a democracia. Usando um indicador, o petróleo teve efeitos significativos, mas amenos, entre 1960 e 1980; uma vez que outras variáveis sejam controladas, usando-se indicadores diferentes, o petróleo não teve efeito algum.[26]

Talvez o gráfico 3.4 possa oferecer uma resposta mais simples. Ele compara a média de pontuações democráticas de países tradicionalmente produtores de petróleo com todos os outros países ao longo do tempo. As pontuações democráticas variam de um a dez, com as mais altas indicando mais democracia. Os números são baseados em uma medição de democracia amplamente utilizada chamada Polity IV.[27] Até o início dos anos 1980, os países produtores e os não produtores de petróleo tinham pontuações virtualmente idênticas; desde então, a diferença entre os dois grupos cresceu constantemente.

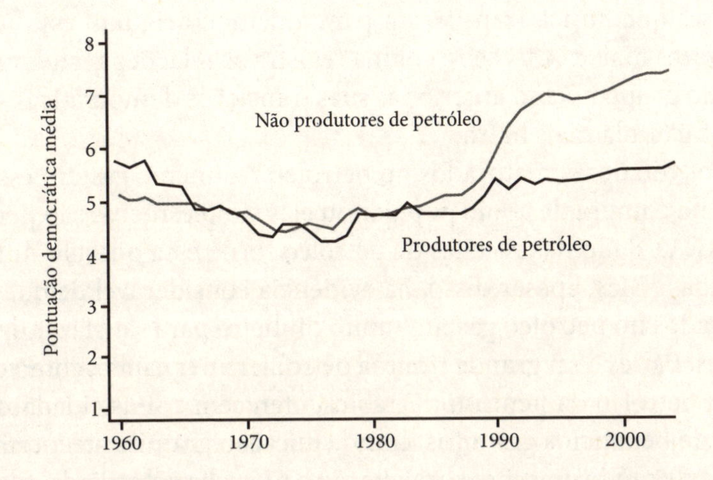

Gráfico 3.4 Níveis de democracia ao longo do tempo, 1960 - 2004
Essas linhas mostram a média da pontuação na escala Polity de produtores tradicionais de petróleo (linha preta) e de não produtores (linha cinza). As pontuações na escala Polity foram redimensionadas para uma variação de um a dez, com valores altos indicando maior democracia.
Fonte: calculado a partir de dados em Marshall e Jaggers, 2007.

[26] Marshall e Jaggers 2007; Przeworski et al. (2000).

[27] Marshall and Jaggers, 2007.

Gastos e Receitas

Há também *alguma* evidência de que governos autoritários com relações mais altas de gastos estatais sobre as receitas serão menos propensos a se democratizarem. Infelizmente, números mais exatos sobre gastos e receitas estatais são escassos, o que torna esse argumento difícil de ser avaliado. E, de acordo com o modelo, o que mais interessa é a percepção das receitas do governo, e não as reais receitas do governo – e sem pesquisas essas percepções não podem ser medidas.[28]

Ainda assim, os dados existentes sobre gastos e receitas governamentais são sugestivos. O gráfico 3.5 compara as relações gastos-receitas de governos autoritários que jamais transitaram para a democracia (primeira coluna) com aqueles que posteriormente se tornaram democráticos (segunda coluna); países que nunca transitaram para a democracia têm essa relação quase duas vezes maior. A terceira coluna registra as relações gastos-receitas desse segundo grupo no ano anterior às suas transições democráticas - neles essa relação foi ainda mais baixa.

Será que os ditadores maturados no petróleo realmente gastam essas receitas extras na compra de apoio popular ou elas simplesmente são perdidas na corrupção? O sigilo das receitas de petróleo torna essa questão difícil de ser respondida.[29] Mas, apesar disso, há evidência considerável de que autocratas maturados no petróleo gastam muito dinheiro para satisfazer demandas populares. Países com grande riqueza petrolífera per capita, como os reinos ricos em petróleo da península Arábica, oferecem a seus cidadãos uma lista notável de benefícios gratuitos, como educação gratuita até a universidade, sistema de saúde gratuito, alimentação e moradia subsidiada. Quando os preços do petróleo tombaram, nos anos 1980, o governo saudita tentou aumentar impostos e cortar muitos subsídios, mas, depois de amplas críticas populares, retirou ambas as medidas.[30] Em resposta às rebeliões de 2011, quase todos os governos do Oriente Médio ofereceram novos subsídios a seus cidadãos. Nos países ricos em petróleo, essas ofertas foram ainda mais generosas e, com exceção da Líbia, pareceram ser mais efetivas.

---

[28] Eu discuto esses problemas de dados com maior detalhamento no anexo ao Capítulo 3.

[29] Desperdício de dinheiro público – em projetos caros e inúteis, os chamados "elefantes brancos" – podem ter escondido benefícios políticos. Consulte Robinson e Torvik, 2005.

[30] Chaudhry, 1997. Muitos outros fatores, além do petróleo, contribuíram para a sobrevivência da monarquia saudita. Consulte Herb, 1999; Hertog, 2010.

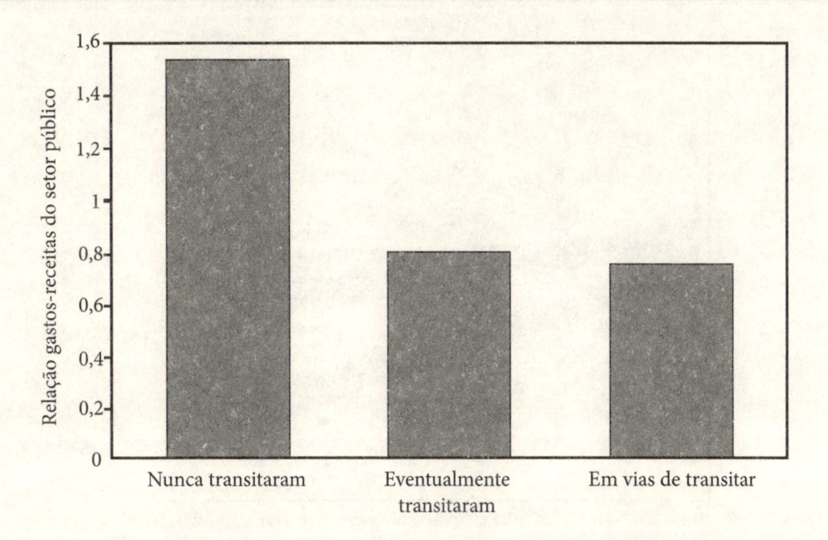

Gráfico 3.5. Relação entre receita/gastos do setor público em autocracias, 1970–2008

Estas barras representam os gastos informados por governos, enquanto percentuais das receitas por eles informadas. Todas as mensurações referem-se a países autoritários e comparam situações de países que jamais transitaram para a democracia (barra esquerda) com países que eventualmente transitaram para a democracia (barra central) e países no momento em que estiveram a um ano de transitar para a democracia (barra direita).

Fontes: calculado a partir de dados fiscais do Banco Mundial n.d.; dados sobre democracia em Cheibub, Gandhi e Vreeland, 2010.

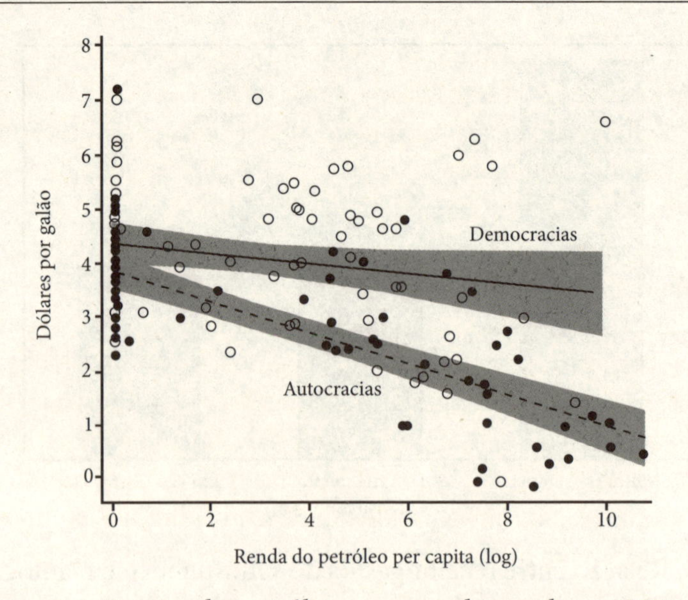

Figura 3.6. Receita do petróleo e preços da gasolina, 2006

Os pontos vazios representam países democráticos e os pontos sólidos representam países autocráticos.

Fontes: calculado a partir de dados sobre preços de gasolina da Gesellschaft für Technische Zusammenarbeit, 2007; dados sobre democracia em Cheibub, Gandhi e Vreeland, 2010.

Muitos governos financiados pelo petróleo subsidiam preços de combustíveis, mesmo que esses subsídios possam ser ruinosamente caros, economicamente contraproducentes (desperdiçadores) e ambientalmente desastrosos. No parcialmente democrático Irã, subsídios para gasolina e eletricidade custam ao governo (em termos de receitas, isso poderia ser recolhido de volta em impostos, caso a energia fosse vendida a preços de mercado) nada menos do que 20% do PIB em 2007-8, ou o equivalente a cerca de US$ 3.275 para uma família de 4 pessoas.[31] Não deveria ser surpresa que os cidadãos de países produtores de petróleo gostam de gasolina barata. Mas *deveria* ser surpresa que esses subsídios sejam maiores em países autoritários, onde os governos deveriam estar mais protegidos da opinião pública, do que nos democráticos.

O gráfico 3.6 apresenta as correlações entre rendas de petróleo e preços de gasolina para autocracias e democracias. O eixo horizontal mostra a renda de petróleo de um país, enquanto o eixo vertical mostra o preço (em

[31] Fundo Monetário Internacional, 2008

dólares) de um galão de gasolina em 2006. Círculos sólidos representam países não democráticos e círculos vazios representam os democráticos. Em ambos os tipos de governo, os países que produzem mais petróleo tendem a subsidiar mais pesadamente o preço da gasolina. Mas essa tendência é mais forte entre países autoritários (linha debaixo) e assim eles tendem a ter preços de gasolina mais baixos. O exemplo mais extremo é o Turcomenistão, onde um governo altamente repressivo oferece ao público um galão de gasolina a dois centavos de dólar e energia elétrica gratuita.

Por que ditadores gastariam tanto com subsídios aos combustíveis? Uma das razões pode ser o temor de que um corte nesses subsídios pudesse detonar manifestações públicas, que podem mais facilmente colocar em risco líderes autoritários do que democráticos. Os protestos de 2007 na Birmânia começaram com passeatas contra a redução dos subsídios aos combustíveis e rapidamente se transformaram em manifestações contra a junta militar. As passeatas de fevereiro de 2008 na República dos Camarões começaram como protestos contra o corte de subsídios de combustíveis, porém cresceram até detonar uma campanha para vetar uma emenda constitucional que permitiria ao então presidente se manter no posto. Em abril de 2010, multidões que inicialmente se reuniram para protestar contra aumentos de preços de combustíveis acabaram por derrubar o presidente do Quirguistão. Líderes autoritários têm boas razões para manter baixos os preços da gasolina.

Confidencialidade

Mesmo que seja de difícil mensuração, o sigilo dos governos parece desempenhar um papel especial na manutenção do poder de autocratas financiados pelo petróleo.

Uma maneira de se medir o sigilo das finanças de um país é consultando o Open Budget Index (Índice do Orçamento Aberto), que mede a transparência de 85 governos nacionais, baseado na análise de 91 características observáveis de seus orçamentos, incluindo a frequência com que eles divulgam documentos importantes para orçamentos, a abrangência desses documentos e o papel desempenhado pelos auditores desses governos. Os governos são classificados em uma escala que vai de 1 a 100, com os índices mais altos indicando mais transparência.[32]

[32] A International Budget Partnership produz o Open Budget Index. Para mais informações sobre este notável indicador, veja http://www.openbudgetindex.org.

A tabela 3.3 mostra as classificações de produtores e não produtores de petróleo em 2008. Globalmente, países produtores de petróleo têm mais ou menos as mesmas classificações que não produtores. Mas, quando democracias e autocracias são vistas separadamente, surge um padrão perceptível: no grupo das autocracias, os países produtores de petróleo têm menos transparência de orçamento; no grupo das democracias, os países produtores de petróleo têm um pouco mais de transparência, contudo, essa última diferença não é estatisticamente significativa.

O gráfico 3.7 demarca a pontuação de transparência orçamentária de países com governos autoritários no eixo vertical e suas rendas de petróleo no eixo horizontal.

Tabela 3.3
Transparência orçamentária, 2008

A pontuação de transparência orçamentária varia de um a cem, com maior pontuação indicando maior transparência.

	Não produtores de petróleo	*Produtores de petróleo*	*Diferença*
Todos os países	39,6	39,9	0,3
Apenas democracias	43,3	56,5	13,2
Apenas autocracias	33,4	18,9	–14,5*

*significativo em 5% na dupla amostragem do teste Wilcoxon-Mann-Whitney
Fonte: calculado a partir de dados do International Budget Partnership, 2008.

Quanto maior a riqueza em petróleo, mais sigiloso o orçamento. O sigilo orçamentário dos produtores de petróleo africanos é especialmente forte: quatro dos cinco governos mais opacos – Angola, Chade, Nigéria e Camarões – são exportadores significativos de petróleo. Os cinco mais transparentes – África do Sul, Botsuana, Zâmbia, Uganda e Namíbia – têm pouco ou nenhum petróleo.

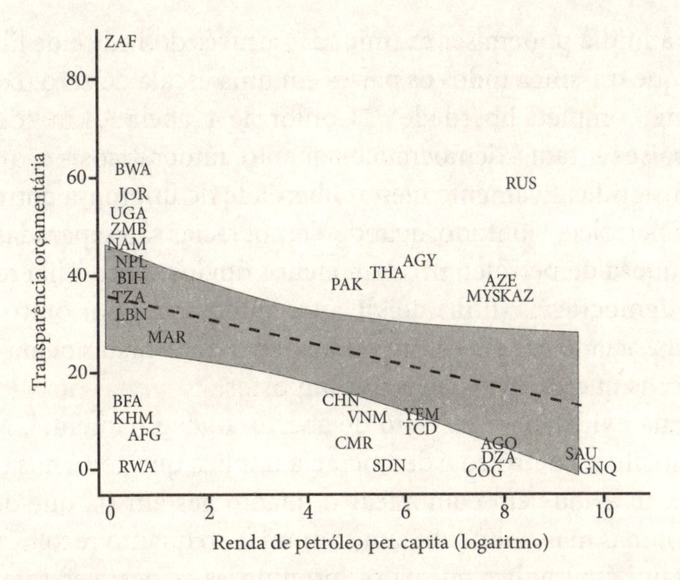

Figura 3.7. O petróleo e a transparência no orçamento em autocracias, 2008
A pontuação de transparência orçamentária varia de zero a cem, com pontuação alta indicando que mais informações sobre o orçamento foram publicamente divulgadas.
Estão incluídos aqui apenas países autocráticos.
Fonte: dados sobre transparência orçamentária do International Budget Partnership 2008.

Tabela 3.4
Liberdade de imprensa, 2006

A pontuação de liberdade de imprensa varia de um a cem, com pontuação alta indicando maior liberdade de imprensa. A escala foi reconvertida desde sua fonte original, de modo que as pontuações maiores indicam resultados melhores.

	Não produtores de petróleo	*Produtores de petróleo*	*Diferença*
Todos os países	54,0	44,5	–9,5***
Apenas democracias	65,7	67,0	1,3
Apenas autocracias	35,5	25,8	–9,7***

*significativo em 10%, em um teste t de intervalo único
**significativo em 5%
***significativo em 1%

Fonte: Calculado desde dados da Freedom House 2007.

Restrições à mídia podem ser examinadas através do índice de liberdade de imprensa, que classifica todos os países em uma escala de zero (completa censura) a cem (completa liberdade).[33] Conforme a tabela 3.4 indica, quando todos os países – tanto democráticos quanto autocráticos - são colocados juntos, há significativamente menos liberdade de imprensa entre países produtores de petróleo. Contudo, quando democracias são separadas de autocracias, a riqueza de petróleo não tem efeitos óbvios sobre a liberdade de imprensa em democracias (linha dois); entre autocracias, por outro lado, o petróleo está associado a mais censura. Ditaduras financiadas pelo petróleo são mais sigilosas que as financiadas por impostos.

Há mais uma evidência a respeito de abertura governamental. Meu argumento a respeito de petróleo e democracia implica que governos deverão ser relativamente ávidos em comunicar o quanto gastam (já que despesas são populares), mas mais relutantes em comunicar o quanto recolheram em receitas. Isso também implica que países produtores de petróleo serão especialmente relutantes em divulgar suas receitas. A tabela 3.5 mostra o percentual de países que em 2006 – o ano mais recente em termos de uma seriação relativamente completa no World Data Bank – produziram e divulgaram informações sobre suas receitas e despesas. Dois padrões se destacam: todos os países estiveram mais dispostos a revelar seus gastos do que suas receitas; e mesmo que os produtores de petróleo tenham publicado suas despesas na mesma alta quantidade que os não produtores, esses foram significativamente mais sigilosos a respeito de suas receitas.

---

[33] Georgy Egorov, Sergei Guriev e Konstantin Sonin (2007) foram os primeiros a estabelecer a ligação entre petróleo e falta de liberdade de imprensa. Antoine Heuty e Ruth Carlitz (2009) examinaram cuidadosamente a tendência de países dependentes de recursos naturais no sentido de menos transparência orçamentária. O índice de liberdade de imprensa é compilado pela Freedom House e disponibilizado em http://www.freedomhouse.org/template.cfm?page=16. Eu reconverti a escala para torná-la coerente com outras medidas de qualidade de governança.

Tabela 3.5
Disponibilidade de dados fiscais, 2006

Estes números mostram o percentual de países que forneceram ao World Bank dados sobre "Receitas Governamentais" e "Gastos Governamentais" em 2006.

	Não produtores de petróleo	*Produtores de petróleo*	*Diferença*
Dados sobre Receitas Governamentais	64	50	–14*
Dados sobre Gastos Governamentais	90	89	–1

* significativo em 5% na dupla amostragem do teste Wilcoxon-Mann-Whitney

Fonte: Calculado desde dados do World Bank, n. d.

O 'Petroestado' Soviético

Os exemplos mais amplamente reconhecidos de autocracias sustentadas pelo petróleo são encontrados no Oriente Médio, Norte da África e África Subsaariana. Sabe-se menos sobre a União Soviética, que foi o segundo maior produtor de petróleo do mundo durante grande parte de sua história e cujo governo dependia de receitas de petróleo para aumentar seu apoio popular em situações críticas.

O Capítulo 2 explica como a maioria dos governos ricos em petróleo teve pouco controle sobre suas indústrias petrolíferas antes dos anos 1970. A União Soviética, contudo, nacionalizou sua indústria petrolífera logo após a Revolução Russa em 1917. As receitas de petróleo resultantes disso ajudaram o governo soviético a financiar uma ampla gama de projetos sociais e subsidiar a espetacularmente ineficiente economia soviética. Contudo, a produção de petróleo não teve capacidade de acompanhar a expansão da economia e no início dos anos 1950, de acordo com um especialista, um fornecimento limitado de petróleo passou a ser o calcanhar de Aquiles da economia soviética.[34]

Nos anos 1960, a descoberta de novas fontes produtivas na Sibéria tornou a União Soviética uma grande exportadora de petróleo. Quando os preços começaram a subir, depois de 1973, o Kremlin foi subitamente inundado

[34] Hassmann 1953, 109.

com dinheiro vivo. O petróleo respondia por 80% dos ganhos em moeda forte entre 1973 e 1985.

De acordo com o historiador Stephen Kotkin, os líderes soviéticos utilizaram os lucros inesperados dos anos 1970 e início dos anos 1980 para financiar a invasão do Afeganistão, fortificar seus aliados na Europa Oriental e bancar um vasto aparelhamento militar. Domesticamente, o dinheiro do petróleo também proporcionou salários mais altos e maiores regalias para a sempre crescente elite soviética. E o petróleo também financiou a aquisição de tecnologia estrangeira para a construção de automóveis, fibras sintéticas e outros produtos de consumo, assim como rações ocidentais para os rebanhos soviéticos. No futuro, os habitantes da União Soviética olhariam o passado com saudade da era [Leonid] Brejnev, lembrando a fartura de salsichas encontráveis nos supermercados estatais a preços subsidiados. O petróleo parecia salvar a União Soviética nos anos 1970, mas ele apenas retardou o inevitável.[35]

Depois que os preços do petróleo chegaram ao auge em 1980, caíram em 70% ao longo dos seis anos seguintes e, com eles, as receitas soviéticas, produzindo uma crise econômica e política que finalmente levou o governo soviético ao colapso. Como sugerem Clifford Gaddy e Barry Ickes:

> "O sistema soviético inteiro foi construído sobre a premissa de um persistente fluxo de rendas advindas de recursos naturais para mantê-lo em funcionamento. Uma vez que essa estrutura fundamentalmente inviável foi criada, uma injeção contínua de recursos era necessária para sustentá-la.[36]"

Em 1985-86, os líderes soviéticos tentaram incrementar as receitas aumentando a produção, mas as fontes mais produtivas foram excessivamente exploradas e, apesar de medidas crescentemente desesperadas, a produção de petróleo começou a cair, fortalecendo a crise. De 1986 a 1991, a produção de petróleo caiu 25%, desencadeando um modesto aumento nos preços e deixando o governo extremamente carente de moeda forte.

A crise econômica soviética ajudou a convencer Mikhail Gorbachev — que se tornara secretário-geral do Partido Comunista em 1985 — a adotar reformas econômicas que diminuíssem o controle estatal sobre a economia

[35] Kotkin 2001, 16.

[36] Gaddy and Ickes 2005, 569.

(perestroika) e reformas políticas que permitissem eleições competitivas para muitos postos nacionais, uma imprensa mais livre e maiores liberdades de associação (glasnost).

Contudo, sem uma moeda forte para oferecer aos cidadãos as decisivas benesses estatais, especialmente comida, a perestroika e a glasnost não foram suficientes para manter o sistema soviético.[37] Em 17 de setembro de 1990, em reunião do conselho de ministros, os mais altos funcionários do governo imploraram por meios de incrementar a produção de petróleo a fim de evitar o desastre econômico e político. Yuri Maslyukov, chefe do Gosplan (a agência de planejamento estatal), explicou:

> "Entendemos que a única fonte de moeda forte seja, claro, o petróleo, então vou fazer a seguinte proposição. Eu sinto que nós devemos (...) tomar medidas enfáticas para alcançar uma maior produção de petróleo, quaisquer que sejam as condições dos prospectadores. (...) Tenho o pressentimento de que se não fizermos todo o necessário agora, talvez passemos os próximos anos em uma situação com a qual jamais sonhamos. (...) As coisas podem terminar de maneira dramática para os países socialistas. Isso nos levaria a uma verdadeira queda, não apenas para nós, mas para todo o nosso sistema.[38]"

Sem as receitas do petróleo para financiar a economia socialista - oferecendo aos cidadãos, por mais ineficiente que fosse, virtualmente todos os bens materiais - a autoridade governamental reduziu-se até dezembro de 1991, quando colapsou completamente. No auge de sua capacidade, em 1980, a União Soviética produzia cerca de US$ 3.100 per capita em renda de petróleo e gás natural. Essa renda caiu, em 1991, em cerca de dois terços, para cerca de US$ 1.050 per capita.

Tragicamente, o fim da União Soviética não significou o fim da crise econômica da atual Rússia. Quando os preços do petróleo caíram para US$ 10 o barril em 1998, a renda de petróleo da Rússia caiu para US$ 475 per capita - uma queda de 85% em relação ao auge de 1980 - e o governo foi à bancarrota, entrando em default no pagamento de bilhões de dólares em empréstimos internos.

---

[37] Muitos estudiosos acreditam que a perestroika em si levou ao fim do sistema soviético. Sou grato a Daniel Treisman por indicar isto.

[38] Gaidar 2008, 164.

A Exceção Latino-americana

Um estudo importante de Thad Dunning mostra que a América Latina parece não ser afetada pelos poderes antidemocráticos do petróleo.[39] Considere novamente a tabele 3.2, que mostra os dez produtores principais de petróleo que fizeram transições para a democracia desde 1950. Todos os cinco países que fizeram transições bem-sucedidas eram da América Latina: Venezuela (1958), Bolívia (1982), Argentina (1983), México (2000) e Equador (2002). Por outro lado, todos os produtores de petróleo da América Latina (como quase todos os não produtores do continente) são agora democracias. A tabulação cruzada nas filas debaixo da tabela 3.1 mostra a mesma história: na América Latina, os países *com* petróleo foram duas vezes mais propensos a se democratizarem; no resto do mundo, países *sem* petróleo foram quatro vezes mais propensos a se democratizarem.

Há várias razões para explicar essa anomalia latino-americana. Dunning argumenta que o petróleo impede a democratização em países com baixos níveis de desigualdade. Mas em países com alto nível de desigualdade, como aqueles da América Latina, o petróleo acelera a democratização por aliviar a preocupação das elites afluentes de que a democracia leve à expropriação de suas riquezas pessoais.[40]

A explicação é atraente, mas difícil de testar com bastante precisão, pois dados globais sobre a desigualdade social são escassos e frequentemente medidos de maneiras que diferem de um país para o outro. Mais que isso, dados de desigualdade faltam em muitos países dependentes de petróleo do mundo. Quanto maior a renda de petróleo de um país, geralmente menos informação ele divulga a respeito de seus níveis de desigualdade.[41]

Uma explicação alternativa poderia ser que o petróleo apenas prejudica a democracia em países sem experiência democrática anterior.[42] Segundo o modelo apresentado anteriormente neste capítulo, o petróleo torna os ditadores mais populares, em parte por que eles podem esconder a verdadeira extensão das receitas de petróleo de seus governos. Talvez se um país tenha estado sob governo democrático no passado, os ditadores encontrassem mais dificulda-

[39] Dunning, 2008.

[40] Ibidem.

[41] Essa é outra característica do sigilo comum aos países produtores de petróleo.

[42] Agradeço a Tulia Faletti por ter proposto essa ideia.

des em esconder estas receitas: os cidadãos já saberiam, por acesso anterior a uma imprensa livre, a verdadeira escala da riqueza petrolífera de seu país, tornando-os mais céticos a respeito das alegações de um ditador.

Se isto for verdade, a riqueza petrolífera só bloquearia transições democráticas em países cujos cidadãos jamais estiveram expostos a governos democráticos. De fato, a maioria dos produtores de petróleo da América Latina, incluindo Argentina, Bolívia, Brasil, Chile, Colômbia, Equador e Peru, tiveram anteriormente experiências democráticas. O México, que não teve, foi o mais lento em se democratizar. O maior produtor africano de petróleo a transitar para a democracia, a Nigéria, teve experiência democrática em seus primeiros dias de produtor de petróleo. Há também evidência estatística no anexo de que a anomalia latino-americana possa ser ao menos em parte creditada à experiência democrática da maioria dos produtores latino-americanos de petróleo.

Qualquer que seja a causa, Dunning está certo: o petróleo está associado a mais democracia na América Latina, mas a menos democracia no resto do mundo em desenvolvimento.

A Riqueza em Petróleo Prejudica as Democracias?

A riqueza em petróleo faz com que democracias se tornem menos democráticas? À primeira vista, o modelo parece sugerir um "não": se o petróleo incrementa a popularidade de um governo no poder, isso deveria reforçar tanto as autocracias quanto as democracias. E vários estudos estatísticos acreditam que as receitas do petróleo tendem a ajudar as democracias a permanecerem democráticas.[43]

Uma análise mais atenta, porém, sugere uma resposta mais complicada. Conforme o modelo, o petróleo ajuda a capacitar os operadores históricos, independentemente do fato de o país ser autoritário ou democrático. Podemos supor que dirigentes autocratas querem que seus países permaneçam autocráticos, uma vez que isso os ajuda a permanecer no poder. Já dirigentes democráticos com poderes podem não querer, necessariamente, que seus países permaneçam democráticos. De fato, eles normalmente podem permanecer no poder por mais tempo tornando seus países mais autocráticos.

Nem todas as democracias devem ser igualmente suscetíveis a esse risco. Democracias ricas tendem a colocar restrições mais eficazes ao poder

[43] Smith, 2007; Morrison, 2009.

executivo devido à maior influência de seus parlamentos e tribunais; democracias menos ricas normalmente têm legislaturas e tribunais mais fracos e menos restrições ao poder executivo. Nas democracias ricas, freios e contrapesos que impedem os dirigentes de acumular muito poder devem ser compensados pelo poder econômico que o petróleo proporciona. Mas em democracias pobres e de renda média, a riqueza do petróleo pode ajudar os dirigentes a acumular influência política suficiente para desmantelar os freios e contrapesos que manteriam seu governo democrático.

Isso implica que a riqueza do petróleo pode tornar democracias de baixa renda menos democráticas. Pode haver muito poucas democracias de baixa e média renda produtoras de petróleo para testar essa afirmação com credibilidade. No entanto, há alguma fraca evidência para apoiá-la na tabela 3.6, que mostra a taxa anual de falhas democráticas - indicando a probabilidade anual de que um governo democrático se torne uma ditadura - para todos os países de 1960 a 2008. No geral, as falhas democráticas eram menos comuns em países produtores de petróleo, embora a diferença não seja estatisticamente significativa (linha um). Mesmo quando dividimos os países pela riqueza (linhas dois e três), as falhas democráticas nos países produtores de petróleo não são significativamente diferentes das falhas democráticas nos não produtores.

Ainda precisamos contabilizar o período. Anteriormente, vimos que o petróleo teve fortes efeitos antidemocráticos após os acontecimentos de transformação da década de 1970. As linhas quatro e cinco mostram que as falhas democráticas foram dramaticamente menos frequentes nos países produtores de petróleo de 1960 a 1979. Desde 1980, elas têm se tornado ligeiramente mais frequentes nos países produtores de petróleo, mas, mais uma vez, a diferença não é estatisticamente significativa.

Quando colocamos esses dois fatores juntos, olhando para as democracias de baixa renda desde 1980 (linha seis), as falhas democráticas tornam-se notadamente mais frequentes entre os países produtores de petróleo, embora a diferença caia muito próxima da significância estatística em um teste t de uma cauda. Mostro no anexo que, uma vez que controlamos as variáveis fictícias, a ligação entre o petróleo e as falhas democráticas nos países de baixa renda, especialmente depois de 1980, torna-se estatisticamente significativa.[44]

[44] Isso é consistente com o trabalho de Nathan Jensen e Leonard Wantchekon (2004), que mostra que o petróleo tem, de fato, levado a falhas democráticas na África subsaariana. Talvez isso se dê porque a renda na região é relativamente baixa.

Tabela 3.6
Transições para o autoritarismo, 1960 a 2006

Esses números mostram a porcentagem de países que migraram de regimes democráticos para autoritários em um determinado ano.

	Não produtores de petróleo	*Produtores de petróleo*	*Diferença*
Todos os países e períodos	1,9	1,17	-0,72
Por renda			
Baixa renda (abaixo de US$ 5.000)	3,32	2,97	-0,35
Alta renda (acima de US$ 5.000)	0,28	0,46	0,18
Por período			
1960 a 1979	3,7	0,74	-2,95 **
1980 a 2008	1,08	1,3	0,21
Por renda e período			
Baixa renda, 1980 a 2006	1,86	3,33	1,46

** Significativo a 10%, em um teste t unicaudal*
*** Significativo a 5%*
**** Significativo a 1%*
Fonte: calculado a partir de dados em Cheibub, Gandhi e Vreeland (2010).

O número de democracias produtoras de petróleo além dos países ricos industrializados é pequeno, o que torna difícil ter certeza de que essas correlações são significativas. Mas, no nível de estudo de caso, há indícios de que o petróleo tem fortalecido a posição de dirigentes eleitos democraticamente, capacitando-os a reverter restrições democráticas.

Algumas das evidências mais surpreendentes vêm dos Estados Unidos. Grande parte da indústria do petróleo nos EUA é regulada pelos estados e não pelo governo federal, o que significa que os governos estaduais podem receber receitas substanciais do petróleo. Se a riqueza do petróleo e do gás natural tem poderes políticos dos EUA, ele é mais visível no nível estadual. Estudos realizados por Ellie Goulding, Erik Wibbels e Eric Mvukiyehe, assim como por Justin Wolfers, descobriram que nos estados com maiores receitas do petróleo, os governadores são mais propensos a serem reeleitos com margens mais amplas sobre seus adversários.[45]

[45] Goldberg, Wibbels e Mvukiyehe, 2009; Wolfers, 2009.

O caso mais extremo pode ter sido na Louisiana no início da década de 1920, onde o governador Huey Long acumulou influência política sem precedentes por meio de uma espécie de petropopulismo. Após o aumento de impostos sobre as companhias de petróleo, Long usou as receitas resultantes para financiar novas estradas e hospitais, livros gratuitos para crianças em idade escolar e patrocínio para os legisladores e políticos locais que o apoiaram. O tamanho do estado proporcionou-lhe grande popularidade e poderes extraordinários, incluindo o poder de censurar jornais antipáticos, paralisar financeiramente os governos locais nas cidades do estado que se opunham a ele e contratar e demitir pessoalmente os funcionários do estado, desde delegados a professores de escola.[46] Graças às receitas do petróleo da Louisiana, Long e os parentes que o sucederam "detinham o poder de um ditador da América do Sul e não o de qualquer outro chefe de estado norte-americano."[47]

A erosão da democracia na Louisiana em 1920 e 1930 precedeu a deterioração da democracia em muitas democracias de baixa renda nos últimos anos. O *boom* de 2000 - 2008 dos preços do petróleo ajudou a dar a líderes eleitos pelo voto popular em muitos países ricos em petróleo a capacidade de remover restrições sobre o seu poder:

- No Azerbaijão, o presidente Ilham Aliyev promoveu um referendo em março de 2009 para remover os limites de mandato que o teriam forçado a deixar o cargo. A oposição boicotou o referendo, que de acordo com o governo foi aprovado por mais de 90% dos eleitores.
- As eleições de 2007 na Nigéria deram ao candidato do Partido Democrático do Povo uma vitória esmagadora, incluindo a presidência, a grande maioria das cadeiras na Câmara e no Senado e vinte e nove de trinta e seis governos estaduais. Observadores nacionais e internacionais relataram fraude generalizada em favor do Partido Democrático do Povo. De acordo com o International Crisis Group, as eleições foram as mais maciçamente fraudadas na história do país.[48]
- A reeleição do presidente do Irã, Mahmoud Ahmadinejad, em junho de 2009, foi vista por muitos observadores, tanto estrangeiros quan-

[46] Williams, 1969.

[47] Key (1949), 156. Para saber mais sobre a história da política do petróleo no Texas e na Louisiana, consulte Goldberg, Wibbels e Mvukiyehe (2009).

[48] As eleições de março de 2011 foram mais transparentes. Sobre outros casos africanos, consulte Posner e Young (2007).

to iranianos, como maculada por irregularidades eleitorais generalizadas. O governo de Ahmadinejad dependia fortemente da Guarda Revolucionária para derrubar os protestos resultantes. Ele fornecia às empresas detidas pelos guardas um grande número de contratos com o governo, incluindo contratos de petróleo sem licitação no valor de bilhões de dólares.[49]

- Durante a última década, o presidente venezuelano Chávez capitalizou sobre o aumento dos preços do petróleo para financiar projetos que aumentaram sua popularidade entre segmentos importantes, incluindo as famílias de baixa renda e os militares. Ele, então, aproveitou esse apoio para eliminar verificações independentes sobre sua autoridade através da substituição de juízes da Suprema Corte e da imposição de restrições à mídia.[50] Em fevereiro de 2009, Chávez venceu um referendo nacional para remover os limites de tempo de permanência em cargo para os funcionários públicos, permitindo-lhe permanecer no cargo por tempo indeterminado.

Rússia Revisitada

Assim como o caso da União Soviética mostra como as receitas do petróleo podem prolongar um regime autoritário, o caso da Rússia desde 1998 ilustra como as receitas do petróleo podem colocar em risco uma democracia fraca, aumentando a popularidade de um dirigente eleito, que gradualmente elimina freios e contrapesos sobre sua própria autoridade.

Na Rússia, a queda nas receitas de petróleo e gás natural ajudou a precipitar a falência do governo em 1998. Mas a fraqueza das finanças do governo também abriu a porta para mais liberdades civis, a liberdade de imprensa e a concorrência política, permitindo a transição para a democracia política. Assim que a indústria de petróleo russa começou a se recuperar, a partir de 2000, a democracia começou a se deteriorar. O padrão geral é evidente no gráfico 3.8, que exibe o nível de democracia do país, juntamente com suas receitas de petróleo entre 1960 e 2007.

Entre 2000 e 2006, o setor de petróleo em expansão da Rússia ajudou a alimentar uma recuperação econômica notável: os rendimentos reais au-

[49] Wehrey et al., 2009.

[50] International Crisis Group, 2007.

mentaram 48%, o desemprego caiu de 9,8 para 6% e as receitas do petróleo do governo aumentaram em um fator superior a sete de US$ 14,3 bilhões para US$ 107 bilhões (em dólares constantes de 2000).[51]

Parte do crescimento do setor de petróleo foi causada pelo aumento da produção: entre 2000 e 2006, a produção de petróleo aumentou 43% e a produção de gás natural cresceu 12%. A maior parte do crescimento da receita, no entanto, foi causada pelos preços mais elevados: de 2000 a 2006, o preço do petróleo duplicou e o do gás natural subiu mais de 150%. Graças às cascatas inesperadas que se seguiram, dívidas antigas foram pagas e os deficit orçamentais foram substituídos por excedentes. A taxa do imposto mais elevado sobre as empresas foi cortada de 35 para 24% e a taxa do imposto mais elevado sobre pessoas físicas foi cortada de 35 para 13%.[52]

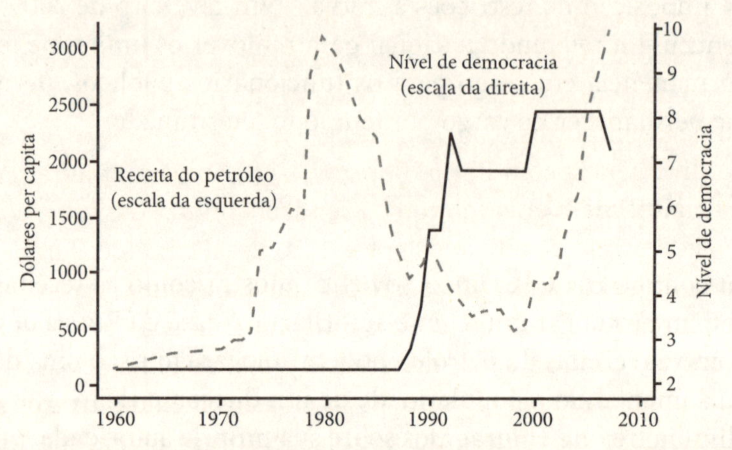

Gráfico 3.8. O petróleo e a democracia na URSS e na Rússia, 1960 a 2007
A linha sólida mostra os níveis de democracia na União Soviética e na Rússia, de acordo com os dados Polity IV. A linha tracejada mostra a renda do petróleo per capita em dólares constantes de 2000. As pontuações Polity foram convertidas para uma escala de 1 a 10, com 10 representando uma democracia plena.

Fonte: calculado a partir de dados em Marshall e Jaggers (2007).

Esses orçamentos mais elevados e as taxas de imposto mais baixas refletiram a capacidade de Vladimir Putin de retomar o controle do Estado sobre

[51] Fundo Monetário Internacional (2007). Paavo Suni (2007) utiliza simulações da economia russa para mostrar que o aumento dos preços do petróleo e do gás natural são responsáveis por grande parte do *boom* econômico da Rússia. Sem o salto nos preços, o crescimento do PIB da Rússia em 2006 teria sido inferior a 1%, em vez de superior a 6%.

[52] Talvez não seja preciso descrever essas mudanças como "cortes fiscais": devido a uma melhor aplicação, elas levaram a um aumento das receitas fiscais. Sou grato a Dan Treisman por apontar isso.

o setor de petróleo, que tinha sido largamente privatizado no início da década de 1990.[53] Colocar essa riqueza colossal no setor privado contribuiu para o enfraquecimento do Estado russo, que encontrou dificuldades para cobrar impostos das maiores corporações e, portanto, para financiar os serviços públicos e equilibrar o orçamento. A privatização também trouxe grande influência política para os proprietários dessas empresas. Boris Berezovsky, o chefe da gigante petrolífera Sibneft, criou um império de mídia e estava profundamente envolvido na política do Kremlin. Mikhail Khodorkovsky, o chefe do grupo de petróleo Yukos e uma das pessoas mais ricas do mundo, teria oferecido a dois partidos liberais da Rússia, Yabloko and Soyuz e Pravykh Sil (União das Forças de Direita), uma centena de milhões de dólares para financiar a oposição conjunta a Putin. Ele conseguiu bloquear os esforços no parlamento em 2001 e 2002 para aumentar os impostos sobre os produtores de petróleo. O prefeito de Nefteyugansk, a sede da principal unidade de produção da Yukos, foi assassinado depois de ter criticado o fracasso da Yukos em pagar impostos.[54]

Após a divergência com Putin, Berezovsky fugiu para Londres em 2001. Dois anos mais tarde, o governo russo prendeu Khodorkovsky e o condenou a uma pena de prisão de oito anos por evasão fiscal e fraude. Também obrigou a venda da Yukos a um preço irrisório para a Rosneft, uma companhia estatal de petróleo.[55] Em 2006, ele coagiu companhias de petróleo internacionais a ceder o controle sobre um grande projeto na ilha de Sakhalin para a Gazprom, controlada pelo Estado. Essas e outras medidas trouxeram uma significativa fração da riqueza do petróleo e do gás natural da Rússia de volta à influência do Estado, quer diretamente através de empresas controladas pelo Estado ou indiretamente através de regulamentação governamental mais eficaz.

Um maior controle do Kremlin sobre a alocação das receitas do petróleo juntamente com o aumento extraordinário dessas receitas deu a Putin popularidade suficiente para rescindir muitas das liberdades políticas conquistadas nos anos 1990. Ele assumiu a posição de primeiro-ministro em 2008, transferindo a presidência para Dmitry Medvedev, seu sucessor escolhido a dedo. Putin cerceou a liberdade de imprensa e restringiu as possibilidades

[53] Muito antes de se tornar político, Putin desenvolveu ideias fortes sobre como a Rússia deve gerir seus recursos naturais. Consulte Blazer (2009).

[54] Goldman, 2004; Rutland, 2006.

[55] Myers e Kramer, 2007.

de oposição ao governo enfraquecendo o parlamento.

Como Michael McFaul e Kathryn Stoner-Weiss sugerem:

> Com tanto dinheiro do *boom* do petróleo nos cofres do Kremlin, Putin podia reprimir ou cooptar fontes independentes de poder político; o Kremlin tinha menos razões para temer as consequências econômicas negativas de confiscar uma empresa como a Yukos (uma empresa privada líder no setor) e tinha amplos recursos para subornar ou reprimir opositores nos meios de comunicação e na sociedade civil.[56]

O *boom* do petróleo da Rússia contribuiu para a deterioração da democracia russa, aumentando os recursos financeiros do governo quando Putin reafirmou o controle estatal sobre a indústria. A cascata resultante das receitas permitiu a Putin impulsionar os gastos do governo e simultaneamente reduzir as taxas de imposto, o que ajudou a torná-lo extraordinário popular: pouco antes de deixar o cargo, pesquisas feitas pelo altamente respeitado Levada Center mostraram que 85% do público aprovou seu desempenho.[57] Com os preços do petróleo em níveis recordes, Putin usou sua popularidade pessoal para reverter muitas das reformas democráticas da década de 1990 e conduzir a Rússia de volta para o regime de partido único.[58]

Apesar de seu movimento de distanciamento da democracia, de uma forma a Rússia parecia ser uma exceção: até 2010, tinha significativamente maior transparência orçamentária do que qualquer outro Estado autoritário produtor de petróleo. No gráfico 3.7, a Rússia é o único país no quadrante nordeste que combina a formidável riqueza do petróleo e transparência orçamentária significativa. Infelizmente, em abril de 2010 muito dessa transparência desapareceu quando o então primeiro-ministro Putin assinou um decreto suspendendo a publicação de informações sobre ativos, receitas e despesas de dois fundos de petróleo da Rússia, bem como sobre as receitas

[56] McFaul e Stoner-Weiss, 2008.

[57] Consulte http://www.russiavotes.org.

[58] Estudiosos divergem sobre o papel do petróleo na política russa contemporânea. M. Stephen Fish (2005) argumenta que a riqueza do petróleo, do gás natural e dos minerais da Rússia tornou seu governo menos democrático, mas, por razões um pouco diferentes, provocou elevados níveis de corrupção na década de 1990, o que levou os cidadãos a se posicionarem a favor de um governo mais autocrático e mais eficaz no combate à corrupção; facilitando o "estatismo econômico" e dando ao governo um controle muito mais forte sobre a economia. Segundo Treisman (2010), o impacto do petróleo sobre a democracia russa tem sido muito pequeno.

de petróleo e gás natural do governo.[59] A suspensão permaneceu em vigor até 2013, logo após as eleições na Rússia.

Nos países produtores de petróleo, as transições para a democracia são extremamente raras. A riqueza petrolífera nem sempre é um impedimento para a democracia, e seus efeitos antidemocráticos podem recuar no futuro. Nas últimas três décadas, no entanto, os benefícios políticos do petróleo têm sido amplamente captados por ditadores, e não pelos cidadãos.

Anexo 3.1: Uma Análise Estatística do Petróleo e da Democracia

Esse anexo usa regressões multivariadas para ilustrar a associação estatística entre a receita do petróleo e três casos de transições democráticas, falhas democráticas e apoio à democracia.[60]

O modelo no capítulo implica os cinco padrões seguintes, que podem ser declarados como hipóteses:

Hipótese 3.1: Quando governos autoritários têm mais renda do petróleo per capita, são menos propensos a transitar para uma democracia.

Hipótese 3.2: Receitas de petróleo foram mais propensas a impedir a democracia depois de 1980 do que antes de 1980.

Hipótese 3.3: Quando governos autoritários têm índices mais elevados de gastos para as receitas do governo percebidas, tornam-se menos propensos a transitar para a democracia.

Hipótese 3.4: Quando governos autoritários ricos em petróleo colocam mais restrições à mídia e têm orçamentos menos transparentes, são menos propensos a transitar para a democracia.

Hipótese 3.5: Quando democracias de baixa renda têm mais renda do petróleo per capita, são mais propensas a transitar para o autoritarismo.

---

[59] Consulte informações em http://www.revenuewatch.org/news-article/russia/russia-suspends-most-oil-and-gas

[60] Essa é uma análise relativamente simples. Para estudos mais inovadores do petróleo e da democracia, ambos utilizam variáveis instrumentais para estimar os efeitos da riqueza do petróleo sobre a democracia, consulte Ramsay (2009); Tsui 2011. Outro estudo inovador, por Eoin McGuirk (2010), usa dados de nível micro de pesquisas de opinião pública em quinze países africanos e descobre que mais riqueza de recursos naturais levou à execução fiscal enfraquecida, o que, por sua vez, reduziu a demanda por eleições livres e justas.

Transições Democráticas

Para verificar se a receita de petróleo do país está relacionada com a probabilidade de que ele transite para uma democracia, uso duas medidas alternativas de tipo de regime: uma medida dicotômica de democracia-autocracia, que examino com um estimador de logito, e uma medida de vinte e um pontos, que examino com um estimador de mínimos quadrados ordinários (OLS).

Estimadores de máxima verossimilhança como o logito nos permitem estimar a probabilidade de um evento discreto. Isso o torna um meio adequado para determinar se a receita do petróleo está correlacionada com a probabilidade de que um governo autoritário transite para a democracia. Uso o modelo de mínimos quadrados ordinários (MQO) para verificar se a receita do petróleo está relacionada com mudanças mais sutis em tipos de regime. Também é útil como um teste de robustez. A desvantagem do modelo MQO é que implica analisar a relação entre a receita do petróleo e todos os tipos de regimes, que vão desde o totalmente democrático ao totalmente autoritário. Por isso, não podemos usá-lo para distinguir entre o efeito do petróleo sobre as transições democráticas e seu efeito sobre as falhas democráticas.[61]

Variável Dependente

A variável dependente nas estimativas com logito é uma variável fictícia de transição democrática que assume o valor "um" no ano em que um país sofre mudanças de um regime autoritário para um regime democrático e "zero" de outra forma. Ela é derivada da medida dicotômica de democracia -autocracia desenvolvida por Przeworski e seus colegas e atualizada por José Cheibub, Jennifer Gandhi e James Vreeland.[62]

Para as estimativas de MQO, a variável dependente é polity, que é obtida a partir dos dados Polity IV e varia de -10 (autocracia total) a 10 (demo-

[61] Essa deficiência foi apontada pela primeira vez em Ulfelder (2007).

[62] Przeworski et al. 2000; Cheibub, Gandhi e Vreeland (2010). Eles definem como regimes democráticos os que cumpram todas as condições a seguir: o chefe do Executivo é eleito, os legisladores são eleitos, há pelo menos dois partidos políticos e pelo menos um regime dirigente foi derrotado. Minha análise segue de muitas maneiras Jay Ulfelder (2007), que usa um projeto histórico de eventos para testar um par similar de hipóteses, mas desenvolve a sua própria medida dicotômica de autocracia-democracia. Nossos resultados substantivos são semelhantes.

cracia plena).[63] Para simplificar a interpretação, efetuei a escala dos valores de 1 a 10, com os valores mais altos indicando mais democracia. Os dados de Cheibub-Gandhi-Vreeland e os dados Polity cobrem todos os 170 países que eram soberanos no ano de 2000 e tinham população superior a 200.000 habitantes. As estimativas com logito abrangem os anos de 1960 a 2006, enquanto as estimativas com MQO abrangem os anos de 1960 a 2004.

Variáveis Independentes e de Controle

A variável independente dos juros é o logaritmo natural da renda de petróleo per capita de um país. A renda de petróleo per capita (logaritmo) denota o valor da produção de petróleo e gás natural de um país em dólares constantes de 2000 dividido por sua população no meio do ano e é descrita com mais detalhes no anexo 1.1. Uma vez que a distribuição da receita do petróleo entre os países é altamente distorcida (a maioria dos países pode não produzir petróleo ou gás natural em um determinado ano), considero o valor do seu logaritmo.

Em ambos os modelos, logito e MQO, incluo a renda variável, que mede o logaritmo natural da renda per capita com base em dados dos Indicadores de Desenvolvimento Mundial, com as observações ausentes preenchidas pelos gráficos de Alan Heston, Robert Summers e Bettina Aten.[64] A maioria dos estudos anteriores sobre democratização sugerem que a renda é um fator crítico: quando a renda aumenta, o mesmo acontece com a probabilidade de que um estado se torne democrático.[65]

O modelo com logito também inclui uma variável para explicar a dependência da duração. A duração de um regime é o logaritmo natural do número de anos contínuos, desde 1946, em que um país esteve sob um regime autoritário. Ele representa a taxa de risco subjacente. Na seção de robustez, mostro que os resultados não são afetados por pressupostos divergentes sobre a taxa de risco.

[63] Marshall e Jaggers, 2007.

[64] H Eston, Summers e Aten n.d

[65] Londregan e Poole (1996); Boix e Stokes (2003); Epstein et al. (2006). Desde a renda de um país é afetada por sua riqueza petrolífera, incluí-la no modelo pode levar a estimativas tendenciosas do verdadeiro impacto do petróleo. Descrevo uma versão mais geral do problema no Capítulo 7 como a "Falácia de Beverly Hillbillies." Como já ilustrei a relação bivariada entre o petróleo e esses resultados no Capítulo 3 (usando testes de diferença de média e gráficos de dispersão), preocupo-me menos com esse viés aqui.

Para reduzir a correlação serial nos modelos com MQO, emprego um processo AR1, incluindo uma variável dependente defasada como controle, e só uso observações de cinco em cinco anos, começando em 1960.[66]

Ambos os modelos, de logito e MQO, também incluem uma série de simulações de período, uma para cada período de cinco anos, começando em 1960, para controlar padrões temporais e choques contemporâneos.

Depois de explorar um modelo que inclui apenas duas variáveis de controle (aderindo à regra de três de Achen, pelo menos se as simulações de períodos não são consideradas), acrescento três controles adicionais para verificar se os resultados são resistentes à sua inclusion.[67] O primeiro é uma variável que representa o histórico de democracia de um país. Vários estudos sugerem que quando os países já passaram por experiências anteriores de democracia há mais probabilidades de uma posterior transição para a mesma.[68] A variável fictícia de "histórico de democracia" assume o valor "1" se um país já esteve anteriormente sob governo democrático por pelo menos um ano desde 1946.

O segundo é o crescimento econômico, medido como a mudança ano a ano na renda per capita de um país. De acordo com vários estudos, o crescimento econômico ajuda na sobrevivência das autocracias.[69]

O terceiro controle adicional é a variável da população muçulmana, que representa a fração muçulmana da população de um país. É extraído do trabalho de David Barrett, George Kurian e Todd Johnson, com valores para os países ausentes retirados do CIA World Factbook on-line.[70] Vários estudiosos afirmam que os países com populações islâmicas mais numerosas são menos propensos a se tornarem democráticos.[71]

Todas as variáveis do lado direito (exceto para as simulações de período e para o histórico de democracia) estão defasadas em um período de um ano (nos modelos de logito) ou de cinco anos (nos modelos de MQO). As regressões foram executadas com Stata 11.1.

---

[66] Consulte Acemoglu et al., 2008; Aslaksen, 2010.

[67] Achen, 2002.

[68] Consulte, por exemplo, Gassebner, Lamla e Vreeland, 2008.

[69] Haggard e Kaufman, 1995; Przeworski et al., 2000; Epstein et al., 2006; Gassebner, Lamla, Vreeland e, 2008.

[70] Consulte Barrett, Kurian e Johnson (2001); http://www.cia.gov/library/publications/the-world-factbook

[71] Midlarsky, 1998; Fish, 2002; Donno e Russet, 2004.

Resultados

A Tabela 3.7 apresenta os resultados das estimativas com logito. Para simplificar a apresentação, omiti as constantes e as simulações de períodos.

A primeira coluna inclui apenas as duas variáveis de controle. Enquanto os coeficientes estão nas direções esperadas, nenhuma variável atinge significância estatística. A segunda coluna inclui os rendimentos do petróleo, que estão negativamente correlacionados com a probabilidade de uma transição para a democracia e estatisticamente significativos ao nível de 0,05. Isso é consistente com $H_{3.1}$, que afirma que níveis mais elevados de rendimento de petróleo reduzem a probabilidade de uma transição para a democracia.

Tabela 3.7

Transições para a democracia, 1960 a 2006

Essa tabela descreve as estimativas com logito para a probabilidade de que um país autoritário seja submetido a uma transição para a democracia em um determinado ano. Todas as estimativas incluem uma série de simulações de período (não mostrado). Todas as variáveis, exceto a de histórico de democracia, estão defasadas um único ano. Cada estimativa inclui uma série de simulações de período de cinco anos (não mostrado). Os erros padrão robustos estão entre parênteses.

	(1)	(2)	(3)	(4)	(5)	(6)
Renda (log)	0,139	0,332*	0,406	0,124	0,256	0,225
	(0,150)	(0,171)	(0,254)	(0,134)	(0,168)	(0,162)
Duração do regime	- 0,00174	- 0,0457	- 0,122	-0,438***	0,00964	0,387*
	(0,178)	(0,181)	(0,303)	(0,141)	(0,181)	(0,229)
Renda do petróleo (log)	-	- 0,179**	- 0,0783	-0,129**	- 0,292***	- 0,197**
		(0,0787)	(0,114)	(0,0594)	(0,0921)	(0,0897)
Renda do petróleo (log)* América Latina	-	-	-	-	0,673***	0,4154***
					(0,152)	(0,143)
Histórico de democracia	-	-	-	-	-	1,915***
						(0,465)
Crescimento econômico	-	-	-	-	-	-0,0536***
						(0,0168)
População muçulmana	-	-	-	-	-	-0,720
						(0,551)
Anos	Todos	Todos	1960-79	1980-2006	Todos	Todos
Número de países	125	125	89	121	125	125
Observações	3.639	3.507	1.297	2.210	3.507	3.422
Observações ausentes	10,5%	13,7%	23,5%	6,6%	13,7%	15,8%

*Significativo a 10%

**Significativo a 5%

***Significativo a 1%

Nas colunas três e quatro, analiso separadamente os períodos de 1960 a 1979 e 1980 a 2006. A renda do petróleo é significativamente correlacionada com *polity* em ambos os períodos, embora o coeficiente dos rendimentos do petróleo seja aproximadamente 50% maior no último período. Isso é consistente com $H_{3.2}$, o que sugere que os efeitos antidemocráticos do petróleo cresceram após a década de 1970.[72]

O modelo na coluna cinco inclui o termo de interação "renda do petróleo na América Latina*" para mostrar, mais uma vez, o efeito Dunning.[73] Ele é positivamente correlacionado com *polity*, e sua inclusão, uma vez mais, aumenta o coeficiente dos rendimentos do petróleo. Na sexta coluna, a adição de mais três controles variáveis reduz o coeficiente dos rendimentos do petróleo em cerca de um terço, mas a renda do petróleo (log) permanece significativamente associada com pontuações *polity m*ais baixas. A inclusão de outros controles, como o "histórico de democracia", também faz com que o coeficiente da renda do petróleo na América Latina* caia mais de 50% e perca a significância estatística. Isso é consistente com o meu argumento de que o petróleo pode ter apressado transições democráticas na América Latina porque esses países tiveram experiência democrática anterior, o que prejudicou o sigilo de receitas essencial para o efeito inibidor do petróleo sobre a democracia.

Quando os efeitos fixos dos países são introduzidos (coluna sete), a renda do petróleo perde significância estatística, assim como a renda e as simulações de período. Existem várias maneiras de explicar esse resultado.[74] A renda do petróleo pode ter efeitos a longo prazo sobre o tipo de regime. Esses efeitos são facilmente perceptíveis em comparações transnacionais, mas mais difíceis de detectar a curto prazo e, por isso, não aparecem nas correlações dentro do pa-

---

[72] Quase um quarto das observações para o período de 1960 a 1979 estão em falta, principalmente devido à ausência de dados sobre a renda. O problema da ausência de dados é igualmente preocupante na tabela 3.8, colunas três, seis e sete. Uma vez que esses dados em falta são quase que certamente não aleatórios, eles podem afetar meus resultados de maneiras imprevisíveis.

[73] Dunning, 2008. Uma vez que há poucas razões para esperar que os países latino-americanos sejam, em caso contrário, distintivos, não incluí a América Latina no modelo. Se, no entanto, ela for colocada no modelo, ou no modelo OLS (tabela 3.8, coluna cinco), que não é estatisticamente significativo, sua inclusão terá pouco ou nenhum efeito sobre as demais variáveis.

[74] O modelo OLS é muito parecido com o modelo generalizado dos mínimos quadrados em Ross 2001a, que também obteve uma variável dependente defasada, um conjunto semelhante de variáveis de controle, uma série de variáveis fictícias de período e uma defasagem de cinco anos para as variáveis do lado direito. Há três diferenças fundamentais: os dados agora cobrem mais países (170 em vez de 113) e anos (1960-2004 em vez de 1971-1997); a variável causal é agora representada pelas receitas do petróleo (logaritmo) e não pelas exportações de petróleo como uma fração do PIB e, em vez de usar observações anuais, uso observações de cinco em cinco anos para reduzir a autocorrelação.

ís.[75] Isso reflete um conhecido inconveniente dos modelos de efeitos fixos: eles tornam difícil detectar correlações quando as mudanças de variáveis dependentes são lentas, como ocorre com a variável *polity*.[76] Para resolver esse problema, Silje Aslaksen sugere a utilização estimador método generalizado dos momentos (MGM), desenvolvido por Richard Blundell e Stephen Bond, que supera o estimador MGM mais comum de primeira diferença em simulações de Monte Carlo quando as variáveis-chave mudam lentamente.[77] Usando esse estimador, Aslaksen considera que as receitas de petróleo de um país estão, de fato, correlacionadas a governos autoritários, mesmo na presença de efeitos fixos.

Um artigo de Stephen Haber e Victor Menaldo defende que a relação entre a riqueza do petróleo e a democracia desaparece em modelos que incluem efeitos fixos por país, juntamente com uma variável dependente defasada, e empregam o estimador MGM Arellano-Bond.[78] Aslaksen sugere que, quando variáveis-chave como renda do petróleo e democracia são altamente persistentes, o estimador de Arellano-Bond apresenta problemas de instrumentos fracos e é inferior ao estimador MGM do sistema de Blundell-Bond.

Falhas Democráticas

As variáveis do modelo para as falhas democráticas são semelhantes às do modelo para transições democráticas. A variável dependente, falha democrática, é uma variável fictícia que indica uma transição da democracia para um regime autoritário e é, uma vez mais, extraída dos dados de Cheibub-Gandhi-Vreeland. O modelo inclui controles para o logaritmo da renda per capita e uma variável para a dependência da duração (duração do regime), que é o logaritmo natural do número de anos contínuos (desde 1946) que um país tem estado sob regime democrático.

Uma vez que falhas democráticas são eventos raros (houve apenas cinquenta transições de 1960 a 2006, dentro dos 2.816 anos-país possíveis), o

[75] Um estudo realizado por Jeffrey Colgan (2010b) sugere que, enquanto a renda do petróleo prejudica a democracia a longo prazo, as flutuações de curto prazo na renda do petróleo têm pouco efeito imediato.

[76] Beck, Katz, e Tucker, 1998.

[77] Aslaksen (2010); Blundell e Bond (1998). Charlotte Werger (2009) e Treisman (2010) também acreditam que o petróleo está relacionado a menos democracia em modelos de efeitos fixos.

[78] Haber e Menaldo, 2009.

uso da regressão logística poderia produzir estimativas tendenciosas. Portanto, utilizei o estimador de logito para eventos raros desenvolvido por Gary King e Langche Zeng e agrupei os erros padrão por país.[79]

Nas estimativas de regressão na tabela 3.9, a primeira coluna mostra apenas as variáveis de controle. As variáveis de renda e duração regime parecem reduzir a probabilidade de que as democracias fracassem. A segunda coluna inclui a variável da renda do petróleo, que é positivamente correlacionada a falhas democráticas e estatisticamente significativa ao nível de 0,05.

De acordo com $H_{3.5}$, o petróleo deve estar relacionado à probabilidade de fracasso da democracia nos países de baixa renda, mas não nos de alta renda. Para demonstrar esse padrão, nas colunas três e quatro, eu analiso separadamente os países com renda inferior a (coluna três) e acima de (coluna quatro) US$ 5.000 per capita. A renda do petróleo só está correlacionada à probabilidade de falha democrática nos países de renda mais baixa.

Se os efeitos antidemocráticos do petróleo crescem ao longo do tempo, como $H_{3.2}$ sugere, a renda do petróleo deve ter um efeito mais forte depois de 1980 do que antes de 1980. Estimo o modelo na coluna cinco utilizando apenas dados de 1960 a 1979 e o mesmo modelo na coluna seis usando dados de 1980 a 2006. Consistentemente com a hipótese, os rendimentos do petróleo só são correlacionados a falhas democráticas a partir de 1980.

Tabela 3.8
Níveis de democracia, 1960 - 2004

Essa tabela mostra os coeficientes de regressão MQO; a variável dependente é a pontuação polity de um país. As observações são feitas em intervalos de cinco anos. Todas as estimativas incluem uma variável dependente e um conjunto completo de variáveis fictícias de período (não mostrado) e usam um processo de AR(1). Todas as outras variáveis explicativas estão defasadas para um único período. Os erros padrão robustos estão entre parênteses.

	(1)	*(2)*	*(3)*	*(4)*	*(5)*	*(6)*	*(7)*
Polity	0,652***	0,620***	0,698***	0,697***	0,616***	0,0432***	0,151***
(defasada)	(0,0232)	(0,0236)	(0,0355)	(0,0270)	(0,0235)	(0,0289)	(0,0369)
Renda (log)	0,348***	0,508***	0,487***	0,354***	0,518***	0,439***	-0,0628
	(0,0529)	(0,0590)	(0,0904)	(0,0636)	(0,0577)	(0,0649)	(0,266)

[79] King e Zeng (2001). O logito para eventos raros também pode ser usado para estimar a probabilidade de transições democráticas, que são comparativamente pouco frequentes. Quando os modelos na tabela 3.7 são estimados com logito para eventos raros, os resultados são praticamente idênticos.

Renda do petróleo (log)	–	- 0,165** (0,0287)	- 0,100* (0,0455)	- 0,152 (0,0298)	- 0,205 (0,0297)	- 0,136*** (0,0352)	-0,0755 (0,0832)
Renda do petróleo (log) América Latina	–	–	–	–	0,223*** (0,0515)	0,0961 (0,0590)	0,570*** (0,199)
Democracia anterior	–	–	–	–	–	1,474*** (0,192)	–
Crescimento econômico	–	–	–	–	–	- 0,858 (0,807)	–
População muçulmana	–	–	–	–	–	- 1,022*** (0,256)	–
Efeito fixo	Não	Não	Não	Não	Não	Não	Sim
Anos	1960-2004	1960-2004	1960-80	1985-2004	1960-2004	1960-2004	1960-2004
Número de países	170	170	124	170	170	170	167
Observações	1.032	1.032	414	618	1,032	903	862
Observações ausentes	14,1%	14,1%	21,1%	8,7%	14,1%	24,9%	28,3%

*Significativo a 10%
**Significativo a 5%
***Significativo a 1%

Tabela 3.9
Transições para o autoritarismo, 1960 a 2006

Esse quadro retrata estimativas com logito para eventos raros para a probabilidade de que um país democrático seja submetido a uma transição para um regime autoritário em um determinado ano. Todas as variáveis explicativas estão defasadas em um ano, e os erros padrão são agrupados por país. Os erros padrão robustos estão entre parênteses.

	(1)	*(2)*	*(3)*	*(4)*	*(5)*	*(6)*
Duração do regime (log)	- 0,342** (0,168)	- 0,342** (0,169)	- 0,240 (0,164)	-0,892** (0,452)	- 0,417* (0,242)	- 0,280 (0,209)
Renda (log)	- 0,641*** (0,142)	- 0,717*** (0,144)	- 0,580*** (0,177)	-2,480*** (0,651)	- 0,689*** (0,172)	- 0,960*** (0,218)
Renda do petróleo (log)	-	0,121** (0,0564)	0,113* (0,0630)	0,129 (0,174)	0,0949 (0,117)	0,242*** (0,0752)

Grupo da renda	Todos	Todos	Abaixo US$ 5.000	Acima US$ 5.000	Todos	Todos
Anos	Todos	Todos	Todos	Todos	1960 - 1979	1980 – 2006
Número de países	105	105	76	46	60	103
Observações	2.673	2.673	1.301	1.372	728	1.945
Observações ausentes	1,6%	1,6%	~ 2%	~ 1%	4,7%	0,4%

*Significativo a 10%
**Significativo a 5%
***Significativo a 1%

Robustez

A tabela 3.10 sintetiza uma série de testes de robustez para cada um desses três modelos: o modelo com logito que prevê transições democráticas (coluna um), o modelo MQO que prevê pontuações *polity* (coluna dois) e o modelo com logito para eventos raros que prevê falhas democráticas (coluna três).

Tabela 3.10
Democracia: testes de robustez

Esses valores são os coeficientes da variável de rendimento do petróleo (log) em cada um dos modelos descritos. Consulte o texto para mais detalhes.

	Transições para a democracia	Níveis de democracia	Transições para o autoritarismo
Modelo	– 0,292***	– 0,205***	0,242***
Duração simples do regime	– 0,293***	—	0,255***
Adicional de regime ao quadrado	– 0,294***	—	0,265***
Renda do petróleo dicotômica	–1,88***	–1,04***	1,03**
Principais países	– 0,229**	– 0,152***	0,216**

Todos do Oriente Médio	– 0,179*	– 0,123***	0,242***
Adição de variáveis regionais	– 0,160*	– 0,138***	0,230**

*Significativo a 10%
**Significativo a 5%
***Significativo a 1%

Cada célula exibe os valores e a significância estatística do coeficiente da renda do petróleo sob diferentes condições.

A primeira linha mostra o coeficiente da renda do petróleo em cada um dos modelos. O modelo para prever as transições democráticas é traçado a partir da tabela 3.7, na coluna cinco, e inclui controles para renda, duração regime e renda do petróleo na América Latina* e um conjunto de simulações de período. O modelo para estimar a variável *polity* é obtido a partir da tabela 3.8, na coluna cinco, e é quase idêntico ao modelo com logito, com a diferença de que inclui uma variável dependente defasada em lugar da duração do regime para compensar a dependência da duração. O logito para eventos raros estima a probabilidade de falhas democráticas e é obtido a partir da tabela 3.9, na coluna seis. Ele inclui controles para renda e duração do regime e é restrito ao período de 1980 a 2006.[80]

Em ambos os modelos, principal e de logito para eventos raros, usei uma base de taxa de risco (duração do regime, medida como o logaritmo natural do número de anos contínuos de governo autoritário ou democrático) um tanto arbitrária. Assim, na linha dois, eu substituo a variável de duração do regime anterior pelo número de anos contínuos de regime autoritário ou democrático. Na linha três, eu adiciono outra variável para cada modelo, medindo o quadrado do número de anos contínuos de autoritarismo ou democracia para explicar um possível efeito não linear. Os coeficientes da renda do petróleo permanecem grandes e estatisticamente significativos.

Esses resultados podem ser influenciados pela distribuição não normal da variável da renda do petróleo, mesmo utilizando o valor do seu logaritmo. Na linha quatro, portanto, tento uma versão dicotômica da renda do pe-

[80] Quando testada com o conjunto completo de dados de 1960 a 2006, a correlação entre renda do petróleo (log) e falhas democráticas é menos robusta. Restringir os outros dois modelos ao período de 1980 a 2006 aumenta os coeficientes da renda do petróleo (log) e não tem qualquer efeito sobre a sua robustez.

tróleo, o que leva ao valor "1" quando os países ganham mais de 100 dólares per capita da renda do petróleo (usando dólares constantes no ano de 2000) e zero em caso contrário.

Em todos os três modelos, a variável fictícia é significativamente correlacionada com menos democracia. Talvez as relações entre petróleo e democracia sejam impulsionadas por um punhado de países ricos em petróleo e não representam o padrão global mais amplo. Para verificar se isso é verdade para os modelos de previsão de transições democrática e *polity*, na linha cinco eu coloco todas as observações dos sete países produtores de petróleo em regimes autoritários da península Arábica: Arábia Saudita, Kuwait, Catar, Emirados Árabes Unidos, Bahrein, Omã e Iêmen. A renda do petróleo continua sendo estatisticamente significativa em ambos os modelos, embora os coeficientes caiam cerca de 25%.

Para o modelo de predição de falha democrática, incluí os três países com os maiores rendimentos de petróleo onde a democracia tem falhado desde 1980: Congo-Brazzaville (onde a democracia foi interrompida em 1997), Equador (2000) e Nigéria (1983). O coeficiente de renda do petróleo caiu cerca de 15%, mas permanece estatisticamente significativo ao nível de 0,05.

Ainda é possível que a associação entre o petróleo e as ditaduras não seja causal, mas produzida pela concentração da riqueza do petróleo no Oriente Médio, onde a democracia também passa a ser rara. Na linha seis, verifico se existe essa possibilidade, posicionando todos os países do Oriente Médio a partir do conjunto de dados. Todas as variáveis do petróleo permanecem estatisticamente significativas. Na linha sete, uso uma abordagem diferente, adicionando aos modelos uma série de variáveis fictícias para seis regiões do mundo: Oriente Médio, Norte da África, África Subsaariana, América Latina, Ásia (incluindo Leste, Sul e Sudeste da Ásia), a ex-União Soviética e os países membros da Organização para Cooperação e Desenvolvimento Econômico (OCDE) (Europa Ocidental, América do Norte, Japão, Austrália e Nova Zelândia). A renda do petróleo continua significativamente associada a menos democracia, embora apenas no modelo de transições democráticas ao nível de 0,10.

Os resultados sugerem que a correlação entre a renda do petróleo e o tipo de regime de um país é robusta em vários aspectos importantes: não é alterada por modificações plausíveis na taxa de risco subjacente, pela remoção de países influentes do conjunto de dados, pelo uso de uma medida dicotômica da renda do petróleo, bem como pela inclusão de variáveis fictícias regionais.

Mecanismos Causais

O Capítulo 3 indica que as receitas do petróleo estão ligadas ao autoritarismo de duas maneiras: produzindo uma alta proporção de gastos do governo em relação a receitas "percebidas" pelo mesmo e permitindo maior sigilo por parte do governo, incluindo a falta de transparência do orçamento e restrições à mídia.

O primeiro mecanismo é o mais difícil de medir. Dados de alta qualidade sobre as receitas e despesas do governo são escassos, especialmente nos países ricos em petróleo, e o modelo sugere que as receitas percebidas do governo, e não as reais, são as que importam. Ainda assim, essas percepções não podem ser avaliadas sem pesquisas contemporâneas. Os números oficiais nos gastos e receitas do governo estão disponíveis para muitos países a partir dos Indicadores de Desenvolvimento Mundial, embora sua exatidão seja questionável e faltem informações para determinados anos e países.

De todo modo, observar esses dados imprecisos pode ser instrutivo. A tabela 3.5 mostra que os países que, eventualmente, transitaram para a democracia tiveram índices mais elevados de gastos em relação a receitas do que aqueles que não o fizeram. Infelizmente, a proporção variável de gastos para receitas não pode ser empreguada no modelo de logito porque os dados são muito escassos. Na amostra reduzida de países e anos para os quais a variável está disponível, as receitas do petróleo não estão mais correlacionadas com as transições democráticas.

Ela pode ser utilizada no modelo de MQO, embora apenas com uma secção transversal (não um painel) de países. Para aumentar o número de observações para os países, introduzi os valores médios para a relação entre gastos e receita de 2000 a 2004 utilizando apenas os anos em que os dados não estão faltando. Para mais consistência, também usei os valores médios de 2000 a 2004 para as demais variáveis (renda, renda do petróleo e *polity*). A relação de gastos para receitas resultante está disponível para 111 dos 170 países possíveis; cerca de um terço dos dados estão faltando. A escassez desses indicadores ainda é um problema. Como a tabela 3.5 descreve, os países produtores de petróleo são especialmente relutantes em liberar dados sobre suas receitas, o que implica que a falta absoluta não é aleatória, provavelmente influenciando minhas estimativas.

A primeira coluna da tabela 3.11 mostra o modelo básico, que inclui apenas as observações para as quais o índice de gastos para a receita não está ausente. O índice de gastos para receitas é adicionado ao modelo na coluna dois e é significativa e negativamente correlacionado com a *polity*: quanto mais um governo gasta em relação à sua receita, menos democrático é. Enquanto isso é consistente com $H_{3.3}$, uma outra característica da estimativa não é: adicionar o índice de gastos para receitas ao modelo não reduz o tamanho ou a significância do coeficiente de rendimentos do petróleo. Enquanto isso pode indicar uma falha no modelo, a relação de gastos para a receita é um indicador muito fraco para gerar conclusões sólidas, especialmente devido ao fato de a estimativa ser baseada em uma secção transversal dos países.

Tabela 3.11
Transições para a democracia: mecanismos de causalidade

Essa tabela mostra as estimativas com logito de probabilidade de que um país transite para a democracia em um determinado ano. As variáveis do modelo nas colunas um e dois são calculadas durante o período de 2000 a 2004. Nas estimativas nas colunas cinco e seis, que usam dados do painel, as variáveis explicativas estão defasadas em um único ano e incluem uma variável dependente defasada (não mostrado). Os erros padrão robustos estão entre parênteses.

	(1)	*(2)*	*(3)*	*(4)*	*(5)*	*(6)*
Renda (log)	0,756***	0,630***	0,988***	0,595***	0,0549***	0,0527***
	(0,118)	(0,132)	(0,171)	(0,191)	(0,0151)	(0,0151)
Renda do petróleo (log)	– 0,248**	– 0,253**	– 0,260**	0,441***	– 0,0240***	0,0156
	(0,110)	(0,111)	(0,103)	(0,156)	(0,00824)	(0,0155)
Índice de gastos para receitas do governo	—	–1,949**	—	—	—	—
		(0,916)				
Transparência orçamentária em relação à receita do petróleo	—	—	—	– 0,0100***	—	—
				(0,00199)		
Liberdade de imprensa em relação à receita do petróleo	—	—	—	—	—	– 0,772***
						(0,255)

Anos	2000-2004	2000-2004	2004	2004	1990-2004	1990-2004
Número de países	111	111	83	83	168	168
Observações	111	111	83	83	1.658	1.658
Observações Ausentes	34,7%	34,7%	51,2%	51,2%	33,9%	33,9%
Receita ao quadrado	0,195	0,223	0,240	0,405	0,954	0,954

*Significativo a 10%
**Significativo a 5%
***Significativo a 1%

Também é difícil medir o sigilo do governo. De acordo com $H_{3.4}$, ditaduras financiadas pelo petróleo têm menos probabilidade de trânsito para a democracia porque seus orçamentos são mais opacos e porque elas impõem mais restrições à mídia.

A melhor medida disponível da transparência das receitas é o Índice de Orçamento Aberto, descrito no Capítulo 3, que classifica os países em uma escala de zero a cem com base na transparência dos documentos orçamentais do governo central. Infelizmente, ele só está disponível para oitenta e três países, por apenas um ou dois anos, a partir de 2006. Mais uma vez, a escassez de dados deve exigir cautela em nossas inferências.

As colunas três e quatro da tabela 3.11 mostram um par de estimativas de MQO transnacionais que consideram a relação entre a interação da variável da renda do petróleo com a transparência do orçamento e a pontuação *polity* de um país. Uso um termo de interação, já que a hipótese sugere que a falta de transparência na presença de riqueza do petróleo tem efeitos inibidores especiais sobre a democracia. Para tornar os resultados mais fáceis de interpretar, inverti a escala original do Índice de Orçamento Aberto, de modo que as pontuações mais altas indicam menos transparência. Desse modo, o aumento dos valores do termo de interação indicam mais petróleo e menos transparência, sendo que ambos devem ter efeitos antidemocráticos.

A coluna 3 apresenta o modelo principal antes da adição do termo de interação utilizando apenas as observações para os 83 países avaliados pelo Índice de Orçamento Aberto em 2008. A coluna 4 mostra o mesmo modelo e as mesmas observações após a adição do termo de interação. Consistentemente com a hipótese, o termo de interação está negativamente correlacionado com a polity, e sua inclusão tem um efeito poderoso sobre o coeficiente de renda do petróleo, causando a alteração de sinais de significativamente negativo para significativamente positivo. Isso implica que as receitas do petróleo só prejudicam a democracia quando coincidem com um maior sigilo orçamentário. [81]

Um tipo diferente de transparência política pode ser medido com o Índice de Liberdade de Imprensa desenvolvido pela Freedom House. Ele avalia a liberdade de imprensa dos meios de comunicação através da radiodifusão e da internet em uma escala de zero a cem. Ao contrário das variáveis da relação entre gastos e receitas e da transparência orçamentária para a renda do petróleo*, os dados sobre liberdade de imprensa estão disponíveis para praticamente todos os países do conjunto de dados e incluem números anuais com início em 1990. Isso torna possível a utilização de um modelo de MQO com uma série cronológica transnacional.[82]

Tal como acima, inverti a escala do Índice de Liberdade de Imprensa, de modo que pontuações maiores indicam menos liberdade e a relacionam com a renda do petróleo. Na coluna cinco da tabela 3.11, mostro uma regressão de MQO que inclui apenas as variáveis de controle de renda e renda do petróleo e uma variável dependente defasada e utiliza um processo AR1 para lidar com a autocorrelação. Os dados abrangem 168 países no período de 1990 a 2004. Na coluna seis, adiciono o termo de interação. Ele está negativamente correlacionado com a *polity*, e sua inclusão, uma vez mais, tem um grande impacto sobre a medida da renda do petróleo, fazendo com que o coeficiente reverta os sinais e perca significância estatística. Isso implica novamente que a renda do petróleo só está ligada a menos democracia quando acompanhada de sigilo excepcional do governo.[83]

Essas estimativas oferecem suporte limitado para a hipótese 3.3, o que destaca a importância do índice de gastos para receitas do governo de um país. Elas proporcionam suporte um pouco mais forte para a hipótese 3.4, que enfatiza o papel do sigilo do governo. Ainda assim, a baixa qualidade dos indicadores de gastos e receitas e o grande número de países cujos dados

[81] Adicionando transparência de orçamento separadamente, como uma variável de controle adicional, os resultados não sofreram efeitos substanciais.

[82] Uma vez que os dados abrangem apenas 15 anos (1990-2004), uso observações anuais nesse modelo no lugar das observações de cinco em cinco anos usadas no modelo principal (tabela 3.8). Isso aumenta o número de observações para cada país e também torna mais difícil atenuar correlação em série.

[83] O controle adicional de liberdade de imprensa tem pouco efeito sobre esses resultados.

estão ausentes tornam difícil ter certeza sobre esses resultados. Os dados sobre a liberdade de imprensa são mais extensos e mais completos e podem ser interpretados com um pouco mais de confiança: quando analisados em um modelo de MQO simples, os resultados são consistentes com a alegação de que, em países produtores de petróleo, o sigilo por parte do governo desempenha um papel especial dificultando a democracia.

Essas estimativas sugerem que todas as hipóteses no Capítulo 3, com exceção da $H_{3.3}$, são consistentes com os padrões nos dados:

- Nos países autoritários, maior renda do petróleo está associada a uma menor probabilidade de transição para a democracia.
- Nas democracias de baixa renda, maior renda do petróleo está correlacionada a um aumento da possibilidade de transição para o autoritarismo.
- Ambos os padrões só ficaram evidentes a partir de 1980.
- A América Latina é uma exceção; nessa região, a renda do petróleo está correlacionada a uma maior probabilidade de transitar para a democracia.
- O sigilo governamental parece ser responsável por uma parcela significativa dos efeitos inibidores do petróleo sobre a democracia.

As correlações mais importantes entre a renda do petróleo e as medidas da democracia também são razoavelmente robustas, especialmente se consideradas para o estado anômalo da América Latina com foco no período pós-1980. Há também suporte limitado para a hipótese restante: países com proporções mais elevadas de gastos do governo para as receitas do governo tendem a ser menos democráticos, embora esse padrão não possa ser ligado à correlação entre petróleo e autocracia. A escassez e a baixa qualidade dos dados sobre gastos e receitas do governo e a ausência de medidas das receitas percebidas do governo dificultam inferências consistentes, quer favoráveis ou desfavoráveis, sobre essa hipótese.

Capítulo Quatro

O Petróleo Perpetua o Patriarcado

> A utilização das capacidades das mulheres árabes através da participação política e econômica continua sendo a mais baixa do mundo em termos quantitativos, conforme evidenciado pela baixa percentagem de mulheres nos parlamentos, gabinetes e na força de trabalho, e há uma tendência para a feminização do desemprego... A sociedade como um todo sofre quando uma grande proporção do seu potencial produtivo é sufocada, resultando em menos renda familiar e padrões de vida inferiores.
>
> — Relatório de Desenvolvimento Humano para Países Árabes de 2002

À medida que os países ficam mais ricos, as mulheres normalmente ganham mais oportunidades de participação política e econômica. No entanto, isso não ocorreu nos países que ficaram ricos com a venda de petróleo. Os benefícios dos *booms* do petróleo geralmente vão para os homens.

Esse efeito foi mais forte no Oriente Médio, onde há menos mulheres participando da força de trabalho e dos governos do que em qualquer outra região do mundo. A condição inferior das mulheres do Oriente Médio é muitas vezes justificada pela herança islâmica ou árabe da região. Mas essa explicação é deficiente ou, ao menos, incompleta.

Quase todas as sociedades tiveram fortes tradições patriarcais em seu passado recente. Há apenas um século, muitas culturas tradicionais da América Latina e do leste e do sul da Ásia eram tão ou mais patriarcais que as culturas tradicionais do Oriente Médio. No entanto, nessas regiões, o crescimento econômico levou a melhorias rápidas nas condições das mulheres, enquanto taxas de crescimento semelhantes ou superiores no Oriente Médio produziram relativamente poucos ganhos. Por que o crescimento econômico diluiu a força da cultura patriarcal em outras regiões, mas não no Oriente Médio?

Esse capítulo explica por que o crescimento baseado na industrialização tende a atrair as mulheres para o mercado de trabalho, proporcionando-lhes mais capacitação e participação. O crescimento baseado na venda de petróleo e gás natural, no entanto, não produz mais postos de trabalho para as mulheres e pode até mesmo bloquear o caminho da conquista de direitos de gênero.

Panorama da Capacitação das Mulheres

Quando os países pobres se tornam mais ricos, a vida das mulheres muitas vezes muda drasticamente: elas são matriculadas em maior número nas escolas, têm menos filhos e tornam-se mais ativas na política nacional. A mudança mais importante que ajuda a desencadear as outras é, provavelmente, o ingresso no mercado de trabalho.

Teóricos sociais há muito sugerem que a adesão à força de trabalho tem um efeito transformador sobre as mulheres e as sociedades em que vivem.[1] Muitos estudos apoiam essa afirmação. Quando os pais acreditam que suas filhas contribuirão para a renda familiar, são mais propensos a mantê-las na escola e a investir em sua saúde.[2] Como resultado, quando mais postos de trabalho tornam-se disponíveis para as mulheres, isso normalmente leva a um aumento do número de meninas matriculadas nas escolas. O acesso a empregos também incentiva as mulheres a se casar mais tarde, o que, por sua vez, faz com que elas tenham menos filhos. Por esse motivo, as famílias nucleares são características de sociedades modernas com rendas mais elevadas.[3]

A disponibilidade de empregos para as mulheres também pode ter efeitos mais amplos sobre as relações de gênero. Estudos realizados com trabalhadoras da indústria do vestuário em Bangladesh, que normalmente vêm de áreas rurais pobres e são contratadas ainda muito jovens e solteiras, constataram que o trabalho na fábrica as ajuda a conquistar autoconfiança, promove o desenvolvimento de novas redes sociais, proporciona o acesso a mais informações sobre saúde e contracepção e as ensina a negociar com os homens. Quando as mulheres casadas na Indonésia têm uma fonte de renda independente, elas adquirem maior influência sobre as decisões da família em relação a controle de natalidade e à saúde das crianças.[5]

---

[1] Consulte, por exemplo, Engels [1884] (1978). Para uma excelente análise das relações entre a participação feminina na força de trabalho e a representação política feminina, consulte Iversen e Rosenbluth (2008).

[2] Michael (1985).

[3] Brewster e Rindfuss, 2000.

[4] Amin et al., 1998; Kabeer e Mahmud, 2004.

[5] Homas T, Contreras e Frankenberg, 2002.

Ingressar no mercado de trabalho também define para as mulheres um caminho rumo a uma maior influência política. Um importante estudo de uma década realizado por Nancy Burns, Kay Schlozman e Sidney Verba nos Estados Unidos descobriu que, quando as mulheres conseguem empregos fora de suas casas, começam a interagir e conversar com seus colegas de trabalho sobre tópicos que despertam seu interesse na política. Elas se reúnem informalmente e formam redes sociais que as possibilita agir coletivamente para enfrentar a discriminação de gênero.

Outros estudos encontram um padrão semelhante em muitos países em desenvolvimento. Segundo Pradeep Chhibber, as mulheres indianas que trabalham fora de casa desenvolvem um novo senso de identidade, o que as torna mais propensas a participar da política e a votar em candidatas do sexo feminino.[7] Valentine Moghadam mostra que em muitos países onde as mulheres são largamente empregadas nas fábricas, como Guatemala, Taiwan, Hong Kong, Índia, Indonésia, Tunísia e Marrocos, elas formaram organizações para proteger seus interesses. Muitas vezes, essas organizações lutam por reformas mais amplas na legislação.[8]

Esses e outros estudos sugerem que a adesão à força de trabalho pode aumentar a influência política das mulheres através de pelo menos três canais: ao nível individual, afetando os pontos de vista e as identidades políticas das mulheres; ao nível social, propiciando a reunião das mulheres no local de trabalho e permitindo que elas formem redes políticas e ao nível econômico, amplificando seu papel na economia, o que faz com que os líderes políticos prestem mais atenção aos seus interesses.

Enquanto todo trabalho é importante, nem todos os trabalhos têm os mesmos efeitos sobre as condições das mulheres. Empregos não relacionados ao setor agrícola que façam parte do setor formal parecem fazer mais diferença. Muitas mulheres nos países em desenvolvimento trabalham na agricultura, porém muitas vezes em propriedades familiares ou em fazendas administradas pela família, o que não lhes proporciona nem independência econômica e nem uma voz na política. Empregos na agricultura comercial parecem ser mais relevantes, uma vez que fornecem remuneração própria às

[6] Burns, Schlozman e Verba (2001). Consulte também Sapiro (1983).

[7] Chhibber de, 2003.

[8] Moghadam, 1999.

[9] Oakes e Almquist, 1993; Matland, 1998.

mulheres.[10] Empregos fora da agricultura e no setor formal, no entanto, são os que trazem consequências mais efetivas para a igualdade de gênero.

Obstáculos ao Ingresso das Mulheres na Força de Trabalho

Por que as mulheres ingressam na força de trabalho em alguns países, mas em outros não? Um dos motivos é a discriminação por vezes enraizada na cultura de um país, às vezes em suas leis e às vezes em ambas. Nos locais onde isso é mais grave, as mulheres são desencorajadas de trabalhar pelos próprios pais, que não querem que elas interajam com estranhos, e por leis que restringem agudamente suas oportunidades econômicas.

Em teoria, esses obstáculos podem ser removidos por reformas executadas pelo governo, como, por exemplo, leis bem aplicadas que permitam às mulheres viajar livremente sem o consentimento de um parente do sexo masculino, que proibam os empregadores de discriminar as mulheres e que garantam uma licença-maternidade generosa. Porém, para isso, é necessário superar um outro obstáculo: as mulheres geralmente têm pouca influência política e, portanto, não são capazes de convencer os legisladores a aprovar e aplicar as reformas. Infelizmente, a marginalização econômica e a política andam de mãos dadas: sem emprego, as mulheres não têm influência política; sem influência política, as mulheres têm mais dificuldade para conseguir emprego.

Como as mulheres podem escapar dessa armadilha quando não dispõem de poder político e econômico?

Às vezes uma liderança esclarecida ajuda. Há crescente evidência de que leis de cotas eleitorais que reservam um certo número de lugares nas legislaturas locais ou nacionais para as mulheres podem ter efeitos poderosos sobre a influência política.[11] As instituições políticas também são importantes: as mulheres são mais propensas a exercer cargos em países com sistemas de representação proporcional ao invés de sistemas com pluralidade das maiorias.[12]

Finalmente, a organização da economia às vezes pode fazer a diferença, especialmente a presença de empresas que exploram a mão de obra feminina. Desde os primeiros dias da Revolução Industrial, milhões de mulheres entraram no mercado de trabalho sendo obrigadas a aceitar empregos de baixa remuneração em fábricas de produtos têxteis, vestuário e inúmeros

[10] Anderson e Eswaran, 2005.

[11] Baldez, 2004; Tripp e Kang, 2008; Bhavnani, 2009.

[12] Iversen e Rosenbluth, 2008.

outros artigos de baixo custo para os mercados mundiais. Em 1890, as mulheres ocupavam mais da metade dos postos de trabalho na indústria têxtil dos EUA. Hoje, mais de 80% dos trabalhadores da indústria têxtil e de vestuário do mundo são mulheres.[13]

Há muitas razões para denunciar empresas que exploram a mão de obra feminina. Elas podem ser lugares com péssimas condições de trabalho para as mulheres. No entanto, também podem ser um primeiro passo crucial para as mulheres rumo ao empoderamento econômico, social e político.

Há quatro razões pelas quais essas indústrias de trabalho intensivo muitas vezes são condutos para novas trabalhadoras do sexo feminino. Em primeiro lugar, elas não exigem grande força física, de modo que os homens não têm vantagem natural nessas posições. Em segundo lugar, exigem pouco treinamento e poucas habilidades especializadas; o que as torna atraentes para as mulheres, que deixam periodicamente o trabalho para criar os filhos ou cuidar de parentes.[14] Em terceiro lugar, as fábricas que produzem bens para exportação são mais propensas a ser detidas ou geridas por empresas estrangeiras que, por razões legais ou culturais, são menos propensas à discriminação contra as mulheres na contratação. Por fim, essas empresas vendem seus produtos em um mercado global, onde a concorrência é feroz e as margens de lucro são pequenas; o que as leva a buscar a mão de obra mais barata possível. Uma vez que as mulheres estão geralmente dispostas a trabalhar por menos que os homens e são funcionárias mais confiáveis e flexíveis, elas geralmente são o alvo para o recrutamento.

As fábricas, pelo contrário, são mais propensas a contratar homens para trabalhos que exigem maior força física ou muitos anos de treinamento contínuo, ou se os bens que produzem são vendidos apenas nos mercados domésticos, especialmente quando há menos concorrência de preços.[15]

Mulheres, Trabalho e Política na Coreia do Sul

O caso da Coreia Sul, um país sem petróleo, ilustra como fábricas orientadas para a exportação podem atrair mulheres para a força de trabalho e levar à erosão das leis e instituições patriarcais.

---

[13] Banco Mundial, 2001.

[14] Iverson e Rosenbluth, 2006.

[15] Özler, 2000.

Na virada do século XX, a Coreia tinha uma das culturas mais patriarcais do mundo. As meninas eram separadas dos meninos aos seis anos de idade e não tinham nomes próprios. Em Seul, as mulheres não eram autorizadas a andar nas ruas durante o dia. Em 1930, 90% das mulheres coreanas eram analfabetas.[16]

Quando a Coreia do Sul se industrializou na década de 1960, as mulheres começaram a ocupar postos de trabalho em fábricas que produziam produtos para exportação, incluindo têxteis, vestuário, plásticos, eletrônicos, sapatos e louças. Os salários baixos, menos da metade dos salários dos homens, tornou a mão de obra feminina atraente para os empregadores e ajudou a alimentar o *boom* econômico da Coreia. Em 1975, 70% das receitas de exportação do país vinham de indústrias com predominância de mão de obra feminina. Conforme as exportações cresciam, aumentava a parcela feminina da força de trabalho, cerca de 50% entre 1960 e 1980.[17]

Embora houvesse organizações de mulheres na Coreia entre 1950 e 1960, elas eram socialmente conservadoras e patrocinadas pelo governo. Normalmente, eram chefiadas por homens e focadas em trabalhos de caridade, defesa do consumidor e aulas para donas de casa e noivas.[18] A partir de 1970, no entanto, as mulheres que trabalhavam nas indústrias de exportação mobilizaram-se em prol dos direitos das trabalhadoras e da igualdade de gênero. O governo sul-coreano, então sob o regime autoritário, mostrou pouco interesse em suas preocupações.

Em 1987, as mulheres aproveitaram a abertura democrática da Coreia do Sul para fundar a Associação das Mulheres Coreanas. Ao contrário de organizações de mulheres anteriores, os esforços da entidade melhoraram as condições de trabalho e os direitos das mulheres, e ela assumiu uma postura de confronto com o governo.[19] Ao mesmo tempo, grupos mais tradicionais de mulheres começaram a mostrar um forte interesse nos direitos das mulheres.[20]

Em meados dos anos 1990, as organizações de mulheres começaram a exigir uma maior representação feminina em todos os níveis de governo. Apesar das fortes tradições patriarcais da Coreia, elas obtiveram ganhos

[16] Park, 1990.

[17] Park, 1993; Banco Mundial, 2005.

[18] Yoon, 2003.

[19] Moon (2002). As mulheres também desempenharam um papel importante no movimento da Coreia do Sul em direção à democracia. Consulte Nam (2000).

[20] Palley (1990).

substanciais: o número de representantes femininas na assembleia nacional subiu de oito no período de 1992 a 1996 para dezesseis no período de 2000 a 2004; a filiação feminina nos comitês governamentais para a definição de políticas aumentou de 8,5% em 1996 para 17,6% em 2001 e a proporção de juízes do sexo feminino aumentou de 3,9% em 1985 para 8,5% em 2001.[21]

A força do lobby do movimento das mulheres e o crescimento do número de mulheres no governo levaram a uma série de reformas históricas. Elas incluem a Lei de Igualdade de Gênero no Emprego (1987), as revisões nas leis de família (1989), a Lei de Segurança Materno-Infantil (1989), a Lei de Enquadramento para o Desenvolvimento das Mulheres (1995) e um projeto de lei que estipula que os partidos políticos devem reservar pelo menos 30% dos assentos da assembleia nacional para as mulheres (2000).[22] Ao absorver a mão de obra feminina na força de trabalho, a produção voltada para a exportação ajudou as mulheres sul-coreanas a conquistar uma posição no governo e abriu a porta para mudanças históricas.

Uma Teoria do Empoderamento Feminino

A produção de petróleo pode ter um efeito prejudicial sobre o papel das mulheres sob determinadas condições. Para explicar esse efeito, devemos adicionar alguns novos elementos ao modelo de políticas esboçado no Capítulo 3. Suponha que um país imaginário tenha cidadãos e cidadãs que, ao invés de atuarem como indivíduos, atuam em conjunto como famílias, sendo que, para as mulheres, o trabalho fora de casa é uma fonte essencial de poder econômico, social e político.

Vamos também estipular que o número de mulheres na força de trabalho é determinado por dois fatores. O primeiro é a quantidade de mulheres que desejam empregos. Nem todas as mulheres querem trabalhar fora de casa: lembre-se que os cidadãos são agora membros das famílias e, assim, agem em prol dos interesses econômicos de sua família, não apenas dos seus próprios. Na maioria das sociedades, os homens são a principal fonte de renda para as famílias, enquanto as mulheres só buscam empregos quando sua família precisa de uma segunda fonte de renda. Em famílias de baixa renda, as mulheres são mais propensas a buscar emprego, mesmo quando os salá-

[21] Yoon, 2003.

[22] Park, 1993; Yoon, 2003.

rios são baixos. Nas famílias de renda mais alta, elas são menos propensas a buscar trabalho e só aceitam empregos que paguem relativamente bem.

O segundo fator é a demanda por mão de obra feminina. Em muitos países, os empregadores relutam em contratar mulheres para todas as ocupações, fazendo-o apenas para alguns postos. [23] Para capturar um dos padrões mais comuns, vamos também imaginar que as mulheres só são contratadas para trabalhar em fábricas que pagam baixos salários para a produção de têxteis, vestuário e outros bens manufaturados ou processados para exportação.

Para resumir, no nosso modelo revisado as mulheres conquistam poder econômico e político buscando empregos fora de casa. Elas são mais inclinadas a buscar esses trabalhos quando suas famílias precisam de renda extra, e os únicos lugares em que são contratadas são as fábricas que produzem produtos de baixo custo para exportação. Enquanto as duas primeiras hipóteses são provavelmente válidas para todos os países, é mais certo que a última prevaleça em países com fortes culturas patriarcais que restringem as oportunidades de emprego para as mulheres, como os Estados Unidos no século XIX e início do século XX, os países do Leste Asiático nos anos 1950, 1960 e 1970 e os do Oriente Médio e Norte da África nos dias atuais.

Como o Petróleo Afeta as Mulheres

Sob essas condições, o petróleo pode ter o efeito oposto da industrialização: enquanto as fábricas atraem as mulheres para fora de casa e para a força de trabalho, a riqueza do petróleo as incentiva a permanecer em casa, bloqueando um caminho essencial para o seu empoderamento econômico e político.[24]

Um aumento na receita do petróleo terá dois efeitos: um relativo ao fornecimento de mão de obra feminina e outro relativo à demanda por essa mão de obra. A tabela 4.1 resume essas relações. Sabemos, a partir do Capítulo 2, que o tamanho das receitas de petróleo leva a orçamentos governamentais excepcionalmente grandes. O Capítulo 3 explica por que os governantes distribuem grande parte dessa receita para as famílias através de

[23] Horton, 1999.

[24] Para uma explicação mais detalhada desse processo, consulte Ross 2008. Elisabeth Hermann Frederikssen (2007) fornece um modelo mais completo e explícito do petróleo, da doença holandesa e do emprego feminino, que apresento rapidamente aqui.

empregos públicos, programas de bem-estar, subsídios e corte de impostos para comprar apoio político. Essas transferências governamentais podem tornar a vida mais confortável, mas também desencorajam as mulheres a buscar trabalho fora de casa, diminuindo a necessidade de uma segunda renda para suas famílias. A escala das receitas petrolíferas do governo, quando transferida para as famílias, reduz a quantidade de mulheres à procura de emprego.

O petróleo também pode reduzir a demanda por mão de obra feminina, diminuindo o número de empregos em fábricas voltadas para a exportação. O Capítulo 2 descreve como a riqueza do petróleo pode levar à doença holandesa, que desequilibra o câmbio de um país, e à perda de mercados externos para seus setores agrícola e industrial. As fábricas que produzem bens para o mercado interno ainda podem sobreviver se receberem apoio do governo.

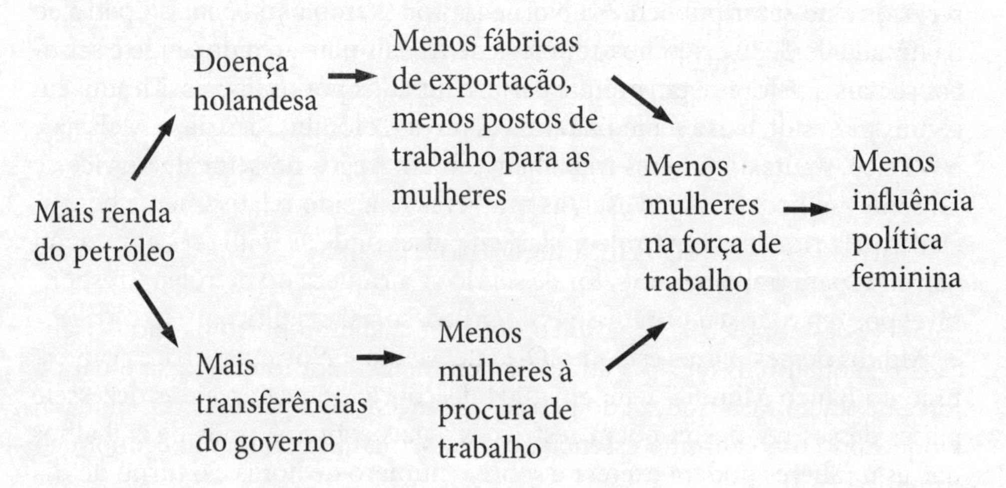

Figura 4.1. De que modo a produção de petróleo afeta a condição das mulheres

Porém, as fábricas mais propensas a contratar mulheres são as orientadas para a exportação que dependem de trabalhadores com baixos salários, e a doença holandesa prejudicará sua rentabilidade.

Os *booms* de petróleo criam novos postos de trabalho, mas esses postos são, na sua maioria, no setor de serviços, incluindo construção, varejo e cargos públicos. Se as mulheres tiverem acesso a empregos nesses setores, permanecerão protegidas. Se não tiverem, uma indústria de petróleo em expansão vai mantê-las fora da força de trabalho ou mesmo desencorajá-las a tentar ingressar.

O tamanho das receitas do petróleo, em suma, aumenta os orçamentos governamentais e, portanto, as transferências internas, o que desestimula as mulheres a procurar trabalho. Desse modo, o petróleo leva à perda de uma parte fundamental do setor privado, a da fabricação orientada para a exportação dependente de baixos salários, que atrairia mulheres para o mercado de trabalho. Mais petróleo leva a menos contracheques para as mulheres. E, uma vez que o ingresso na força de trabalho é uma rota fundamental para o poder político, a riqueza do petróleo pode também diminuir a influência feminina no governo.

Nem todos os países ricos em petróleo se encaixam nesse modelo, assim como nem todos são suscetíveis a esses problemas. Em muitos países ocidentais, as mulheres podem facilmente encontrar trabalho no setor de serviços e no setor público. Na Noruega, por exemplo, o *boom* do petróleo da década de 1970 criou novos postos de trabalho na área de saúde e serviços sociais que foram, em grande parte, ocupados por mulheres. Mesmo em alguns países de baixa e média renda como a Colômbia, a Síria, a Malásia e o México, muitas mulheres trabalham em empregos no setor de serviços e no setor público. Nesses países, as mulheres têm sido relativamente beneficiadas pela riqueza do petróleo. Mas em países onde as mulheres enfrentam barreiras para trabalhar no setor de serviços, a riqueza do petróleo é responsável por retardar seu progresso econômico, social e político.

Muitos desses países estão no Oriente Médio e Norte da África. Um estudo do Banco Mundial feito em 2004 descobriu que catorze dos dezessete países dessas regiões impõem restrições legais sobre os tipos de trabalhos que as mulheres podem exercer e sobre o número de horas e o turno do dia em que podem trabalhar. Seis deles também restringem as mulheres de viajar sem a permissão do seu marido ou tutor masculino.[25]

Essas restrições tornaram extraordinariamente difícil para as mulheres do Oriente Médio encontrar trabalho no setor de serviços.[26] Elas são mui-

[25] Banco Mundial, 2004.

[26] Apesar de não tão bem documentada, a situação das mulheres na África subsaariana também mostra dificuldades na questão de empregos no setor de serviços. De acordo com um estudo da Organização das Nações Unidas (1991), que, infelizmente, é o mais recente que consegui encontrar disponível, muitas mulheres na América Latina e no Caribe trabalham no setor de serviços. Na região da Ásia-Pacífico, os números são menores, mas ainda significativos. Na África Subsaariana, porém, poucas mulheres têm acesso a empregos nesse setor.

tas vezes excluídas dos empregos que envolvem atividades públicas ou que pressupõem contato com homens.[27] Isso desencoraja fortemente as mulheres de trabalhar no varejo, um dos maiores segmentos do setor de serviços, com exceção dos estabelecimentos onde todos os clientes são mulheres, e frequentemente as mantêm fora dos trabalhos nas áreas de educação e saúde, exceto quando são exclusivamente orientados ao público feminino.[28] Na maioria dos países do Oriente Médio, as mulheres também não são aceitas em postos de trabalho no setor do turismo, que, em países como o Egito, por exemplo, constitui grande parte do setor de serviços, devido a proibições culturais e jurídicas de viagens sem supervisão, bem como ao contato com homens que não sejam membros da família.[29] O setor da construção no Oriente Médio, assim como na maioria das outras regiões, também raramente contrata mulheres.

O Petróleo e a Condição das Mulheres no Mundo

Em quase todos os países, as mulheres têm obtido substancial progresso político e econômico desde a década de 1960. Seu progresso tem sido mais lento em alguns lugares do que outros, e o petróleo pode ajudar a explicar por que, especialmente a partir da década de 1970.

As figuras 4.2 e 4.3 mostram os resultados alcançados pelas mulheres em diferentes regiões do mundo em termos de ingresso na força de trabalho e conquista de vagas nas instituições do poder público. Como as linhas ascendentes inclinadas sugerem, as mulheres geralmente têm um desempenho melhor nos países ricos (OCDE) do que nos pobres. O Oriente Médio é a grande exceção: embora seja a segunda região mais rica do mundo, tem menos mulheres na força de trabalho e no parlamento do que em qualquer outro lugar.

A riqueza do petróleo pode ajudar a explicar a anomalia no Oriente Médio. A figura 4.1 descreve a fração da força de trabalho composta por mulheres nos países produtores e nos não produtores.[30] No geral, há significativamente menos mulheres trabalhando nos países produtores de petróleo

---

[27] Youssef, 1971.

[28] Anker, 1997; Banco Mundial, 2004.

[29] Assaad e Arntz, 2005.

[30] Ano mais recente para o qual havia dados disponíveis para a maioria dos países.

(cerca de 14% menos) do que nos países não produtores. O padrão é válido para países ricos e pobres, mas é mais forte entre os ricos, refletindo a grande diferença entre os países que enriqueceram através da industrialização (na Europa e América do Norte) e os que enriqueceram com a venda de seus ativos de hidrocarbonetos (Oriente Médio).

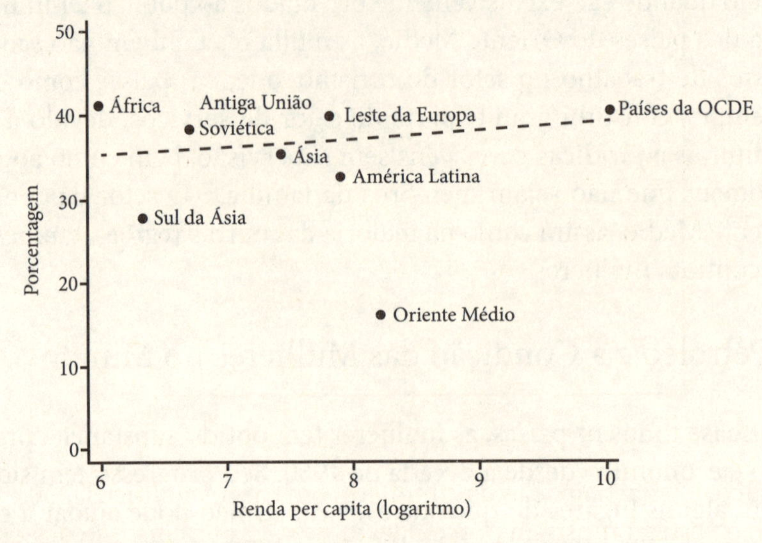

Gráfico 4.2. Participação das mulheres na força de trabalho por região, 1993 - 2002

Esses pontos indicam a fração da força de trabalho não agrícola composta por mulheres, em média, pelos países em cada região.

Fonte: calculado a partir de dados coletados pela Organização Internacional do Trabalho e Publicados pelo Banco Mundial em 2005.

A diferença é maior no Oriente Médio e no Norte da África, onde o número de mulheres que trabalham é cerca de 23% menor nos países produtores de petróleo do que nos não produtores. Os países produtores no resto do mundo em desenvolvimento têm menos mulheres que trabalham, embora a diferença seja muito menor.

Uma razão para essa diferença é que os países não produtores exportam mais bens manufaturados e, portanto, tem mais postos de trabalho em fábricas para as mulheres. Considerando, por exemplo, as indústrias têxteis e de vestuário, que são esmagadoramente compostas por mulheres: conforme a figura 4.2 mostra, países ricos e pobres sem exportação de petróleo exportam muito mais produtos têxteis e de vestuário do que países ricos e pobres com petróleo. Entre os países de baixa renda, os países sem petróleo exportam cerca de três vezes mais per capita do que os países com petróleo.[31]

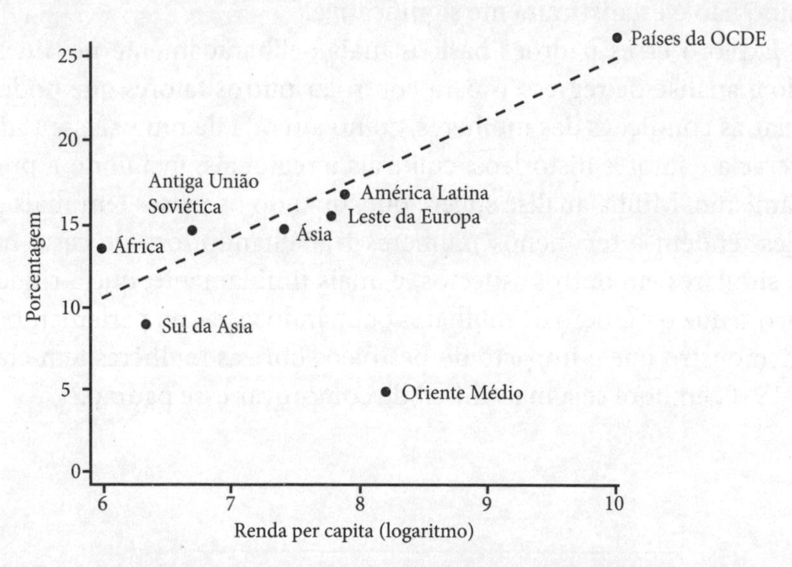

Gráfico 4.3. Participação das mulheres em cargos políticos, 2002
O eixo vertical mostra a porcentagem de vagas em instituições do poder público como a câmara baixa do parlamento ocupadas por mulheres. Cada ponto mostra a média do país em uma determinada região.

Fonte: calculado a partir de dados coletados pela União Interparlamentar, disponíveis em http://ipu.org/wmn-e/world.htm

Os países produtores de petróleo também têm significativamente menos mulheres no governo.

A figura 4.3 mostra a fração de vagas parlamentares ocupadas por mulheres, uma medida simples da força política feminina, em países produtores e não produtores de petróleo. Produtores de petróleo ricos e pobres têm menos mulheres legisladoras que os não produtores ricos e pobres, embora a diferença seja estatisticamente significativa apenas entre os países pobres. Os efeitos do petróleo estão esmagadoramente concentrados no Oriente

[31] Quando países ricos e pobres são colocados juntos, na linha inferior da figura 4.2, os países produtores de petróleo parecem exportar mais produtos têxteis que os não produtores. Isso ocorre porque os países produtores tendem a ser ricos, e países mais ricos exportam mais produtos têxteis que os mais pobres. Quando os países são separados por grupos de renda, nas duas primeiras linhas, o efeito do petróleo sobre as exportações de têxteis torna-se aparente.

Médio e no Norte da África, onde os países não produtores têm mais de três vezes o número de parlamentares do sexo feminino dos países produtores de petróleo. No resto do mundo, a relação entre petróleo e legisladoras do sexo feminino não é estatisticamente significativa.

Exploro esses padrões básicos mais deliberadamente no anexo 4.1, usando a análise de regressão para controlar outros fatores que podem influenciar as condições das mulheres, como a renda de um país, seu nível de democracia e fatores históricos, culturais e regionais, incluindo a presença do islamismo. Minha análise sugere que, quando os países têm mais petróleo, eles tendem a ter menos mulheres trabalhando fora de casa, mesmo sendo similares em outros aspectos, e, mais timidamente, que a riqueza do petróleo reduz o número de mulheres ocupando vagas no parlamento. Também demonstro que o impacto do petróleo sobre as mulheres tem crescido desde 1970, embora seja mais difícil de comprovar esse padrão.[32]

[32] Isso é, em parte, devido a fortes tendências globais na participação feminina na força de trabalho, que deve ser controlada para e por causa da relação em forma de U entre a renda e a participação feminina na força de trabalho. Esses problemas são explicados no anexo nesse capítulo.

Tabela 4.1
Participação das mulheres na força de trabalho, 2002

Esses números mostram a fração da força de trabalho formal constituída por mulheres.

	Não produtores de petróleo	*Produtores de petróleo*	*Diferença*
Por renda			
Baixa renda (abaixo de US$ 5.000)	41,8	38,4	-3,4**
Alta renda (acima de US$ 5.000)	41,3	33,2	-8,1***
Por região			
Oriente Médio e Norte da África	30,6	23,5	-7,1**
Todos os outros países	42,0	41,5	-,6
Todos os outros países em desenvolvimento	42,1	40,1	-2,0*
Global			
Todos os países	41,6	35,9	-5,8***

*Significativo a 10%, em um teste t unicaudal
**Significativo a 5%
***Significativo a 1%

Fonte: calculado a partir de dados coletados pela Organização Internacional do Trabalho e publicados pelo Banco Mundial em 2004 e 2005.

Tabela 4.2
Exportações têxteis e de vestuário, 2002

Esses números indicam o valor das exportações de produtos têxteis e de vestuário per capita.

	Não produtores de petróleo	*Produtores de petróleo*	*Diferença*
Por renda			
Baixa renda (abaixo de US$ 5.000)	65,6	22,5	-43,1*
Alta renda (acima de US$ 5.000)	252	210	-41,9
Global			
Todos os países	115	122	6,5

*Significativo a 10%, em um teste t unicaudal
**Significativo a 5%
***Significativo a 1%

Fonte: calculado a partir de dados em Freeman e Oostendorp de 2009.

Tabela 4.3
Cargos políticos ocupados por mulheres, 2002

Esses números mostram a fração de vagas na câmara baixa do parlamento ocupadas por mulheres.

	Não produtores de petróleo	*Produtores de petróleo*	*Diferença*
Por renda			
Baixa renda (abaixo de US$ 5.000)	13,9	11,0	-2,9*
Alta renda (acima de US$ 5.000)	20,1	16,0	-4,0
Por região			
Oriente Médio e Norte da África	10,4	3,0	-7,5***
Todos os outros países	15,7	17,6	1,9
Todos os outros países em desenvolvimento	14,3	13,9	-0,4
Global			
Todos os países	15,5	13,3	-2,2

*Significativo a 10% em um teste t unicaudal
**Significativo a 5%
***Significativo a 1%

Fonte: calculado a partir de dados coletados pela União Interparlamentar, disponíveis em http://ipu.org/wmn-e/world.htm

Números sobre mulheres parlamentares não estão disponíveis antes de 1995, o que torna difícil dizer se os efeitos do petróleo sobre o empoderamento político das mulheres também têm crescido. Além disso, nos últimos anos, tem sido registrada uma tendência mundial de capacitação política das mulheres que elevou o número de mulheres legisladoras em mais de três quartos dos países do mundo, incluindo alguns países ricos em petróleo. Porém, os ganhos nos países produtores ricos têm sido mais lentos do que nos países produtores pobres: entre 1995 e 2002, os países produtores de petróleo pobres tiveram um aumento de 5% no número de representantes do sexo feminino, enquanto que os países produtores ricos tiveram um aumento de apenas 2,9%. Embora a grande maioria dos países tenha mostrado aumentos na representação feminina, alguns produtores de petróleo como Argélia, Rússia e Cazaquistão, que tiveram um forte aumento nas receitas do petróleo, vivenciaram uma queda na representação feminina.

No Oriente Médio

Como podemos ter certeza de que as mulheres no Oriente Médio são impedidas pelo petróleo, não pelo Islã ou pela cultura e história distintas da região? Uma maneira de analisar mais profundamente é observando mais de perto a situação das mulheres no Oriente Médio. Os países da região têm uma religião comum e, em termos gerais, uma cultura comum. Se a religião ou a cultura fossem a fonte do problema, as mulheres em todo o Oriente Médio e nos países do Norte da África deveriam ter as mesmas condições econômicas e políticas.

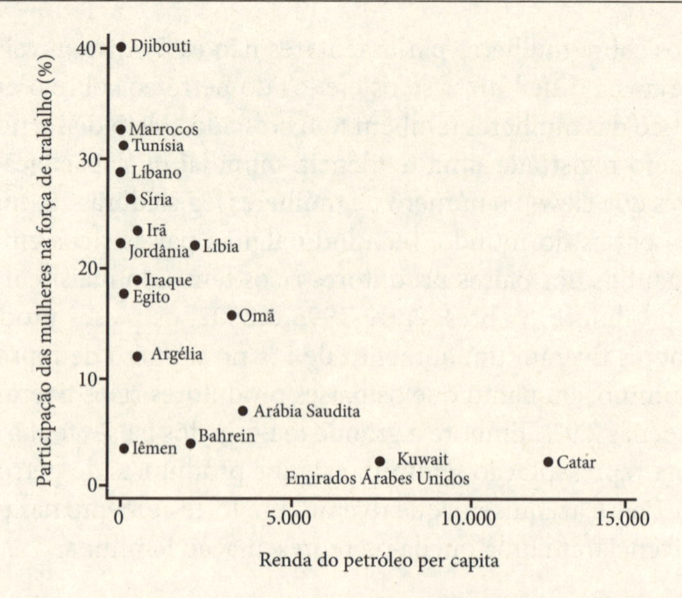

Figura 4.4. O petróleo e a participação das mulheres na força de trabalho no Oriente Médio, 1993 a 2002

Os números no eixo vertical indicam a fração da força de trabalho não agrícola composta por mulheres.

Fonte: calculado a partir de dados coletados pela Organização Internacional do Trabalho e Publicados pelo Banco Mundial em 2004 e 2005, n.d.

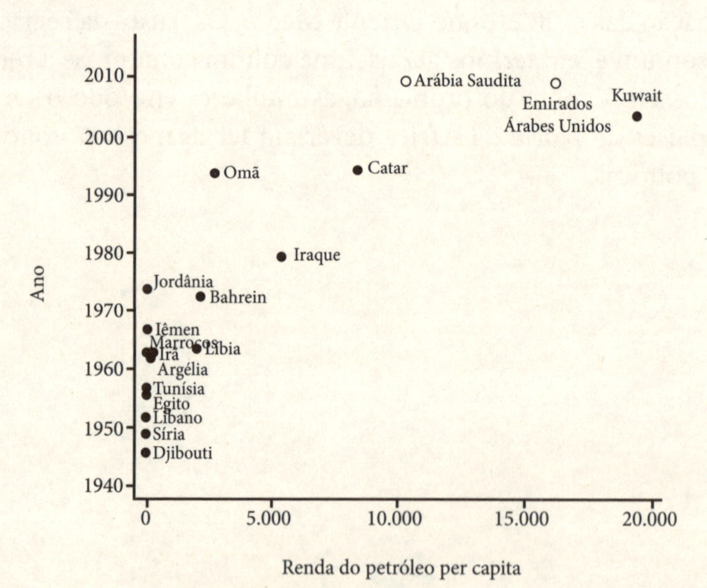

Figura 4.5. O petróleo e o voto feminino no Oriente Médio

O ano de sufrágio é o ano em que as mulheres foram autorizadas a votar pela primeira vez.

A Arábia Saudita e os Emirados Árabes Unidos não permitem que as mulheres votem; eles foram codificados como concessão de sufrágio em 2010, de modo que não foram excluídos do gráfico.

Mas esse não é o caso. Há uma variação impressionante em toda a região em relação à situação das mulheres. Em alguns países elas representam mais de um quarto da força de trabalho, em outros menos de 5%. Em alguns, as mulheres atingiram o objetivo do sufrágio na década de 1940, enquanto em outros elas não haviam conseguido isso até 2010. Em alguns governos, as mulheres detêm mais de 20% de todas as vagas parlamentares, em outros nenhuma. O que explica essas diferenças?

Ao contrário da religião e da cultura, a produção de petróleo varia muito em toda a região, e está fortemente correlacionada com as condições das mulheres. As figuras 4.4, 4.5 e 4.6 são diagramas de dispersão que mostram a relação entre a riqueza petrolífera do país e as diferentes medidas da condição do sexo feminino. Em geral, os países mais ricos em petróleo (Arábia Saudita, Iraque, Líbia, Catar, Bahrein, Emirados Árabes Unidos e Omã) têm o menor número de mulheres em sua força de trabalho não agrícola, são os mais relutantes em conceder o sufrágio feminino e têm o menor número de mulheres em seus parlamentos. Países com pouco ou nenhum petróleo (Marrocos, Tunísia, Líbano, Síria e Djibouti) estão entre os primeiros a conceder sufrágio feminino e tendem a ter mais mulheres na força de trabalho e no parlamento e a reconhecer mais plenamente seus direitos.

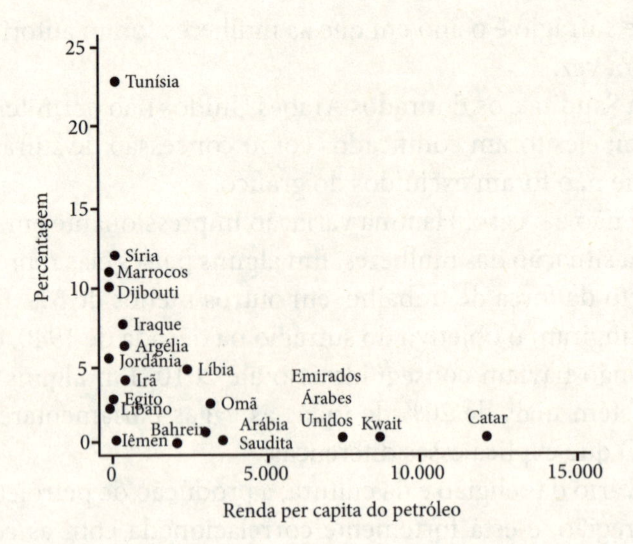

Figura 4.6. O petróleo e a ocupação de cargos políticos por mulheres no Oriente Médio, 2002.

O eixo vertical mostra a porcentagem de cadeiras na câmara baixa do parlamento ocupadas por mulheres.

Fonte: calculado a partir de dados coletados pela União Interparlamentar, disponíveis em http://ipu.org/wmn-e/world.htm

A riqueza de petróleo da região também ajuda a explicar alguns dos valores discrepantes. Mesmo que Iêmen, Egito e Jordânia tenham pouco ou nenhum petróleo, eles têm menos mulheres na força de trabalho (consulte o gráfico 4.4) e no parlamento (consulte o gráfico 4.6) do que poderíamos esperar. Essas anomalias podem ser, em parte, o resultado de remessas salariais de trabalhadores emigrados. A partir dos anos 1970 até os anos 1990, esses países foram os maiores exportadores de mão de obra para países ricos em petróleo do Golfo Pérsico e receberam deles grandes remessas de dinheiro.[33] Como acontece com o petróleo, remessas salariais de trabalhadores emigrados podem desencadear a doença holandesa, tornando mais difícil para os países desenvolver os tipos de atividades que tipicamente empregam mulheres. O Iêmen tem a mais baixa entre as linhas de tendência para o trabalho feminino e representação feminina que qualquer outro país do

[33] Entre 1974 e 1982, as remessas oficiais representaram entre 3% e 13% do PIB do Egito, entre 10% e 31% do PIB da Jordânia e entre 22% e 69% do PIB do Iêmen. Remessas não oficiais foram provavelmente muito maiores. Veja Choucri (1986).

Oriente Médio; ele também recebeu mais remessas (em percentual do seu PIB) do que qualquer outro país.

Tabela 4.4
Comparação entre Argélia, Marrocos e Tunísia

Os números são de 2003, exceto quando indicado. Renda, renda de petróleo e têxteis & vestuário estão em dólares constantes de 2000.

	Argélia	*Marrocos*	*Tunísia*
Dados Gerais			
População (milhões)	31,8	30,1	9,9
População muçulmana (%)	97	98	99
Renda per capita	US$ 1.915	US$ 1.278	US$ 2.214
Petróleo versus industrialização			
Renda per capita petrolífera	US$ 1.037	US$ 0	US$ 121
Exportações de têxteis & vestuário per capita	US$ 0,09	US$ 94	US$ 287*
Condições das mulheres			
Participação feminina na força de trabalho (%)	12**	26**	25**
Cadeiras parlamentares femininas (%)*	6,2*	10,8*	22,8*
Índice de Direitos de Gênero	2,8	3,1	3,2

*Valores de 2002.

**Apenas trabalho não agrícola; números de 2000. Consulte Livani, 2007.

Comparação entre Argélia, Marrocos e Tunísia

É certo que esses padrões poderiam simplesmente refletir as condições em um punhado de países da península Arábica, que, por pura coincidência, apresentam extraordinária riqueza de petróleo e extraordinária discriminação contra as mulheres. Como podemos saber que a culpa é realmente do petróleo?

Uma maneira de abordar essa questão é observando os países do Oriente Médio fora do Golfo Pérsico para verificar se o petróleo pode ser apontado como causa das más condições para as mulheres. É útil comparar países com histórias e culturas semelhantes, mas diferentes níveis de riqueza de petróleo. Três países vizinhos no Norte da África podem ser a melhor combinação: Argélia, Marrocos e Tunísia. Todos os três foram colônias francesas, obtiveram a independência em 1950 ou início de 1960, legalizaram o direito de voto às mulheres logo após a independência e são majoritariamente muçulmanos. No entanto, na Argélia, tanto a participação feminina na força de trabalho quanto a representação feminina na política são relativamente baixas; no Marrocos e na Tunísia, elas são relativamente elevadas (consulte a tabela 4.4).

A maioria dessas diferenças pode ser atribuída ao petróleo: Marrocos e Tunísia têm relativamente pouco, mas a Argélia tem bastante. Com pouco ou nenhum petróleo, a mão de obra no Marrocos e na Tunísia é barata para padrões internacionais. Começando por volta de 1970, os dois países tiraram vantagem de suas forças de trabalho baratas para desenvolver indústrias têxteis voltadas para a exportação.

Tanto no Marrocos quanto na Tunísia, essas indústrias desempenham papel importante na condução de mulheres ao mercado de trabalho. No Marrocos, por exemplo, o governo começou a promover as exportações de têxteis e vestuário para a Europa em 1969, na esperança de que isso fosse reduzir a elevada taxa de desemprego masculino. Embora a indústria têxtil tenha crescido rapidamente, as empresas deliberadamente buscaram e contrataram mulheres solteiras, uma vez que assim poderiam pagar salários menores; ao manter custos trabalhistas baixos, estas empresas foram capazes de competir no mercado europeu. Em 1980, a força de trabalho têxtil de Marrocos era 75% do sexo feminino, embora os homens continuassem a superar as mulheres em fábricas que produziam têxteis para o mercado interno.[34]

A indústria têxtil marroquina teve uma queda no final de 1970, quando a Europa fechou seus mercados. Mas, depois de o governo realizar reformas estruturais no final de 1980 e início de 1990, essa indústria voltou a crescer rapidamente. Em 2004, ela foi a principal fonte de exportações do Marrocos. Ela também foi responsável por três quartos do crescimento do emprego feminino na década de 1990.[35]

A indústria têxtil da Tunísia tem seguido uma história bastante semelhante - crescendo desde mais ou menos 1970 por meio de exportações, contando com trabalho feminino de baixo custo, e resistindo a mudanças

[34] Joekes, 1982.

[35] Assaad, 2004.

nas políticas comerciais europeias.[36] Marrocos e Tunísia têm agora as duas maiores taxas de participação feminina na força de trabalho do Oriente Médio.

As elevadas taxas de participação feminina nos mercados de trabalho de Marrocos e Tunísia têm contribuído para o movimento de direitos de gênero ser extraordinariamente grande e vigoroso nesses países. Ao contrário de outros países do Oriente Médio, Marrocos e Tunísia têm organizações de mulheres que se concentram em questões trabalhistas femininas, incluindo o direito à licença de maternidade, aumento da idade mínima de trabalho, assédio sexual e garantia dos direitos para trabalhadoras domésticas.[37]

Na Tunísia, o movimento das mulheres começou com uma vantagem importante: logo após a independência, o presidente Habib Bourguiba adotou uma lei nacional familiar que deu às mulheres uma maior igualdade no casamento e abriu a porta para grandes melhorias na educação e emprego de mulheres. Mas as leis familiares marroquinas foram muito mais conservadoras e os grupos de mulheres tiveram pouco êxito em suas reformas nos anos 1960, 1970 e 1980.[38]

Embora o Marrocos tivesse um pequeno número de organizações femininas nos anos 1950 e 1960, esses grupos eram chefiados por homens e se concentravam em trabalho social e caridade. A partir de 1970 até 1984, no entanto, o número de organizações de mulheres saltou de 5 para 32, e muitas começaram a se concentrar nos direitos femininos.

Entre 1990 e 1992, uma coalizão de grupos de mulheres (incluindo sindicatos trabalhistas) reuniu mais de um milhão de assinaturas em uma petição pela reforma das leis familiares para dar às mulheres novos direitos no casamento, divórcio, guarda dos filhos e herança. Islamistas conservadores reuniram seus partidários para bloquear quaisquer novas leis. Partidos políticos do Marrocos - mesmo os seculares, oposicionistas - negaram-se a apoiar a campanha dessa petição. Ainda assim, o movimento colocou uma forte pressão sobre o rei Hassan II e ele terminou por apoiar um pacote de reformas mais modesto.[39]

No final de 1990 e início de 2000, grupos de mulheres marroquinas continuaram a enfrentar forte oposição e até mesmo ameaças de morte. No en-

[36] Baud, 1977; White, 2001.

[37] Moghadam, 1999.

[38] Charrad, 2001.

[39] Brand, 1998; Wuerth, 2005.

tanto, o lobby delas levou a novas reformas, incluindo um novo código de leis trabalhistas que reconhece a igualdade de gênero no local de trabalho e criminaliza o assédio sexual, uma reforma mais completa das leis de família e uma quota de 20% de mulheres para os partidos políticos no parlamento. Essas novas medidas, juntamente com as forças de base do movimento de mulheres, levaram a uma triplicação do número de mulheres concorrendo a cargos locais entre 1997 e 2002 e um aumento no percentual de cadeiras parlamentares ocupadas por mulheres, de 0,6% em 1995 para 10,8% em 2003.[40]

Na Tunísia, os grupos de mulheres têm tido ainda mais sucesso, elevando o percentual de cadeiras parlamentares femininas de 6,7% em 1995 para 22,8% em 2002, a mais alta do Oriente Médio, e maior do que países ocidentais como Estados Unidos, Reino Unido e Canadá.[41]

Rica em petróleo, a Argélia oferece um contraste revelador com o pobre em petróleo Marrocos. Um observador ingênuo poderia esperar que a Argélia tivesse *mais* mulheres em sua força de trabalho e parlamento que o Marrocos: marroquinos têm posições religiosas mais conservadoras do que argelinos; os rendimentos argelinos são consideravelmente mais elevados e a Argélia e teve uma série de governos socialistas, enquanto o Marrocos tem sido governado por uma monarquia com fortes raízes tribais.[42]

No entanto, a Argélia tem menos mulheres em sua força de trabalho não agrícola, menos mulheres em seu parlamento e menos proteção de direitos de gênero do que o Marrocos ou a Tunísia.

O status inferior das mulheres argelinas é, pelo menos em parte, causado por forças econômicas, especialmente a indústria de petróleo da Argélia. A economia argelina tem estado baseada na extração de hidrocarbonetos: entre 1970 e 2003, cerca de metade do seu PIB veio do petróleo. Ela também sofreu com a doença holandesa: desde o início de 1970, seu setor comercializável (agricultura e indústria) é extraordinariamente pequeno, ao passo que seu setor de bens não comercializáveis (construção e serviços) é extraordinariamente grande para um país do tamanho e com a renda da Argélia.

Na década de 1990, o governo argelino lançou uma iniciativa para diversificar seu setor de exportação, na esperança de competir com Tunísia e Marrocos. Mas, graças à doença holandesa, seus custos trabalhistas eram muito altos. Na indústria têxtil, os salários para os operadores de máquina

[40] Banco Mundial, 2004.

[41] Moghadam, 1999; Banco Mundial, 2004.

[42] Blaydes e Linzer, 2008.

de costura argelinos, fiandeiros, tecelões e operadores de tear eram de duas a três vezes mais altos do que os de seus colegas tunisianos (consulte o gráfico 4.7).[43] Incapaz de competir nos mercados internacionais, o setor industrial da Argélia permaneceu altamente protegido, intensivo em capital, orientado para necessidades domésticas e pequeno.[44] Consequentemente, havia relativamente pouca demanda por trabalhadores com baixos salários no setor manufatureiro.

Se Marrocos e Tunísia tivessem grandes setores de petróleo, como a Argélia, não teriam se transformado em grandes exportadores têxteis, uma vez que a doença holandesa teria tornado seus custos trabalhistas muito altos. Sem grandes setores na indústria transformadora, orientados para exportação, as mulheres de Marrocos e Tunísia teriam entrado mais lentamente no mercado de trabalho, teriam tido menos oportunidades para se organizarem e grandes reformas - especialmente no Marrocos, que não tinha lideranças esclarecidas como a Tunísia - teriam sido menos prováveis.

Sob certas condições, a extração de petróleo e gás natural pode reduzir o papel das mulheres na força de trabalho, juntamente com a probabilidade de que elas consigam acumular influência política. Sem um grande número de mulheres participando da vida econômica e política de um país, instituições patriarcais tradicionais seguem imperturbáveis. O petróleo, em suma, pode perpetuar o patriarcado. Essa dinâmica pode ajudar a explicar a surpreendentemente baixa influência das mulheres em estados ricos em petróleo, gás e minerais no Oriente Médio (Arábia Saudita, Kuwait, Omã, Argélia e Líbia) - e talvez também na América Latina (Chile), África Subsaariana (Botswana, Gabão, Mauritânia e Nigéria) e antiga União Soviética (Azerbaijão e Rússia).[45]

[43] Com base em dados de Freeman e Oostendorp (2009). Este estudo não informa números para o Marrocos.

[44] Auty, 2003.

[45] Para uma série de críticas ao meu estudo anterior sobre petróleo e mulheres, juntamente com minha resposta, consulte a edição de dezembro de 2009 da revista *Politics and Gender*.

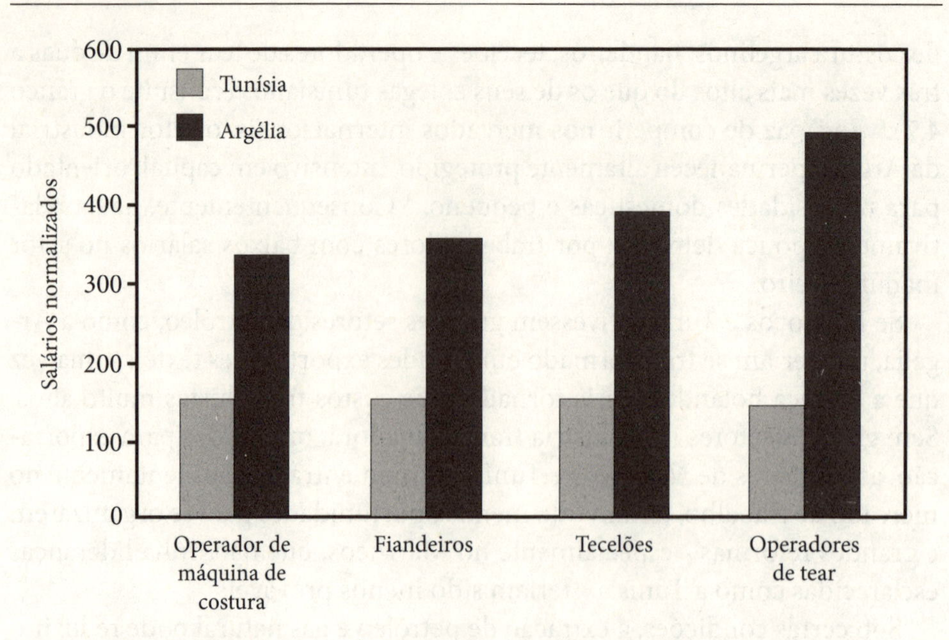

Gráfico 4.7. Salários dos trabalhadores da indústria têxtil na Tunísia e na Argélia, 1987-1991

Estes números representam o valor de salário normalizado para cada ocupação na Argélia (barras escuras) e Tunísia (barras claras). Os dados sobre os salários de operadores de tear estavam disponíveis apenas para 1987-1989.

Fonte: Freeman e Oostendorp (2009).

A riqueza do petróleo não necessariamente prejudica as condições das mulheres. Isso depende de as mulheres terem oportunidades de trabalho no setor de serviços, que normalmente cresce em conjunto com as receitas do petróleo. Sete países produziram quantidades significativas de petróleo e gás natural, mas ainda fizeram progressos mais rápidos em matéria de igualdade de gênero do que seria de esperar com base em sua renda: Noruega, Nova Zelândia, Austrália, Uzbequistão, Turcomenistão, Síria e México. Nos três primeiros países, as mulheres são capazes de trabalhar em todas as partes da economia - e não apenas no setor manufatureiro -, de modo que o aumento das exportações de petróleo não reduziu postos de trabalho para mulheres. Os dois países da Ásia Central foram fortemente afetados por muitos anos de domínio soviético, que promoveu o papel das mulheres através de decretos administrativos. Isso pode tê-los vacinado contra o patriarcado induzido pelo petróleo.

Talvez as exceções mais interessantes sejam Síria e México: mulheres em ambos os países podem ter se beneficiado de muitos anos de domínio por partidos seculares e de centro-esquerda que mostraram interesse em direitos femininos. O México também lucrou com sua proximidade do mercado norte-americano, que lhe permitiu desenvolver ao longo das fronteiras um grande setor industrial com baixos salários orientado para a exportação - colocando mulheres no mercado de trabalho, apesar do fluxo de rendas do petróleo. Tanto a boa sorte quanto um governo comprometido podem eventualmente neutralizar os efeitos perversos do petróleo sobre a condição feminina.

Anexo 4.1: Uma Análise Estatística do Petróleo e da Condição das Mulheres

Esse anexo descreve algumas das condições sob as quais a renda de petróleo está estatisticamente correlacionada com a participação feminina na força de trabalho e a representação feminina no governo. As principais ideias do Capítulo 4 podem ser resumidas em duas hipóteses:

Hipótese 4.1: Quando as mulheres são excluídas de empregos no setor de serviços e de administração pública, um aumento do valor da produção de petróleo vai reduzir a participação das mulheres na força de trabalho.
Hipótese 4.2: Quando as mulheres são excluídas de empregos no setor de serviços e de administração pública, um aumento do valor da produção de petróleo vai reduzir a influência das mulheres na política.

Se esse modelo for combinado com o argumento do Capítulo 2 - de que os efeitos políticos do petróleo têm crescido com mais força desde os anos 1970, posso formular uma terceira hipótese:

Hipótese 4.3: Os efeitos da renda do petróleo sobre as mulheres serão maiores depois de 1980 do que antes de 1980.

Dados e Métodos

Para ilustrar esses padrões, eu conduzi dois conjuntos de estimativas: o primeiro utiliza cruzamento de dados reunidos em seriações de tempo para todos os países entre 1960 e 2002 e se concentram em mudanças dentro de países ao longo do tempo, o segundo usa apenas cruzamento de dados entre nações e se concentra em diferenças entre esses países. Uso os dois métodos para medir a relação entre a renda de petróleo de um país e da participação feminina na força de trabalho. Também uso cruzamento de dados nacionais para observar a relação entre petróleo e representação política feminina. Como os dados sobre a representação política feminina só estão disponíveis para os últimos anos, não posso observar as mudanças dentro dos países ao longo do tempo, mas, em vez disso, apenas as diferenças entre os países.

Nessa reunião do cruzamento de dados em séries temporais, estou interessado principalmente em variações dentro dos países ao longo do tempo. Também busco perceber como as mudanças em minhas variáveis independentes afetam mudanças em minha variável dependente. Por isso, uso um modelo de primeiras diferenças com efeitos fixos por país, que pode ser escrito assim:

$$Y_{i,t} - Y_{i,\,t-1} = \alpha_i + \beta(x_{i,t-1} - x_{i,t-2}) + (\varepsilon_{i,t} - \varepsilon_{i,\,t-1})$$

onde *i* é o país, *t* é o ano, *x* é uma série de variáveis explicativas e as variáveis do lado direito estão defasadas em um ano.

O modelo de primeiras diferenças com efeitos fixos tem algumas propriedades úteis. Modelos MQO padrão observam se o nível da variável explicativa está correlacionado com os da variável dependente. O modelo de primeiras diferenças observa se mudanças na variável explicativa estão associados com os da variável dependente. Como ele se concentra em mudanças, não em níveis, o modelo ajuda a controlar a heterogeneidade de país.

Ele também ajuda a corrigir tendências da variável dependente: o aumento constante da participação feminina na força de trabalho entre 1960 e 2002, se não contabilizado, poderia produzir estimativas viciadas nas variáveis explicativas. O modelo inclui efeitos fixos por país para permitir que quaisquer tendências na participação feminina na força de trabalho variem de país para país. Eu uso um processo AR1 para ajudar a compensar qualquer autocorrelação restante.

A desvantagem do modelo de primeiras diferenças com efeitos fixos é que ele não diz nada sobre a influência de fatores que variam muito de país para país, mas mudam pouco dentro dos países ao longo do tempo, tais como tradições religiosas de um país ou sua presença em uma região maior. Uso testes de cruzamentos nacionais para capturar o papel dessas variáveis fixas e "lentas".

Para as estimativas transnacionais, uso um estimador intermediário para comparar os valores médios das variáveis explicativas com os da variável dependente durante um certo período de tempo. Ele pode ser escrito assim:

$$\overline{Y}_i = \alpha + \beta \, \overline{x}_i + \varepsilon_i$$

onde *i* é o país, *x* é uma série de variáveis explicativas e os valores são calculados em uma média ao longo de vários anos. Usar o valor médio de cada variável ao longo de um período de tempo também ajuda a reduzir erros de medição. Eu pego os valores médios das variáveis sobre os períodos de dez anos mais recentes para os quais eu tenho dados sobre a emancipação feminina (1993-2002).

Variáveis Dependentes

Há duas variáveis dependentes. Uma delas é a participação da força de trabalho feminina, o que denota o percentual da força de trabalho formal que é composto por cidadãs. Isso é baseado em dados recolhidos pela Organização Internacional do Trabalho a partir de pesquisas e censos nacionais e divulgados pelo Banco Mundial em seus Indicadores de Desenvolvimento Mundial. A variável tem três falhas notáveis: os países diferem na maneira de definir e medir a participação na força de trabalho, alguns países contam os trabalhadores estrangeiros como parte da força de trabalho e outros não e, por fim, a medida não distingue entre trabalho nos setores não agrícolas e agrícolas, pois trabalhar no sector agrícola pode incluir o trabalho doméstico.

O primeiro problema pode ser resolvido usando-se o modelo de primeiras diferenças com efeitos fixos, uma vez que mede a evolução ao longo do tempo dentro dos países e não as diferenças entre eles. Enquanto os países a definirem "participação feminina na força de trabalho" de forma consistente ao longo do tempo, diferenças de medição de país para país não devem influenciar estimativas de nenhum modo óbvio. Ainda assim, isso torna problemáticas as estimativas transnacionais e deve nos recomendar cautela ao interpretá-las.

Os outros dois problemas podem ser tratados pela subtração do número de trabalhadoras agrícolas e estrangeiros da *participação feminina na força de trabalho*[46]. Como esses ajustes só podem ser feito para os últimos anos - há poucos dados antes de 1990 - as medidas corrigidas só podem ser utilizadas nas estimativas transnacionais e não nas de primeiras diferenças.

A outra variável dependente é a influência política das mulheres, que eu meço como o percentual de cadeiras ocupadas por mulheres em 2002 no parlamento de cada país (ou, em sistemas bicamerais, na câmara baixa), utilizando a variável *cadeiras femininas.*[47]

Embora *cadeiras femininas* seja uma medida bruta de influência política das mulheres, há evidências de que, quanto mais mulheres ocupam cargos legislativos, maior o conhecimento político, o interesse e a participação de outras mulheres.[48] Há também evidências de que legisladores do sexo feminino favorecem políticas diferentes do fariam seus colegas do sexo masculino.[49] Outros estudos globais de influência política das mulheres usam a mesma medida.[50] Embora a percentagem de assentos parlamentares ocupados por mulheres seja influenciada por cotas de gênero, isso não diminui o valor de *cadeiras femininas* como um indicador de influência política das mulheres, uma vez que a decisão de decretar cotas de gênero é geralmente si mesmo um sinal de influência do sexo feminino.[51] Como a medida só está disponível para os últimos anos, só posso usá-la para análises transnacionais.

Variável Independente

Nos demais capítulos, minha variável independente é o registro natural da renda do petróleo per capita. Aqui eu uso *renda de petróleo per capita,* mas sem o registro (logaritmo) transformação. Minha razão não é teórica,

[46] Para dados sobre trabalhadores agrícolas do sexo feminino, consulte o Banco Mundial (2005). Para dados sobre trabalhadores estrangeiros do sexo feminino, consulte o Banco Mundial (2004, 2005).

[47] Os dados são recolhidos pela Inter-Parliamentary Union, disponíveis em http://www.ipu.org/wmn-e/world-arc.htm.

[48] Hansen (1997); Burns, Schlozman e Verba (2001).

[49] Chattopadhyay e Duflo, 2004.

[50] Consulte, por exemplo, Reynolds, 1999; Inglehart e Norris, 2003.

[51] Caul,2001; Baldez, 2004.

mas sim pragmática: *renda de petróleo* é fortemente correlacionada com o status da mulher, mas a *renda de petróleo (logaritmo)* não é. O modelo teórico no Capítulo 4 oferece pouca orientação sobre qual medida de renda de petróleo deve ser mais relevante. É concebível que as relações entre as *rendas de petróleo* e medidas do status do sexo feminino sejam aproximadamente lineares. Se for assim, a *renda de petróleo* é a medida mais adequada. Como a distribuição da *renda de petróleo* é altamente enviesada, existe o perigo de que quaisquer correlações serem indevidamente influenciadas por um pequeno número de observações com grandes valores. Para ver se isso é um problema, eu uso vários testes de consistência descritos abaixo. Nas estimativas transnacionais, tanto a *renda de petróleo* quanto a *renda de petróleo (logaritmo)* estão correlacionadas com a *participação feminina na força de trabalho,* mas apenas *rendas de petróleo* estão correlacionadas com *cadeiras femininas.*

A quantidade de petróleo que um país produz poderia estar correlacionada com o status das mulheres por razões alheias àquelas expostas no capítulo. O Anexo 1.1 observa que a produção de petróleo sobe quando mais dinheiro é investido em exploração e extração, e esses investimentos são maiores em países que são mais ricos, mais estáveis e têm governos de melhor qualidade. Mas essas relações possivelmente influenciam a variável *renda de petróleo* em uma direção que refute as hipóteses, uma vez que os países com melhores condições para as mulheres (ou seja, os países mais ricos e mais ocidentalizados) atraem mais investimento e, portanto, tendem a produzir mais petróleo.

Variáveis de Controle

O núcleo do modelo *participação feminina na força de trabalho* inclui controles para outros dois fatores. O primeiro é a renda de um país, que deve ter uma relação em forma de U com a *participação feminina na força de trabalho,* produzida pelos efeitos opostos de aumento da renda sobre os salários femininos (que incentivam a participação do trabalho feminino) e a renda familiar não laboral (que desencoraja a participação do trabalho feminino).[52] Eu formato esse efeito incluindo tanto o logaritmo da renda per capita e o quadrado do logaritmo de renda nas regressões para a *participa-*

[52] Mammen e Paxson, 2000.

ção feminina na força de trabalho. A segunda é a *idade de trabalho,* que é o percentual da população com idade entre quinze e sessenta e quatro anos e que deve afetar diretamente o número de mulheres na força de trabalho. Verifico a consistência do modelo de primeiras diferenças de várias maneiras descritas abaixo. Também observo a consistência do modelo transnacional na inclusão de outros três fatores relativamente fixos que podem afetar a *participação feminina na força de trabalho:*

- *Oriente Médio,* que é uma variável fictícia para os dezessete países do Oriente Médio e do Norte da África.
- *População muçulmana,* uma variável que mede o percentual muçulmano na população de cada país.
- *Comunista,* que é uma variável fictícia para os trinta e quatro estados que tiveram os sistemas jurídicos comunistas em algum momento desde 1960. Ela está incluída para capturar a influência duradoura das políticas comunistas no emprego feminino.

O núcleo do modelo explicativo das *cadeiras femininas* inclui controles tanto para *renda* e *Oriente Médio.* Também observo a consistência do modelo para a inclusão de *população muçulmana,* e duas medidas de instituições políticas de um país: *polity (constituição política),* que é uma medida do tipo de regime de um país e foi empregada no apêndice 3.1, e *representação proporcional,* que é uma variável fictícia para estados cujos parlamentos são escolhidos através de representação proporcional. Estudos anteriores sugerem que as mulheres são mais propensas a serem eleitas para o parlamento em sistemas eleitorais com representação proporcional.[53]

Resultados

Para simplificar as figuras e gráficos, eu não mostro as constantes ou as variáveis fictícias de ano (quando usadas). Eu também calibro a *renda de petróleo* em milhares de dólares per capita constantes (ano 2000).

[53] Consulte Reynolds, 1999; Tripp e Kang, 2008; Iverson e Rosenbluth, 2008.

Participação Feminina na Força de Trabalho

A tabela 4.5 apresenta os resultados das estimativas de primeiras diferenças. A variável dependente é a variação anual ali apresentada. A primeira coluna mostra que as variáveis de controle — *renda*, *renda ao quadrado* e *idade de trabalho* — são significativamente correlacionadas com a *participação feminina na força de trabalho* nas direções esperadas. Na coluna 2, acrescento *renda de petróleo* ao modelo; isso se correlaciona negativamente com a *participação feminina na força de trabalho* e é estatisticamente significativo ao nível de *0,01*. Isto é consistente com a hipótese de 4.1, o que sugere que o aumento da renda do petróleo leva à diminuição da participação feminina na força de trabalho.

As colunas restantes na tabela 4.5 mostram os resultados de seis testes de consistência. Na coluna três, eu elimino os efeitos fixos por país, em razão de desconfiar de que a combinação do processo AR1 e efeitos fixos pudesse levar a estimativas tendenciosas.[54] A *receita do petróleo* permanece altamente significativa e o tamanho do coeficiente muda pouco. Uso um procedimento alternativo para controlar a autocorrelação no modelo mostrado na coluna quatro, empregando uma série de variáveis fictícias de ano no lugar do processo AR1; os resultados permanecem substancialmente inalterados.

[54] Consulte, por exemplo, Arellano e Bond, 1991.

Tabela 4.5
Participação das mulheres na força de trabalho, 1960-2002

Essa tabela mostra coeficientes de regressão MQO. Todas as variáveis explicativas estão em primeiras diferenças e defasadas para um único ano. Na coluna quatro eu uso variáveis fictícias de ano (não mostradas), em vez do processo AR1. Os erros em padrão constante estão entre parênteses.

	(1)	*(2)*	*(3)*	*(4)*	*(5)*	*(6)*	*(7)*	*(8)*
Renda (log)	– 0,154**	– 0,250***	– 0,266***	– 0,244*	– 0,033	– 0,0027	– 0,476	– 0,154**
	(0,105)	(0,106)	(0,105)	(0,170)	(0,0860)	(0,107)	(0,738)	(0,105)
Renda (log)	0,0135*	0,0215***	0,0225***	0,0113*	0,0034	0,00038	0,0397	0,0134***
arrendondada	(0,00760)	(0,00776)	(0,00766)	(0,0122)	(0,00633)	(0,00835)	(0,0438)	(0,00762)
Idade de trabalho	0,0822***	0,0806***	0,0823***	0,134***	0,0468***	0,0371**	0,190***	0,0822***
	(0,0184)	(0,0184)	(0,0161)	(0,00976)	(0,0178)	(0,0199)	(0,0424)	(0,0184)
Renda de Petróleo	—	– 0,00512***	– 0,00545***	– 0,00968***	– 0,00395***	0,0072	– 0,00556**	—
	—	(0,00105)	(0,00102)	(0,00190)	(0,00999)	(0,00297)	(0,00246)	
Renda	—	—	—	—	—	—	—	– 0,000393
de Petróleol (log)	—	—	—	—	—	—	—	(0,00453)
Efeitos fixos	Sim	Sim	Não	Sim	Sim	Sim	Sim	Sim
Países incluídos	Todos	Todos	Todos	Todos	Todos, exceto Arábia Saudita e Kuwait	Sem Oriente Médio	Apenas Oriente Médio	Todos
Número de países	168	168	168	168	166	151	17	168
Observações	5.369	5.569	5.737	5.737	5.502	5.028	541	5.569
Observações ausentes	11,9%	11,9%	9,3%	9,3%	11,9%	10,3%	24,4%	11,9%
R-quadrada	0,067	0,072	0,071	0,096	0,071	0,058	0,061	0,067

*Significativo em 10%
**Significativo em 5%
***Significativo em 1%)

Um quadro de alavancagem versus quadrado-residual (ou soma do quadrado dos resíduos) sugere que os valores observados em dois países, Arábia Saudita e Kuwait, têm uma forte influência sobre esses resultados. Na coluna cinco, eu elimino todas as observações destes dois países da amostra. Embora o valor absoluto do coeficiente de *rendas de petróleo* caia quase 25% em comparação ao modelo-núcleo na coluna dois, *a renda de petróleo* permanece significativamente correlacionada com a *participação feminina na força de trabalho.*

Realizei um teste mais drástico do modelo na coluna seis, eliminando todos os países do Oriente Médio e do Norte da África a partir da amostra. A *renda de petróleo* perde significância estatística. Na coluna sete, incluí apenas observações dos dezessete países do Oriente Médio e Norte da África; ali *renda de petróleo* recupera sua significação. Finalmente, na coluna oito, eu substituo *renda de petróleo* pela *renda de petróleo (logaritmo).* Como notei acima, ela não está correlacionada com a *participação feminina na força de trabalho.*

Na tabela 4.6, dividi a amostra temporalmente para explorar a suspeita da hipótese 4.3, de que os efeitos do petróleo aumentaram após a década de 1970. *Renda de petróleo* não está significativamente correlacionada com *a participação feminina na força de trabalho* 1960-1979 (coluna um), mas está fortemente correlacionada (coluna dois) em 1980-2002. Nas colunas três e quatro, eu novamente observo esses dois períodos, mas incluo apenas os países do Oriente Médio e do Norte da África. Enquanto *a renda de petróleo* está significativamente correlacionada com a *participação feminina na força de trabalho* em ambos os períodos, o coeficiente de *rendas de petróleo* é cerca de nove vezes maior no último período (1980-2002) do que o anterior (1960-1979). No resto do mundo, *as rendas de petróleo* estão *positivamente* associadas à *participação feminina na força de trabalho* 1960-1979, mas negativamente associadas a ela em 1980-2002. Essas estimativas são consistentes com a hipótese 4.3: o petróleo reduziu fortemente a participação feminina no mercado de trabalho depois de 1980, tanto no Oriente Médio quanto no resto do mundo.

A *receita de petróleo* também está ligada a uma menor *participação feminina na força de trabalho* nas estimativas transnacionais (tabela 4.7). A primeira coluna mostra apenas as variáveis de controle. Na coluna dois, adicionei a variável *renda de petróleo,* que está negativamente correlacionada com a *participação feminina na força de trabalho.* Eu coloco três variáveis de controle a mais no modelo na coluna três. Sua inclusão faz com que o coeficiente de *rendas de petróleo* caia em cerca de 50%, mas permaneça significativamente associado com a *participação feminina na força de trabalho.*

Tabela 4.6
Participação das mulheres na força de trabalho antes e depois de 1980

Essa tabela retrata coeficientes de regressão MQO. Todas as variáveis explicativas estão em primeiras diferenças, e defasadas para um único ano. Os erros em padrão constante estão entre parênteses.

	(1)	*(2)*	*(3)*	*(4)*	*(5)*	*(6)*
Renda (log)	- 0,0459	- 0,406***	0,116	0,607	- 0,167	- 0,0124
	(0,121)	(0,153)	(0,270)	(1,373)	(0,141)	(0,151)
Renda (log)	0,00407	0,035***	- 0,00699	- 0,00549	0,0150	0,00132
arrendondada	(0,00894)	(0,0111)	(0,0178)	(0,0770)	(0,0110)	(0,0119)
Idade de	0,0202	0,108***	- 0,103***	0,286***	0,0575**	0,0339
trabalho	(0,0230)	(0,0208)	(0,0373)	(0,0554)	(0,0264)	(0,0228)
Renda	- 0,00071	- 0,0132***	- 0,00147**	- 0,0136**	0,0283***	- 0,0191***
do petróleo	(0,00097)	(0,00245)	(0,000707)	(0,00670)	(0,00747)	(0,00522)
Anos	1960-79	1980-2003	1960-79	1980-2003	1960-79	1980-2003
Países incluídos	Todos	Todos	Apenas Oriente Médio	Apenas Oriente Médio	Sem Oriente Médio	Sem Oriente Médio
Número de países	122	168	14	17	108	151
Observações	1.938	3.505	178	349	1.760	3.156
Observações ausentes	18,5%	8,3%	34,6%	18,8%	17,5%	6,9%
R-quadrada	0,060	0,093	0,036	0,098	0,075	0,060

*Significativo em 10%
**Significativo em 5%
***Significativo em 1%)

Na coluna quatro, eu observo se as *rendas de petróleo* têm um impacto especial no Oriente Médio, adicionando uma variável que faz a *renda de petróleo* interagir com a variável fictícia *Oriente Médio.* Ela é altamente significativa e faz com que a variável *renda do petróleo* altere sinais e perca significância estatística.

Os resultados nas tabelas 4.5, 4.6 e 4.7 são amplamente consistentes com a hipótese de 4.1, que sugere que, em alguns tipos de países - que são, sem dúvida, prevalentes no Oriente Médio e no Norte da África - um aumento na renda de petróleo leva a uma queda na participação feminina na força de trabalho. O padrão se mantém, tanto entre os países nos últimos anos quanto individualmente dentro dos países ao longo do tempo, e também no Oriente Médio e (desde 1980) no resto do mundo. As checagens de consistência mostram que o núcleo do modelo não é afetado por formas alternativas para mitigar autocorrelação. Embora a correlação não se sustente quando se utiliza o logaritmo da renda de petróleo, isso pode indicar uma relação linear entre o petróleo e o emprego feminino.

Tabela 4.7
Participação das mulheres na força de trabalho, 1993-2002

Essa tabela descreve coeficientes de regressão MQO. Todas as variáveis são ponderadas no período de 1993-2002. Os erros em padrão constante estão entre parênteses.

	(1)	*(2)*	*(3)*	*(4)*
Renda (log)	−15,04**	−18,50***	−13,02**	−14,22**
	(6.550)	(6.293)	(6.118)	(6.196)
Renda (log) quadrada	0,926**	1,210***	0,973**	1,020***
	(0,402)	(0,383)	(0,374)	(0,376)
Idade de trabalhar	- 0,0264	0,000144	- 0,636***	- 0,529**
	(0,218)	(0,196)	(0,236)	(0,240)
Renda de petróleo	—	−3,04***	−1,41***	0,193
	—	(0,605)	(0,421)	(0,357)
Comunista	—	—	8,248***	7,731***
	—	—	(2,902)	(2,901)
Oriente Médio	—	—	−11,80***	- 8,974**
	—	—	(4,262)	(4,519)
Islã	—	—	- 4,580	−5,127
	—	—	(3,604)	(3,621)
Renda de petróleo*	—	—	—	−2,42***
Oriente Médio	—	—	—	(0,683)
Número de países em	168	168	168	168
Observações	168	168	168	168
Observações ausentes	1,2%	1,2%	1,2%	1,2%
R-quadrada	0,060	0,21	0,42	0,44

*Significativo em 10%

**Significativo em 5%

***Significativo em 1%)

Também há suporte para a hipótese 4.3, o que sugere que os efeitos do petróleo sobre as mulheres têm crescido acentuadamente desde a década de 1970, tanto no Oriente Médio quanto em outras regiões.

Representação feminina

A tabela 4.8 mostra os resultados das regressões transnacionais em *cadeiras femininas.* A coluna um demonstra que as variáveis de controle - *renda* e *Oriente Médio* - estão significativamente associados a *cadeiras femininas* nas direções esperadas. Eu acrescento *renda de petróleo* ao modelo da coluna dois. Ela está associada significativamente com níveis mais baixos de *cadeiras femininas* e sua inclusão faz com que o coeficiente *Oriente* Médio caia em cerca de 20%. Na coluna três, eu incluo *população muçulmana* como uma variável de controle. Ela não está significativamente correlacionada com *cadeiras femininas* e sua inclusão faz pouca mudança no coeficiente de *rendas de petróleo.*

O modelo na coluna quatro inclui *a participação da força de trabalho feminina,* que apresenta uma correlação forte e positiva com *cadeiras femininas.* Somar ela ao modelo faz com que o coeficiente de *rendas de petróleo* diminua cerca de 30% e perca significância estatística. Isto é consistente com o argumento do capítulo 4, de que o petróleo reduz a influência política do sexo feminino, pois reduz o número de mulheres na força de trabalho. As colunas cinco e seis mostram que a variável *renda de petróleo* é consistente com a inclusão de dois controles para instituições políticas que podem afetar a representação política das mulheres: *polity (constituição política)* e *representação proporcional.*

Alguns resultados adicionais não são exibidos, mas são úteis para se comentar. A variável que mede a magnitude dos distritos eleitorais não foi estatisticamente significativa, nem foi uma variável que tenha registrado migração, que teoricamente poderia estar afetando a representação feminina. Outro fator que pode afetar a representação política das mulheres — a existência de listas eleitorais fechadas — só foi constatada em oitenta e oito estados, e *as rendas de petróleo* não se correlacionaram com *cadeiras femininas* na amostra truncada. Quando a amostra foi dividida entre Oriente Médio e países fora do Oriente Médio, *a renda de petróleo* não esteve relacionada com *cadeiras femininas* em ambos os grupos, e uma interação fictícia entre *renda de petróleo* e *Oriente Médio* não atingiu significância estatística, embora sua inclusão tenha feito com que a *renda de petróleo* perdesse significância estatística, talvez devido à colinearidade.

Esses resultados são geralmente consistentes com a hipótese 4.2, o que sugere que a renda de petróleo vai reduzir a influência política das mulheres em certas condições. Eles também são consistentes com uma parte fundamental do modelo no capítulo 4: que o petróleo reduz o número de mulheres nas *legislaturas, pois* reduz sua presença no mercado de trabalho.

Consistência

Já mostrei os resultados de vários testes de consistência para o modelo de primeiras diferenças na tabela 4.5. A tabela 4.9 apresenta os resultados de alguns testes adicionais para os modelos transnacionais, observando os coeficientes *de rendas de petróleo* e sua significância estatística, nas seguintes condições:

Tabela 4.8
Cargos políticos ocupados por mulheres, 2002

Essa tabela mostra coeficientes de regressão MQO. Os erros em padrão constante estão entre parênteses.

	(1)	*(2)*	*(3)*	*(4)*	*(5)*	*(6)*
Renda (log)	1,916***	2,246***	1,955***	2,012***	2,349***	2,195***
	(0,504)	(0,513)	(0,578)	(0,543)	(0,582)	(0,549)
Oriente Médio	−12,22***	−9,817***	− 6 ,904***	−2,786	− 8,132***	− 8,712***
	(1,913)	(2,111)	(2,654)	(2,967)	(2,689)	(2,538)
Renda de petróleo	—	−1,242**	−1,139**	− 0,801	−1,373**	−1,229**
	—	(0,554)	(0,538)	(0,537)	(0,617)	(0,574)
Islã	—	—	− 4,071	−2,959	−5,084*	− 4,070
	—	—	(2,494)	(2,447)	(2,711)	(2,669)
Participação das mulheres na força de trabalho	—	—	—	0,284***	—	—
	—	—	—	(0,0736)	—	—
Polity (constituição política)	—	—	—	—	− 0,216	− 0,430***
					(0,163)	(0,159)
Representação proporcional	—	—	—	—	—	6,269***
						(1,467)
Número de países	162	162	162	162	162	162
Observações	162	162	162	162	162	162
Observações ausentes	4,7%	4,7%	4,7%	4,7%	4,7%	4,7%
Quadrado da renda	0,22	0,25	0,26	0,33	0,27	0,34

*Significativo em 10%
**Significativo em 5%
***Significativo em 1%)

Tabela 4.9
Mulheres no poder: testes de robustez

Esses números são os coeficientes da variável de *rendas de petróleo* em cada um dos modelos descritos. Consulte o texto para mais detalhes.

	Participação feminina na força de trabalho	*Cadeiras femininas*
Modelo base	–3,04***	–1,24**
Petróleo dicotômico	- 6,45 ***	-1,44
Log de renda de petróleo	–1,29***	- 0,310
Eliminando os países principais	–2,66**	–1,41
Eliminando os países do Oriente Médio	0,102	- 0,883
Variáveis fictícias regionais	–2,57***	- 0,917*

*Significativo em 10%
**Significativo em 5%
***Significativo em 1%)

1. Nos modelos básicos, que são exibidos na tabela 4.7, coluna dois, e na tabela 4.8, coluna dois
2. Quando a medição contínua da *renda de petróleo* é substituída por uma medição dicotômica, indicando países que geraram pelo menos cem dólares per capita de *renda de petróleo* (usando dólares constantes de 2000)
3. Quando a *renda de petróleo* é substituída pelo *logaritmo da renda do petróleo*
4. Quando os dois países que parecem ter a maior influência sobre as correlações entre países - que de acordo com uma alavancagem versus quadrado-residual do cruzamento são Kuwait e Catar - são retirados da amostra
5. Quando todos os países do Oriente Médio são retirados da amostra
6. Quando variáveis fictícias regionais para a América Latina, África Subsaariana, Sul da Ásia, Extremo Oriente, antiga União Soviética e Estados da OCDE são adicionados aos principais modelos a *renda de petróleo* permanece correlacionada com a *participação feminina na força de trabalho* em quatro desses cinco testes. A correlação perde significância estatística somente quando todos os países do Oriente Médio e Norte da África são retirados da amostra. Isso pode indicar

> que as condições em que as *rendas do petróleo* afetam a *participação feminina na força de trabalho* - em sociedades onde as mulheres enfrentam forte discriminação nos setores não comerciáveis - são encontradas principalmente no Oriente Médio e no Norte da África.

A relação entre a *renda de petróleo* e as *cadeiras femininas* parece ser mais frágil. Ela se mantém consistente com a inclusão de controles para *população muçulmana,* instituições políticas (tabela 4.8, colunas cinco e seis) e efeitos regionais. Mas perde significância estatística quando Kuwait e Catar são excluídos da amostra, quando todos os países do Oriente Médio são descartados e quando *renda de petróleo* é substituída por qualquer medida dicotômica ou pelo logaritmo da *renda do petróleo.*

Talvez não devesse ser surpreendente que a correlação entre *renda de petróleo* e *cadeiras femininas* seja menos consistente do que a correlação entre *renda do petróleo* e *participação feminina na força de trabalho.* O modelo sugere que *renda de petróleo* está diretamente ligada ao número de mulheres na força de trabalho, mas apenas de forma indireta na influência das mulheres na política, através de seu efeito sobre a *participação feminina na força de trabalho.* A consistência limitada dessa relação é uma fraqueza importante do meu argumento sobre o impacto da produção de petróleo na representação política feminina.

Essas regressões ilustram algumas das condições em que as rendas de petróleo de um país estão correlacionadas com a situação econômica e política de suas cidadãs. Em alguns aspectos essas correlações são consistentes. A ligação entre *renda de petróleo* e *participação feminina na força de trabalho* é evidente tanto dentro dos países ao longo do tempo quanto em todos os países. Ela também sobrevive à exclusão dos dois países mais influentes da amostra, bem como à inclusão de controles para efeitos regionais e ao impacto das populações muçulmanas. Consistente com a hipótese 4.3, o efeito do petróleo tem sido muito mais forte desde cerca de 1980. A relação entre petróleo e mulheres no poder é mais consistente na região do Oriente Médio do que no resto do mundo.

A correlação entre *renda de petróleo* e *cadeiras femininas* é menos resistente. Embora seja consistente à inclusão de controles para populações islâmicas, de instituições políticas e dos efeitos regionais, ela não sobrevive à exclusão dos dois países mais influentes ou de mudanças na maneira que a *renda de petróleo* é medida. Aqui, os efeitos nocivos do petróleo são observados apenas no Oriente Médio. Isso pode ser consistente com o modelo do Capítulo 4, se os países onde as mulheres são excluídas do setor de serviços estiverem concentrados no Oriente Médio e no Norte da África. Ainda assim, esses resultados colocam limitações cruciais sobre a generalidade da minha alegação a respeito da riqueza de petróleo e de oportunidades para mulheres.

Capítulo Cinco

A Violência com Base no Petróleo

> A primeira e mais imperativa necessidade em guerras é dinheiro, pois o dinheiro significa tudo o mais - homens, armas e munições.
> — Ida Tarbell, The Tariff in Our Times

A guerra civil é a maior catástrofe que pode recair sobre um país. Entre 1945 e 1999, mais de 16 milhões de pessoas morreram em guerras civis.[1] O economista Paul Collier descreve guerra civil como "um desenvolvimento ao contrário."[2]

Desde o início dos anos 1990, os países produtores de petróleo têm sido cerca de 50% mais propensos a uma guerra civil do que outros países não produtores. Entre os países de renda baixa e média, os produtores de petróleo são mais do que duas vezes mais propensos a ter guerras civis. A maioria dos conflitos relacionados com o petróleo são menores, apesar de alguns deles - como as recentes guerras no Iraque, Angola e Sudão - terem sido muito mais sangrentos. Como o petróleo é extraído de países cada vez mais pobres, o perigo de guerras civis movidas a petróleo quase certamente aumentará.

É de suma importância que se mantenha o papel do petróleo em perspectiva. As guerras civis, felizmente, são raras, mesmo entre produtores de petróleo. Quando países produtores de petróleo são vítimas de uma guerra civil, o petróleo nunca é o único fator e, às vezes, nem mesmo o fator mais importante. No entanto, a guerra civil é a forma mais rápida e mais calamitosa para um país transformar sua riqueza petrolífera de bênção em maldição.

---

[1] Fearon e Laitin, 2003.

[2] Collier, 2007, 27.

Guerras Civis: Histórico

Desde o final dos anos 1990, houve uma avalancha de novas pesquisas sobre as causas e consequências de guerras civis. A maioria dos estudiosos concorda em alguns fatores-chave.[3]

Em primeiro lugar, a grande maioria das guerras do mundo agora tem lugar *no interior dos* países e não *entre* eles. De 1989 a 2006, 122 conflitos armados foram registrados em todo o mundo; 115 foram guerras civis e apenas 7 foram guerras internacionais. Em 2009, por exemplo, não houve guerras internacionais, mas 36 guerras civis.

Em segundo lugar, as guerras civis se dividem em duas grandes categorias: guerras separatistas, que são disputas regionais por independência, e guerras governamentais, que são travadas pelo controle do governo central. Entre 1960 e 2006, cerca de 305 guerras civis no mundo eram guerras separatistas e 70% eram guerras pelo governo.

Há diferenças importantes entre as duas. Guerras separatistas tendem a durar mais tempo do que os conflitos de disputa pelo governo, embora elas normalmente causem menos vítimas.[4] Enquanto as guerras pelo governo são encontradas em todas as partes do mundo, as guerras separatistas são comuns em algumas regiões (como Sul da Ásia e África Subsaariana), mas virtualmente inexistentes em outras (como América Latina).

Em terceiro lugar, desde o fim da Guerra Fria, o mundo se tornou um lugar mais pacífico. De 1992 a 2007, o número total de conflitos civis caiu de 52 para 34 e o número de grandes conflitos caiu de 18 para apenas cinco. Houve quedas acentuadas tanto em guerras separatistas, que caíram de 28 para 18 quanto em conflitos pelo governo, que caíram de 24 para 16. Os conflitos que permanecem ainda, podem ser terríveis - como o massacre na

---

[3] Para uma análise de pesquisas anteriores sobre recursos naturais e guerras civis, consulte Ross (2004b, 2006a). Para análises mais abrangentes no estudo de guerras civis, consulte Walter (2002); Blattman e Miguel (2008) e Kalyvas (2007). Eu uso o termo "guerra civil", "conflito violento" e "conflito armado" alternadamente. Eles se referem a conflitos menores (definidos como aqueles que causam de vinte e cinco a mil mortes relacionadas com batalhas em um dado ano civil) e grandes conflitos (definidos como os que causam pelo menos mil mortes relacionadas a batalhas em um único ano). Para se qualificar como guerra civil, uma das partes contenciosas deve ser o governo. Na definição de guerras civis, consulte Sambanis (2004). Os dados da guerra civil para essa seção são tirados do conjunto de dados "Conflitos Armados". Consulte Gleditsch et al. (2002); Harbom, Högbladh e Wallensteen (2007). Para mais informações sobre esse conjunto de dados, incluindo definições mais detalhadas de conflito, consulte http://www.ucdp.uu.se.

[4] Fearon (2004).

República Democrática do Congo - mas, no geral, o mundo está mais pacífico hoje do que era no início de 1990.

Finalmente, os estudiosos identificaram uma série de fatores, além do petróleo, que parecem aumentar a probabilidade de que uma guerra civil comece. Eles incluem:

- Baixa renda per capita, o que pode indicar que as pessoas têm menos a perder ao pegar em armas[5]
- Lento crescimento econômico, incluindo "choques" negativos na economia[6]
- Grande população, o que torna o território mais difícil de governar e aumenta a probabilidade de movimentos separatistas[7]
- Vizinhos belicosos e não democráticos, cujos problemas podem transbordar fronteiras e despertar inquietação[8]
- Terrenos montanhosos, que tornam mais fácil para os rebeldes escapar de capturas[9]
- A presença de diamantes, que os rebeldes podem eventualmente usar para financiar suas operações[10]

As guerras civis também são mais comuns em países que alcançaram recentemente a independência, talvez porque seus governos ainda não possam estabelecer a ordem e deter desafiantes. Conflitos armados também têm uma alta taxa de recorrência. De acordo com um estudo, há uma chance em cinco de que um conflito, uma vez terminado, seja reiniciado dentro de cinco anos.[11] Estudiosos observaram muitos outros fatores, incluindo a diversidade étnica e religiosa, a desigualdade, a democracia e a instabilidade política, mas seus efeitos têm sido mais difíceis de se classificar.[12]

---

[5] Fearon e Laitin, 2003; Collier e Hoeffler, 2004.

[6] Miguel; Satyanath e Sergenti, 2004.

[7] Fearon e Laitin (2003); Hegre e Sambanis, 2006.

[8] Sambanis, 2001; Gleditsch, 2002.

[9] Fearon e Laitin, 2003.

[10] Le Billon, 2001; Ross, 2003, 2006a; Humphreys, 2005; Lujala; Gleditsch e Gilmore, 2005.

[11] Collier et al., 2003.

[12] Esses fatores ajudam a explicar por que as guerras civis começam. Mas pouco se sabe sobre por que esses conflitos variam em sua duração e letalidade. Alguns conflitos, como a rebelião Karen na Birmânia, têm uma longa duração, mas causam poucas vítimas. Outros, como a guerra civil de Ruanda em 1994, são breves, mas terrivelmente intensos. Diferentes fatores podem influenciar cada

Uma Teoria da Guerra Civil

Por que o petróleo desencadearia conflitos violentos?

Deixe-me mais uma vez esboçar uma teoria mais ampla e, em seguida, mostrar como o petróleo poderia se encaixar nela. Como antes, eu começo com cidadãos que querem mais renda e um governante em exercício que quer permanecer no poder. Tenho até agora focado nas formas como as receitas de petróleo afetam os governos, tornando-os maiores (Capítulo 2), menos responsáveis (Capítulo 3) e mais dominados por homens (Capítulo 4). No entanto, nenhuma dessas características faz com que países sejam mais propensos a conflitos. O petróleo desencadeia guerras civis principalmente por afetar os cidadãos e não o Estado.

As guerras civis ocorrem quando um governo luta contra um exército rebelde. Meu modelo já tem um desses elementos - um governo - e é seguro assumir que o governo vai lutar se confrontado por uma rebelião, uma vez que o objetivo do governante é permanecer no poder. Mas, e o exército rebelde? Para explicar uma guerra civil, temos de explicar por que um grupo de cidadãos criaria uma insurgência e desafiaria o governo.[13]

Uma explicação comum é algum tipo de queixa - como desigualdade, opressão ou discriminação contra uma minoria étnica. Mas lembre-se de que nossos cidadãos não se preocupam com certo e errado, apenas com seus rendimentos. Elas só vão aderir ou apoiar uma rebelião se os benefícios econômicos, ao fazer isso, superarem os custos.

Para cada recruta em potencial, o custo econômico mais importante é o custo de se juntar ao exército rebelde naquela oportunidade - ou seja, o custo de desistir de qualquer trabalho que eles estivessem ocupando então em suas vidas civis.[14] Nos países pobres, onde empregos civis são escassos e

---

dimensão desses conflitos. As razões que desencadeiam um conflito podem ser diferentes daquelas que fazem com que ele continue, e esses fatores, por sua vez, podem ser diferentes dos fatores que influenciam sua letalidade. Quanto à duração e intensidade de guerras civis, veja Collier, Hoeffler e Söderbom (2004); Fearon (2004); Kalyvas (2007); Humphreys e Weinstein (2006); Weinstein (2007); Lujala (2009 e 2010).

[13] As principais ideias desse modelo são retiradas do trabalho pioneiro de Paul Collier e Anke Hoeffler (2004). O argumento deles não está livre de pontos fracos - alguns dos quais indiquei em estudos anteriores (Ross 2004b, 2006a) -, mas um crescente conjunto de evidências, incluindo as provas apresentadas nesse capítulo, parece apoiar muitas de suas afirmações.

[14] Há um bom suporte para essa afirmação a partir de estudos sobre o crime: quando os salários são mais elevados, as pessoas são menos propensas a se envolverem em atividades criminosas. Consulte Grogger (1998); Gould, Weinberg e Mustard (2002).

pagam pouco, o custo de oportunidade é pequeno. Quando os países ficam mais ricos e os empregos se tornam mais lucrativos, o custo de oportunidade sobe. Se outros aspectos forem iguais, exércitos rebeldes terão mais chance de serem formados em países pobres, onde os jovens têm menos a perder.

O dinheiro que um soldado pode ganhar representa os benefícios. Exércitos rebeldes têm duas maneiras de arrecadar fundos: eles podem contar com doações (incluindo comida e abrigo) de cidadãos que os apoiam; ou podem se envolver em atividades criminosas lucrativas como extorsão, sequestro e venda de contrabando.[15] Podemos classificar os insurgentes que dependem de doações como "rebeldes com um objetivo", que lutam para o benefício de uma comunidade maior e dependem da boa vontade de seus concidadãos, e aqueles que arrecadam dinheiro através do crime como "rebeldes gananciosos", que se aproveitam de seus concidadãos, têm pouco apoio popular e veem a rebelião como uma maneira de enriquecer.[16]

Alguns estudiosos afirmam que os rebeldes também podem ser motivados pelos espólios que eles esperam receber se derrotarem o governo e obtiverem seus ativos - o efeito "pote de ouro". Mas a perspectiva de futuros espólios depois de muitos anos de luta não vai auxiliar rebeldes a comprar os alimentos, equipamentos e armas necessários para sobreviver.

Os insurgentes podem, no entanto, obter o apoio financeiro de civis que acreditem que também vão lucrar com uma vitória: comunidades podem estar dispostas a contratar milícias cujo sucesso as tornem mais ricas. Ao contrário de soldados, civis têm empregos e, consequentemente, podem tirar parte de seus rendimentos para doar aos insurgentes. Mesmo se civis perceberem que as chances de vitória são remotas, se os benefícios que eles esperam dessa vitória forem grandes o suficiente, eles podem estar dispostos a fazer pequenas contribuições - tanto quanto as pessoas que compram bilhetes de loteria na esperança de que uma pequena aposta contra as probabilidades algum dia se pague.

---

[15] Antes do início de 1990, muitas insurreições foram financiadas por doações das superpotências e seus aliados, como parte da Guerra Fria. O financiamento externo caiu bruscamente desde então e agora parece ter pouco ou nenhum papel na maioria das rebeliões.

[16] Essas categorias são baseadas naquelas sugeridas por Jeremy Weinstein (2007): "ativistas" são organizações rebeldes cujos membros estão comprometidos com objetivos não materiais, são bem disciplinados e usam de violência seletiva; enquanto "oportunistas" são organizações rebeldes cujos soldados buscam o lucro de curto prazo, são pouco disciplinados e empregam violência indiscriminada.

Isso sugere que duas condições precisam ser atendidas para um exército rebelde se formar: os custos devem ser suficientemente baixos, ou seja, o país deve ser relativamente pobre, e os benefícios devem ser suficientemente elevados, ou seja, os rebeldes têm financiamento de cidadãos que esperam prosperar com uma vitória rebelde ou de suas próprias atividades criminosas.

O Papel do Petróleo

Para os cidadãos, o petróleo pode afetar tanto os custos quanto os benefícios de aderir a uma rebelião.

O petróleo pode influenciar os custos da rebelião ao afetar a renda dos cidadãos. Se fizermos a simples suposição de que mais petróleo leva a rendas mais elevadas - se não através de postos de trabalho, através de maiores benefícios estatais - isso também deve tornar mais difícil para os insurgentes o recrutamento de soldados, reduzindo, assim, o perigo de gerra civil.[17]

Infelizmente, o petróleo também pode aumentar os benefícios do alistamento em um exército rebelde. Para ver como isso poderia acontecer, preciso afrouxar alguns pressupostos do modelo. Tenho até agora assumido que todos os cidadãos são iguais: todos recebem benefícios idênticos do governo e coletivamente apoiam ou se opõem com base no tamanho desses benefícios. Deixe-me manter a suposição de que todos recebem os mesmos benefícios, mas vou dividir a população em dois grupos: os cidadãos das regiões produtoras de petróleo e os do resto do país.

Os cidadãos do resto do país devem continuar a apoiar um governo rico em petróleo, assim como fizeram no Capítulo 3, uma vez que esse lhes oferece impostos baixos e grandes benefícios. Mas os cidadãos na região produtora de petróleo agora estariam em melhor situação se estabelecessem um Estado independente, uma vez que isso daria a cada residente uma parcela maior da riqueza do petróleo do que a recebida atualmente. Ao fazer doações de interesse próprio a um grupo de insurgentes, os moradores locais podem financiar uma "rebelião com um objetivo", que promoveria a independência de sua região.[18]

---

[17] Se a riqueza do petróleo, em vez disso, levar a rendas mais baixos, talvez por uma calamitosa má administração, isso aumentaria o perigo de um conflito armado. Mas mostro no Capítulo 6 que a riqueza do petróleo não costuma reduzir rendas.

[18] A independência também poderia dar aos moradores o poder de mitigar os custos de hospedar uma indústria de petróleo, incluindo os problemas ambientais e sociais que as indústrias de petróleo trazem consigo. Para os modelos econômicos de secessão, consulte Buchanan e Faith (1987); Bolton e Roland (1997); Alesina e Spolaore (1997).

E se o governo central antecipar um movimento de independência? Dar aos moradores locais uma parcela maior das receitas petrolíferas de sua região evitaria uma rebelião? Muitos governos seguem essa estratégia através da atribuição de uma parcela desproporcional de suas receitas minerais regionais para governos locais.[19] Esses acordos, porém, nem sempre são suficientes. A menos que o governo central esteja disposto a ceder todas as receitas petrolíferas de uma região ao governo local, os moradores ainda seriam mais ricos se fossem independentes. E um governo que permitisse que os moradores locais mantivessem toda a receita de petróleo de sua região perderia apoio no resto do país, onde os cidadãos ainda vão querer impostos mais baixos com maiores benefícios.

O petróleo pode até desencadear guerras separatistas em que os moradores locais não disparam o primeiro tiro. Em qualquer conflito, ambos os lados podem agir estrategicamente, o que significa que agem na expectativa do que o seu adversário pode fazer. Separatistas podem agir estrategicamente fazendo campanhas pela independência na expectativa de uma riqueza petrolífera futura. Os governos podem agir estrategicamente lançando campanhas de repressão e terror preventivas a estes movimentos de independência. Essa repressão preventiva poderia acender um conflito separatista.

Como o petróleo está afetando principalmente os cidadãos, e não o Estado, pode parecer que as receitas do governo têm um papel pequeno nesse modelo, no entanto, o tamanho e o sigilo dessas receitas são o que torna o petróleo perigoso. Imagine que um país descobre um novo tipo de petróleo que tem estranhas propriedades econômicas. Para as pessoas que vivem na região produtora de petróleo, ele produz os mesmos benefícios econômicos do petróleo normal, fornece empregos a pelo menos um punhado de cidadãos e estimula os negócios locais, no entanto, não gera receitas para o governo. Como os moradores já estão usufruindo de todos os benefícios que a indústria petrolífera tem a oferecer, eles têm poucas razões para se separar. A sua riqueza em petróleo pode aumentar os benefícios da secessão ligeiramente - poderia ajudar os locais a impedirem a entrada de indesejados migrantes de outras regiões em busca de bem-estar - mas também aumentaria os custos da rebelião, uma vez que a indústria do petróleo aumentaria as rendas na região produtora de petróleo e, portanto, desencorajaria os moradores locais a pegar em armas. Sem grandes receitas estatais, os moradores da região petrolífera ganhariam relativamente pouco com a independência.

[19] Ahmad e Mottu (2003); Brosio (2003).

O sigilo dessas receitas também pôde desencadear conflitos, tornando mais difícil para separatistas e governo barganharem na sua partilha. Imagine que exista uma inquietação em uma região produtora de petróleo que o governo central deseja subjugar oferecendo aos moradores locais uma parte das receitas. Os moradores preferem aceitar a oferta e não lutar, mas apenas se acharem que o governo vai manter sua parte no trato. Como a verdadeira magnitude das receitas são secretas - elas são conhecidas pelo governo, mas não pelos moradores -, os moradores temem ser enganados. Mesmo que o plano do governo pareça generoso, os moradores não vão considerá-lo digno de confiança. A única maneira de os moradores terem certeza de que vão receber uma parte equitativa das receitas de petróleo é se tornando independentes; por conseguinte, eles decidem lutar.[20]

Até agora, olhei apenas para rebeliões que são orientadas por objetivos - motivadas por interesses comunitários de longo prazo - e separatistas. Mas a presença de instalações de petróleo nas proximidades pode também aumentar os benefícios de rebeliões orientadas pela ganância - tanto separatista quanto governamental - embora por razões que pouco têm a ver com as receitas estatais. Em uma rebelião gananciosa, os insurgentes lucram com o crime e são motivados pela chance de ganhar dinheiro com petróleo roubado, com o sequestro de empregados de petrolíferas e extorsões pagas pelas empresas para evitar essas e outras formas de sabotagem. Os insurgentes também podem visar outros tipos de negócios, mas a indústria do petróleo é extraordinariamente "extorquível", por três razões.[21]

O primeiro é a sua localização: as empresas de petróleo estão mais inclinadas que outras grandes empresas a trabalhar em locais onde os riscos de segurança são elevados. A maioria das grandes empresas de manufatura evita regiões pobres onde o governo é incapaz de garantir a segurança. Mas

---

[20] Esse cenário é desenhado a partir de um argumento desenvolvido (com muito mais detalhe e rigor) por James Fearon (2004) para explicar por que as guerras civis em regiões ricas em recursos parecem durar um tempo especialmente longo. Enquanto Fearon sugere que a volatilidade das receitas dos recursos vai minar a credibilidade de governo, eu coloco mais peso sobre o sigilo dessas receitas: se os rebeldes pudessem monitorar as flutuações das receitas, a volatilidade seria um obstáculo à paz muito menor. Barbara Walter (2002) desenvolveu um modelo mais geral de compromisso confiável em rebeliões separatistas.

[21] Diferentes tipos de recursos naturais proporcionam a insurgentes diferentes oportunidades econômicas. Rebeldes em países pobres - principalmente na África Subsaariana e no Sudeste Asiático - usaram pedras preciosas e madeira para se financiar, em parte porque são relativamente fáceis de explorar: eles podem ser coletados por trabalhadores não qualificados, com pás e baldes ou motosserras e caminhões. Consulte Le Billon (2001, 2005); Ross (2003, 2004c).

as empresas de petróleo não podem limitar suas operações a áreas estáveis e bem governadas. Elas devem seguir o petróleo, mesmo quando isso leva a lugares que são desesperadamente pobres e politicamente instáveis, como o delta do Níger, na Nigéria, a região de Arauca na Colômbia e o distrito de Marib no Iêmen.

Como eles devem, por vezes, trabalhar em ambientes difíceis, a capacidade da indústria em funcionar em enclaves - descritos no Capítulo 2 - é uma vantagem, pois permite que as companhias de petróleo sobrevivam em condições que arruinariam a maioria das outras empresas. No entanto, ao se permitirem trabalhar em regiões instáveis, isso também aumenta a probabilidade de contato com insurgentes determinados a obter dinheiro.[22]

Em segundo lugar, as empresas de petróleo têm um incentivo particularmente forte para permanecerem imóveis - mesmo em frente ao perigo - em razão de seus enormes investimentos em ativos fixos, que não podem ser facilmente vendidos ou levados para o exterior. O Capítulo 2 explica que as empresas de petróleo podem enterrar bilhões de dólares em um projeto antes de extrair o primeiro barril de petróleo, mas uma vez que uma instalação é construída, custa pouco enviar cada novo barril através de oleodutos até a refinaria. Isso dá às companhias de petróleo um incentivo poderoso para permanecem no local onde eles podem recuperar os investimentos iniciais e aproveitar grandes lucros produzidos por instalações maduras. Quando outros tipos de empresas fugiriam, as empresas petrolíferas têm fortes incentivos para defender suas terras. Isso torna-as mais dispostas a fechar acordos com militares ou insurgentes para proteger suas instalações - agravando crises que poderiam de outro modo se dissipar.

Finalmente, as empresas petrolíferas são rentistas. Empresas industriais, especialmente aquelas que vendem seus produtos em mercados competitivos e, portanto, têm margens de lucro estreitas, são mais propensas a fechar antes de incorrer em grandes despesas de segurança. Como companhias petrolíferas são rentistas, elas podem arcar com custos de segurança oriundos do trabalho em locais perigosos: elas podem contratar unidades militares especiais para proteger suas instalações (como acontece na Indonésia, na Colômbia e no Iêmen), elas podem pagar grandes resgates quando seus

[22] Isso significa que temos de ter um cuidado especial com a vinculação da produção de petróleo à violência política. Há boas evidências de que a produção de petróleo tende a causar guerras civis. Mas às vezes a correlação entre petróleo e violência também reflete a propensão incomum de empresas extrativas a trabalhar em regiões politicamente instáveis, o que as coloca no meio de conflitos com os quais não tiveram nenhuma relação.

funcionários são sequestrados (como acontece na Nigéria e na Colômbia) e até mesmo pagar rebeldes, quadrilhas criminosas e aldeões hostis que se abstenham de ataques (como na Nigéria, Iraque, Sudão e Colômbia). Sem essas rendas, as empresas petrolíferas teriam problemas para absorver essas despesas. Infelizmente, essas receitas - juntamente com a disponibilidade das companhias de petróleo em entrar em regiões perigosas e, em seguida, permanecerem paradas frente ao perigo - tornam as empresas de hidrocarbonetos excelentes alvos para a extorsão.

No geral, o modelo sugere que as rebeliões são mais propensas a acontecer em países pobres do que em ricos e também quando os insurgentes têm financiamento suficiente, seja a partir de apoiadores locais ou de atividades criminosas lucrativas. A riqueza do petróleo tem dois efeitos contraditórios: pode impedir rebeliões, aumentando a renda, o que desencoraja as pessoas a aderir a insurgências; e também pode induzir a rebeliões, fazendo a independência ser rentável em regiões produtoras de petróleo e tornando mais fácil para os insurgentes arrecadar dinheiro.

Qual desses dois efeitos tem mais chance de prevalecer? Os efeitos de redução de conflitos do petróleo serão difundidos ao longo de toda a população, pois geram maior renda para os cidadãos em todos os lugares, embora seus efeitos indutores de conflito estejam concentrados na região produtora de petróleo. Em um país de baixa renda, cada dólar de nova receita de petróleo deve produzir um pequeno aumento na renda dos cidadãos em todos os lugares, mas um aumento maior no financiamento potencial de rebeldes em regiões ricas em petróleo. Isto implica que o petróleo aumentará os benefícios potenciais da rebelião mais do que aumentará os custos potenciais, mas apenas para as pessoas em uma região produtora de petróleo.[23]

O modelo também implica que uma determinada quantidade de petróleo vai representar um perigo maior nos países pobres do que nos ricos. Em um país pobre, uma fonte que gera uma centena de dólares per capita em renda de petróleo irá produzir um aumento relativamente grande no percentual de rendas civis e rebeldes, e terá um grande impacto sobre os seus incentivos. Em um país rico, a mesma quantidade produzirá um aumento muito menor em suas rendas e, assim, terá um efeito menor.

---

[23] Pierre Englebert (2009) argumenta que, em nível nacional, a riqueza de recursos às vezes pode ter efeitos de redução de conflitos. Ele sugere que os Estados fracos da África conseguiram sobreviver em parte porque as elites políticas nacionais têm sido capazes de transformar receitas de recursos naturais e outras "rendas de soberania" em incentivos que ligam as elites locais ao Estado.

Se partirmos do princípio de que os retornos marginais da renda estão diminuindo - isso é, além de um certo ponto, cada dólar adicional trará satisfação cada vez menor para potenciais rebeldes -, então, à medida que um país fica mais rico, os custos da rebelião cada vez mais vão superar seus benefícios potenciais. Se um país tem riqueza de petróleo suficiente para elevar essa relação acima de certo valor, o perigo de conflitos diminuirá. Isso sugere que há uma relação em forma de U entre a riqueza do petróleo e o perigo de uma guerra civil: até um certo ponto, um aumento de riqueza de petróleo aumentará o perigo de um conflito, depois desse ponto, isso reduzirá o perigo de um conflito.[24]

Algumas das condições que levam a rebeliões baseadas em petróleo mudaram ao longo do tempo. As receitas petrolíferas estatais cresceram muito na década de 1970, tornando-se mais rentável para os moradores de regiões produtoras de petróleo estabelecer seus próprios governos soberanos. A subida dos preços do petróleo nos anos 1970 também mandou as empresas de petróleo para regiões cada vez mais distantes e instáveis - por exemplo, Indonésia, Colômbia, Nigéria, Sudão e Iêmen - estabelecendo, assim, o palco para uma crescente incidência de ambas as rebeliões, tanto orientadas por objetivos quanto por ganância. Se todo resto permanece igual, as insurgências abastecidas pelo petróleo deveriam ser mais prováveis após a década de 1970.

[24] O argumento sobre uma relação em forma de U entre petróleo e conflitos, embora por razões um pouco diferentes, foi expresso anteriormente por Collier e Hoeffler (2004); Basedau e Lay (2009).

Tabela 5.1
Guerras civis, 1960-2006

Esses números mostram a porcentagem de países que tiveram uma nova guerra civil em um determinado ano.

	Não produtores de petróleo	*Produtores de petróleo*	*Diferença global*
Todos os estados e períodos	2,8	3,9	1,0 **
Por renda			
Baixa renda (abaixo de US$ 5.000)	3,8	6,8	3,0 ***
Alta renda (acima de US$ 5.000)	1,2	1,4	0,2
Por período			
1960-89	2,4	2,7	0,2
1990-2006	3,6	5,3	1,7 **

*Significativo em 10%, em um teste t de intervalo único
**Significativo em 5%
***Significativo em 1%

Fonte: calculado a partir de dados de Gleditsch et al. 2002.

Padrões Globais de Conflitos

Muitos estudos estatísticos descobriram que a produção de petróleo está relacionada ao risco de uma guerra civil em um país.[25] A maneira mais simples de mostrar isso é através do cálculo da taxa anual em que os países produtores e os não produtores de petróleo sofrem com guerras civis. Entre 1960 e 2006, os países sem petróleo enfrentaram probabilidades de 2,8% a cada ano da insurgência de um novo conflito; países com petróleo tiveram um risco de conflitos anual de 3,9%, quase 40% acima (consulte a tabela 5.1, linha um).

Esses números globais escondem algumas diferenças importantes. Ter petróleo não tem nenhum efeito perceptível sobre o conflito em países relativamente ricos, mas aumenta o risco de conflito em países de baixa e média renda em quase 80% (consulte a tabela 5.1, linhas dois e três).

[25] Consulte, por exemplo, Collier e Hoeffler (2004); Fearon e Laitin (2003); Fearon (2004); de Soysa (2002); de Soysa e Neumeyer (2005); Humphreys (2005); Lujala, Rød e Thieme (2005); Ross (2006a); Lujala (2010).

Também é possível analisar os dados em gráficos de dispersão. O gráfico 5.1 exibe todos os países de baixa e média renda, de acordo com a renda de petróleo (no eixo horizontal) e o número de conflitos que tiveram entre 1960 e 2006 (no eixo vertical). Lembre-se de que se o petróleo é abundante o suficiente para levar um país ao grupo de alta renda (por exemplo, a Arábia Saudita), isso reduzirá o risco de uma guerra civil. Ao analisar apenas países de baixa e média renda, estou excluindo esses casos - e o resultado é uma linha que se inclina para cima, o que sugere que, entre esses países, mais renda de petróleo está ligada a conflitos mais frequentes.

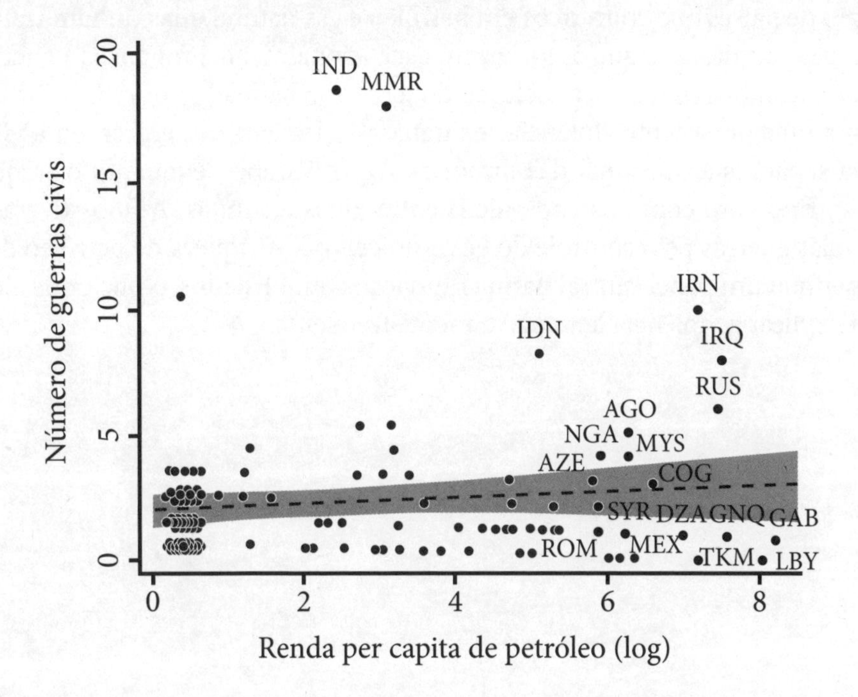

Gráfico 5.1. O petróleo e as guerras civis em países de baixa e média renda, 1960 - 2006

O eixo vertical mostra o número de guerras civis distintas (pequenas e grandes), em cada país, entre 1960 e 2006. Os países estão incluídos se sua renda média, medida ao longo de todo o período, ficou abaixo de US$ 5 mil per capita (em dólares de 2000).

Fonte: calculado a partir de dados de conflito de Gleditsch et al. (2002).

A tabela 5.2 lista os sete países produtores de petróleo que, entre 1960 e 2006, passaram o maior número de anos em conflito.[26] Nenhuma região domina a lista: o problema do petróleo e dos conflitos não se restringe à África, ao Oriente Médio ou à Eurásia.

Iraque e Irã estão em primeiro e em terceiro lugar na lista, respectivamente, e pode haver razões adicionais - além daquelas descritas no modelo - sobre a razão pela qual eles eram tão propensos a conflitos. Nos anos 1920, Grã-Bretanha e França ditaram as fronteiras do Irã e do Iraque - então sob domínio colonial - para garantir seu próprio acesso ao petróleo da região. Isso levou à criação de países que eram ricos em petróleo e gás natural, mas tinham fraturas étnicas acentuadas que os tornavam excepcionalmente propensos à guerra civil. Para ambos os países, a inclusão do território habitado por etnias curdas levou a uma persistente violência separatista. O Irã também enfrentou a violência separatista ocasional das minorias Azeri e árabes, enquanto o Iraque tem sofrido com conflitos endêmicos entre xiitas e sunitas. Ambos tiveram múltiplas guerras pelo controle do governo central. A riqueza de petróleo desempenhou um papel central na sua fundação como Estados, o que pode ajudar a explicar a violência lamentavelmente frequente.[27]

[26] Considero apenas os conflitos que ocorreram em anos que um país recebeu pelo menos US$ 100 em renda per capita de petróleo e gás natural. A Nigéria, por exemplo, teve seis anos de conflito armado entre 1960 e 2006, mas apenas uma vez se tornou grande produtor, em 1973.

[27] Mostro no anexo 5.1 que a relação entre petróleo e guerra civil continua forte, mesmo quando esses dois países são excluídos dos dados.

Tabela 5.2
Países produtores de petróleo e gás natural mais propensos a conflitos, 1960-2006

Esses são os países produtores de petróleo que, entre 1960 e 2006, tiveram as maiores frequências de guerra civil. Nas duas colunas da direita, os conflitos são contados como eventos separados se houve dois ou mais anos intermediários sem violência. No Reino Unido, por exemplo, o conflito da Irlanda do Norte é contado como duas guerras distintas: uma de 1971 a 1991 e outra em 1998.

	Anos de conflito	*Anos de grandes conflitos*	*Número de conflitos de governo*	*Número de conflitos separatistas*
Iraque	37	21	5	3
Angola	26	24	2	3
Irã	24	10	5	5
Argélia	16	9	1	0
Rússia	14	6	1	5
Reino Unido	13	0	0	2
República do Congo	6	2	3	0

Fonte: calculado a partir de dados de Gleditsch et al. (2002).

As Alterações ao Longo do Tempo

A incidência de guerra civil em países produtores de petróleo aumentou fortemente depois de 1980. Para entender por que isso aconteceu, é útil observar três componentes dessa tendência.

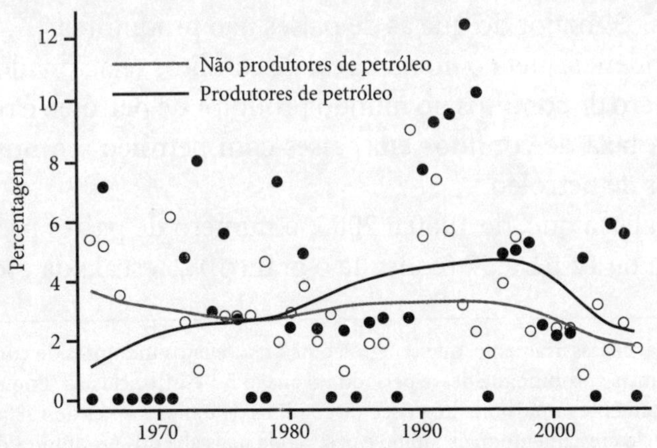

Gráfico 5.2. Percentual de países produtores de petróleo e não produtores com novos conflitos, 1965 a 2006

Essas linhas mostram o percentual de todos os países com petróleo (pontos sólidos) e sem petróleo (pontos vazios), que tiveram uma nova guerra civil em um determinado ano. Os países são classificados como produtores de petróleo se receberam pelo menos US$ 100 dólares em renda per capita de petróleo, em dólares constantes de 2000.
Fonte: calculado a partir de dados de conflito de Gleditsch et al. (2002).

Em primeiro lugar, a *taxa* de novos conflitos em países produtores de petróleo aumentou de forma constante a partir de meados dos anos 1960 até o início de 1990 e depois diminuiu (consulte o gráfico 5.2). Em parte, isso refletiu uma tendência global mais ampla na incidência de guerras civis: elas se tornaram mais frequentes de 1960 até o início dos anos 1990 e depois diminuíram até cerca de 2005. Mas, mesmo depois de considerar esse padrão global, a taxa de conflitos subiu de modo excepcionalmente rápido no mundo produtor de petróleo de meados da década de 1960 até o início dos anos 1990. Antes de 1980 ou por ali, os países produtores de petróleo tiveram riscos de conflitos menores do que os não produtores, mas, desde 1980, os riscos têm sido maiores.[28]

Outra maneira de observar essa tendência é dividindo o período em dois. Enquanto as taxas de conflito de países produtores de petróleo e não produtores começaram a divergir em 1980, a diferença se torna mais pronunciada a partir de 1990, quando o fim da Guerra Fria levou a uma queda mundial da violência.[29] Como mostra a tabela 5.1, de 1960 a 1989 não houve diferença significativa nas taxas de conflito dos países produtores de petróleo e não produtores; desde 1990 essas taxas em países produtores de petróleo tem sido de cerca de 50% maior do que as de países não produtores.

Como essa tendência afeta o *número real* de conflitos relacionados com o petróleo? O número de conflitos no mundo produtor de petróleo é resultado de dois fatores: a taxa de conflitos em países com petróleo e o número de países produtores de petróleo.

O Capítulo 1 alerta que, de 1960 a 2006, o número de países produtores de petróleo subiu de 12 para 57 (consulte o gráfico 1.2, escala da esquerda).

---

[28] Isso não significa, necessariamente, que o petróleo não teve efeitos indutores de conflito antes de 1980. Uma análise mais aprofundada desse período no anexo 5.1 é inconclusiva. Enquanto o petróleo pode ter modestamente impulsionado o risco de conflitos de um país antes de 1980, esse pode ter sido compensado pelo crescimento mais rápido e pela renda mais alta dos produtores de petróleo na época.

[29] Kalyvas e Balcells, 2010.

Isso foi principalmente resultado do aumento dos preços do petróleo, que passou de menos de 8 dólares para mais de 55 dólares por barril, após a contabilização da inflação. Também foi consequência da dispersão geográfica da produção de petróleo: em relação ao mesmo período, o número de países que produzem anualmente pelo menos uma tonelada de petróleo per capita (cerca de 7,3 barris) aumentou de 19 para 30.

Os tipos de países que produziram petróleo e gás natural também mudaram ao longo do tempo. A maioria dos novos produtores tiveram rendimentos mais baixos do que os de produtores já existentes: enquanto o número de países produtores de petróleo aumentou, a renda média caiu de mais de US$ 6.000 per capita em 1970 para pouco mais de US$ 3.000 per capita em 2004 (consulte o gráfico 1.2, escala da direita). A propagação da extração de petróleo de países mais ricos para países menos ricos - onde a riqueza em petróleo é mais perigosa - quase certamente impulsionou a taxa de conflito no mundo produtor de petróleo, acima e além de qualquer outra tendência.[30]

Desde o início dos anos 1960 até o início de 1980, tanto a taxa de conflitos nos países produtores de petróleo quanto o número de países produtores de petróleo aumentaram, causando um aumento no número total de rebeliões no mundo dos produtores de petróleo. Do início dos anos 1980 até 2006, no entanto, o número de conflitos relacionados com o petróleo manteve-se mais ou menos o mesmo, pois uma ascensão e posterior queda na taxa de conflito foram compensadas por uma queda e um subsequente aumento do número de produtores de petróleo (consulte o gráfico 5.3). O divisor de águas crítico ocorreu por volta de 1980: de 1960 a 1979, o mundo produtor de petróleo teve cerca de três guerras civis em curso a cada ano; de 1980 a 2006 a média foi de cerca de 7,5 conflitos por ano.[31]

A tendência final foi um aumento sustentado no percentual de conflitos armados do mundo que acontecem em países produtores de petróleo. Embora o número de conflitos nos países produtores de petróleo tenha se mantido estável desde o início dos anos 1980, o número de conflitos nos estados não produtores caiu acentuadamente - de 28 em 1992 para apenas 14 em 2006.

[30] Essa é mais uma razão para se ser cuidadoso com a conexão entre petróleo e conflito. Em geral, no entanto, os países produtores de petróleo são ainda relativamente ricos. A renda média dos países não produtores em 2004 foi cerca de USD1.330,00, o que representa menos da metade da renda média dos países produtores de petróleo.

[31] Note-se que eu estou me referindo aqui e nos gráficos 5.4 e 5.5 ao número de guerras civis em curso, enquanto que em outros lugares eu me concentro no número de novas guerras civis. Para um estudo pioneiro da relação entre petróleo e duração de conflitos, consulte Lujala (2010).

Esse padrão é ainda mais impressionante se nos concentrarmos em grandes guerras civis - aquelas que causam mil ou mais mortes relacionadas a combates por ano. De 1992 a 2006, o número de grandes guerras civis entre todos os estados caiu de 17 para 5 - uma queda de mais de 70%. Mas toda essa mudança aconteceu no mundo do não produtor, onde o número de grandes guerras civis caiu de 14 para 2. O número de grandes guerras civis nos países produtores de petróleo - que foi flutuante de ano para ano – tem se mantido mais ou menos constante, em cerca de 3 por ano.

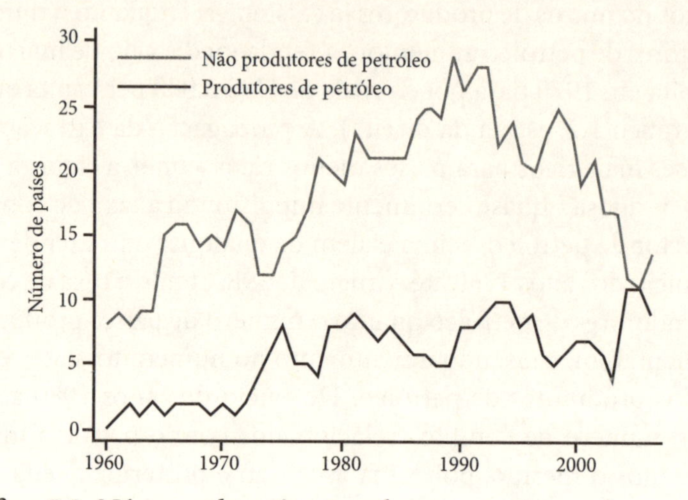

Gráfico 5.3. Número de países produtores e não produtores de petróleo com conflitos em curso, de 1960 a 2006

Essas linhas indicam o número de países com guerras civis em curso a cada ano. Países produtores de petróleo são representados pela linha escura e os não produtores são representados pela linha mais clara. Os países são classificados como produtores de petróleo se eles receberam pelo menos US$ 100 de renda per capita da produção de petróleo, em dólares constantes de 2000.

Fonte: calculado a partir de dados de conflito de Gleditsch et al. (2002).

Coletivamente, essas três tendências explicam por que um percentual crescente dos conflitos armados do mundo está ocorrendo em países ricos em petróleo - em parte porque os países produtores de petróleo se tornaram mais propensos a conflitos, em parte porque os países produtores de petróleo se tornaram mais numerosos e em parte porque os não produtores se tornaram menos propensos a conflitos e menos numerosos. A figura 5.4 apresenta a tendência: de 1960 a 2006, o percentual de conflitos no mundo que eclodiram em países produtores de petróleo subiu de menos de 10% para quase 40%.

Que tamanho tem o impacto do petróleo sobre o risco de uma guerra civil? Uma maneira simples de resolver essa questão é, mais uma vez, comparando as taxas de conflito dos países produtores de petróleo com o resto do mundo, em condições diferentes (veja figura 5.5). Entre os países de todos os níveis de renda desde 1960, a taxa de conflitos nos países produtores de petróleo foi cerca de 40% superior; desde o fim da Guerra Fria em 1990 essa taxa foi quase 50% mais elevada; entre os países de renda mais baixa desde 1960, a taxa tem sido cerca de 75% mais elevada e, entre os países de renda mais baixa desde 1990, tem sido mais do que 100% mais elevada.

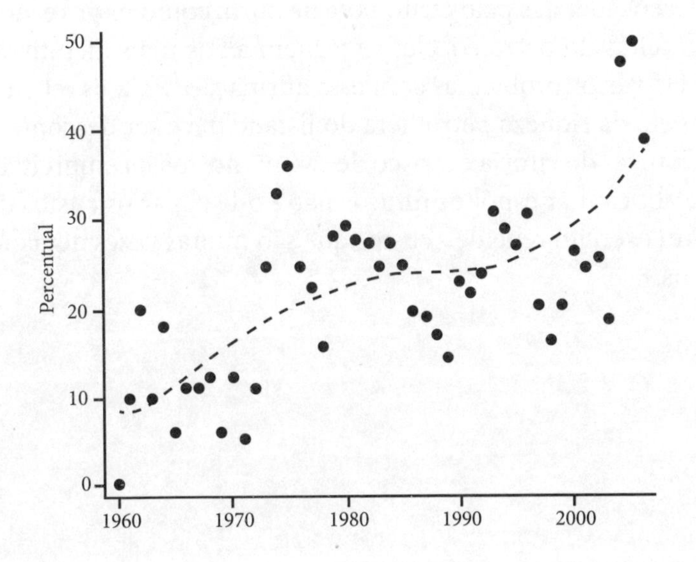

Gráfico 5.4. Percentual de conflitos em curso nos países com petróleo, 1960 a 2006

Esses números mostram o percentual de conflitos armados do mundo que estão ocorrendo em países produtores de petróleo.

Fonte: calculado a partir de dados de conflito de Gleditsch et al. (2002).

Como o Petróleo Desencadeia Conflitos?

Não é fácil mostrar *como* o petróleo leva ao conflito. Apenas observar que um país extrai petróleo e ao mesmo tempo enfrenta uma guerra civil nos diz pouco sobre a relação entre esses dois fatos. As guerras civis também são eventos raros, o que as torna difíceis de serem sistematicamente analisadas, e elas geralmente ocorrem nos países mais pobres, onde os dados podem ser escassos e pouco confiáveis. Ainda assim, há evidências convincentes de estudos de caso de que o petróleo tanto incentiva o separatismo quanto tem sido uma importante fonte de financiamento de rebeldes. E um teste simples sugere que muitos argumentos alternativos sobre as causas da guerra civil baseadas em petróleo não podem ser verdadeiros.

Argumentos Alternativos

Uma afirmação comum é de que as guerras civis em países produtores de petróleo são desencadeadas pelo efeito pote de ouro: como os governos acumulam mais receitas do petróleo, eles se tornam alvos mais lucrativos para insurgentes.[32] Há vários problemas com essa afirmação. Para os rebeldes gananciosos, o apelo da riqueza petrolífera do Estado deve ser descontado pelas pequenas chances de vitória e o risco de serem mortos na empreitada. E a perspectiva de abocanhar espólios futuros não pode pagar os custos diários de se manter um exército rebelde - custos que são muitas vezes demandados por muitos anos.[33]

[32] De acordo com James Fearon (2005, 487), "A riqueza fácil a partir do petróleo torna o estado um alvo mais tentador em comparação com o trabalho na economia regular." Consulte também Soysa (2002); Le Billon (2005); Besley e Persson (2010).

[33] Há um conjunto pequeno, mas crucial de exceções, discutidas a seguir: na guerra de 1997 no Congo-Brazzaville e na tentativa de golpe de março de 2004 na Guiné Equatorial, os insurgentes foram apoiados por investidores estrangeiros que esperavam capturar uma parte dos espólios finais .

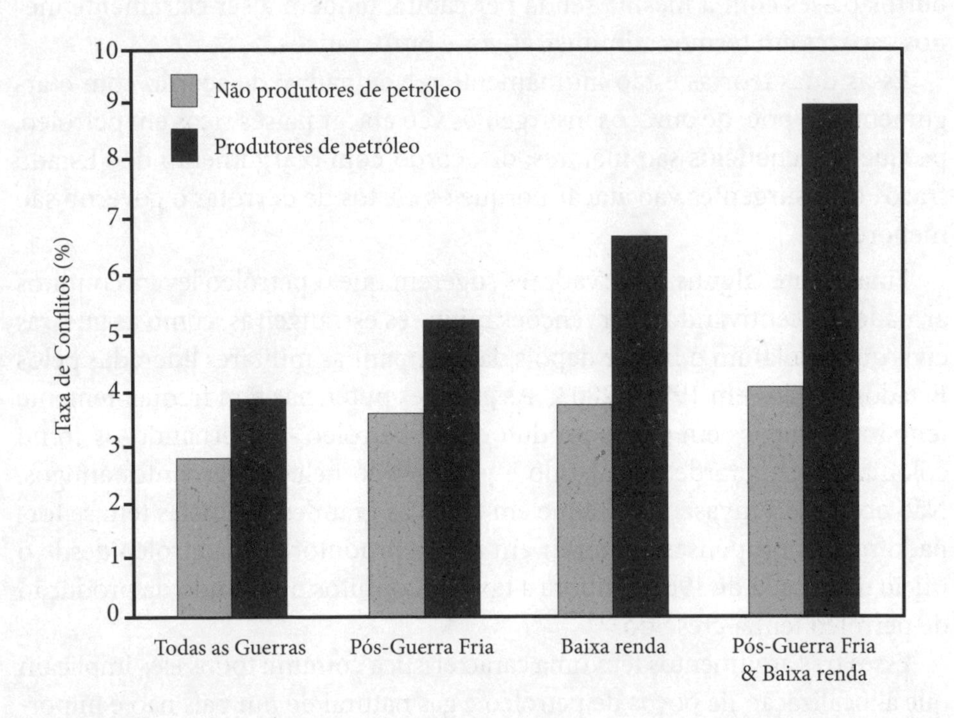

Gráfico 5.5. Taxas anuais de conflito, países produtores e não produtores de petróleo

As barras representam as taxas anuais de conflito entre os países produtores de petróleo (barras pretas) e os não produtores (barras cinza). Os dados cobrem a totalidade do período de 1960 a 2006 ou o período "pós-Guerra Fria", que vai de 1992 a 2006. Países de baixa renda são aqueles com renda inferior a US$ 5.000 per capita, em dólares constantes de 2000. Todas as diferenças entre países produtores de petróleo e não produtores são estatisticamente significativas em testes t.

Fonte: calculado a partir de dados de conflito de Gleditsch et al. (2002).

Um segundo argumento generalizado é que a riqueza do petróleo enfraquece o Estado e o torna mais suscetível à insurreição violenta. Fearon sugere que países com elevadas receitas de petróleo têm menos incentivos para desenvolver uma competência administrativa e o controle de todo o seu território. Assim, enquanto as receitas do petróleo ajudam um Estado contra os insurgentes, fornecendo mais recursos financeiros, em comparação com outros países com a mesma renda per capita, tendem a ser claramente menos capazes em termos administrativos e burocráticos.[34]

Essas duas teorias estão intimamente relacionadas: de acordo com o argumento do pote de ouro, os insurgentes vão atacar países ricos em petróleo, porque os benefícios são maiores; de acordo com o argumento do "Estado fraco", os insurgentes vão atacar porque os custos de derrotar o governo são menores.

Finalmente, alguns observadores sugerem que o petróleo leva a conflitos armados, incentivando intervenções militares estrangeiras, como as guerras civis que assolaram o Iraque depois das campanhas militares lideradas pelos Estados Unidos em 1991 e 2003. As grandes potências têm frequentemente feito intervenções em países produtores de petróleo - governando-os como colônias e, mais tarde, instalando e protegendo neles governantes amigos. Não obstante a invasão do Iraque em 2003, as grandes potências têm se tornado menos propensas a intervir em países produtores de petróleo desde o início da década de 1960, embora a taxa de conflitos no mundo da produção de petróleo tenha crescido.[35]

Esses três argumentos têm uma característica comum: todos eles implicam que a localização de poços de petróleo e gás natural de um país não é importante. Se eles estiverem certos, então tanto a riqueza petrolífera continental quanto a marítima ou lacustre (offshore) devem ter os mesmos efeitos indutores de conflito: ampliando o pote de ouro do Estado, enfraquecendo sua capacidade de se defender ou atraindo a intervenção estrangeira. Em contrapartida, se o petróleo é prejudicial porque incentiva secessão ou financia rebeldes, então ele deveria levar a um conflito apenas quando é encontrado em solo. Se estiver offshore, não pode nem ser reivindicado por separatistas locais nem atacado por rebeldes em busca de financiamento criminoso.[36]

---

[34] Fearon (2005, 487). Fearon observa que existe uma relação estatística entre exportações de combustíveis (medida como percentual do PIB) e uma medida de "observância governamental de contratos", derivada de investigações dos investidores. Após o controle de renda, ele mostra que Estados com mais exportações de combustíveis também são mais propensos a repudiar contratos com investidores. O repúdio de contratos pode não ser um bom indicador da força do Estado ou de sua capacidade para impedir uma guerra civil. O Capítulo 2 mostra que quase todos os estados produtores de petróleo no mundo em desenvolvimento repudiaram seus contratos com as companhias petrolíferas estrangeiras em 1960 e 1970, quando nacionalizaram suas indústrias de petróleo. Correlações entre petróleo e medidas de instituições governamentais, incluindo o respeito de governos aos contratos, também podem ser enganosas, devido a problemas que descrevo no Capítulo 6.

[35] Sarbahi, 2005; de Soysa; Gartzke e Lin, 2009.

[36] Há algumas exceções parciais. Poucos movimentos separatistas foram inspirados por reservas

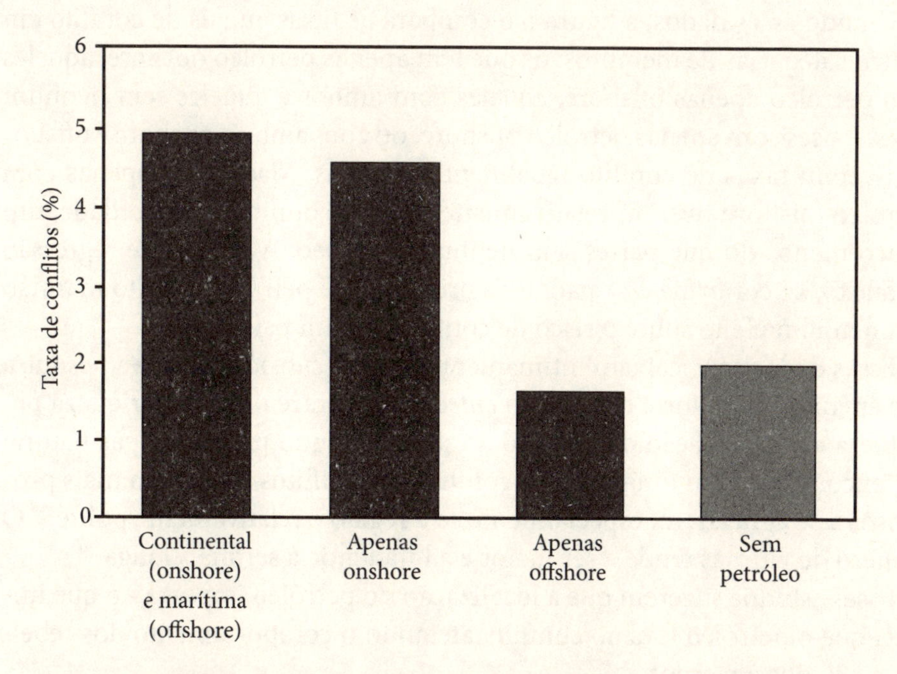

Figura 5.6. Taxas anuais de conflito pela localização de petróleo (%)
Essas barras mostram as taxas anuais de conflito entre 1960 e 2006 para países que produziram petróleo tanto offshore quanto onshore, só petróleo onshore, só petróleo offshore, ou nenhuma produção de petróleo.

Fontes: calculado a partir de dados de conflito de Gleditsch et al. (2002), para dados sobre a localização da produção de petróleo, consulte Lujala, Rød e Thieme (2007); complementados por dados da US Geological Survey n.d.)

É possível testar essas afirmações graças a um conjunto de dados sobre a localização dos poços de petróleo e gás natural produzidos pelos estudiosos noruegueses Päivi Lujala, Jan Ketil Rød e Nadja Thieme.[37] Entre 1960 e 2006, 95 países em algum momento produziram petróleo ou gás onshore e 58 países produziram petróleo ou gás offshore. 47 países produziram nas duas situações.

de petróleo em águas próximas - como em Achém, na Indonésia -, pelo menos se o petróleo é processado em solo e na região deles. Recentemente, militantes nigerianos atacaram plataformas de petróleo offshore. Como lanchas e dispositivos de navegação marítima se tornaram mais baratos, plataformas de petróleo offshore podem se tornar mais frequentemente alvo de conflitos violentos.

[37] Lujala, Rød e Thieme (2007). Acrescento mais 8 países ao conjunto de dados deles, com base nas informações do US Geological Survey (n.d.) e relatórios dos países da Energy Information Administration, disponíveis em http://tonto.eia.doe.gov/country/.

Usando esses dados, a figura 5.6 compara as taxas anuais de conflito em quatro categorias de membros: os que têm apenas petróleo onshore, aqueles com petróleo apenas offshore, aqueles com ambos e aqueles sem nenhum deles. Países com apenas petróleo onshore, ou com ambos, onshore e offshore, tiveram taxas de conflito igualmente elevadas. Mas países apenas com petróleo offshore tiveram relativamente poucos conflitos - na verdade, um pouco menos do que países sem nenhum petróleo. A análise de regressão no anexo 5.1 confirma esse padrão: a produção de petróleo em alto mar não tem nenhum efeito sobre o risco de conflito em um país.

Esses dados se encaixam intimamente em um subsídio de nova pesquisa que encontra uma forte correlação *entre países,* entre o local da riqueza petrolífera e a localização do conflito armado. Quando petróleo e gás natural são encontrados em uma zona de conflito, os conflitos se tornam mais propensos a se agravarem, especialmente se a região é relativamente pobre.[38] O número de vítimas tende a ser maior e a luta tende a ser mais longa.[39]

Esses estudos sugerem que a localização do petróleo importa - o que implica que o petróleo leva ao conflito, afetando o comportamento dos rebeldes e não dos governos.

Separatismo Baseado no Petróleo

A tabela 5.3 lista 16 conflitos separatistas que eclodiram em territórios ricos em petróleo entre 1960 e 2006.[40] Existem dois padrões notáveis. Em primeiro lugar, o perigo do separatismo abastecido por recursos naturais é muito maior para países pobres do que para ricos. Todos os 16 conflitos eclodiram em países com renda abaixo de US$ 2.100 per capita, enquanto 11 ocorreram em países com menos de US$ 1.000 per capita. Países com renda

[38] Dube e Vargas, 2009; Østby; Nordås e Rød, 2009.

[39] Lujala, 2009, 2010; Buhaug; Gates e Lujala, 2002.

[40] Oito desses conflitos começaram em países produtores de petróleo - o que significa que eles produziram pelo menos US$ 100 per capita de rendas de petróleo e gás natural no primeiro ano do conflito. Em seis desses oito casos, a extração de petróleo já estava em andamento na região separatista (Angola, Irã-Curdistão, Irã-Arabistão, Iraque, Nigéria-Delta do Níger e Rússia). Em dois casos, a extração ocorria em outras partes do país e estava prestes a começar na região onde a rebelião ocorreu (Indonésia e Iêmen). Os outros oito conflitos eclodiram em regiões ricas em petróleo de países que não cruzam o limite de US$ 100 per capita - ou porque o petróleo tinha sido descoberto, mas ainda não extraído (no Paquistão-Bangladesh, Bangladesh-Chittagong Hills, Nigéria-Biafra e Sudão), ou porque o petróleo estava relativamente escasso em nível nacional, apesar de ter sido abundante na região separatista (na China, Índia, Paquistão-Baluchistão e Turquia).

acima de US$ 2.100 per capita – aproximadamente os níveis da Jordânia ou de El Salvador - parecem enfrentar um perigo muito menor de guerras separatistas relacionadas com o petróleo.

Curiosamente, nenhum desses conflitos ocorreu na América Latina. O petróleo lá está estatisticamente associado a conflitos de disputa pelo governo, mas não separatistas. Isso não acontece porque o petróleo da América Latina possui propriedades excepcionalmente pacíficas; mas porque a região é basicamente à prova de separatismos. Não houve conflitos separatistas na América Latina por mais de um século. Para saber mais sobre a anomalia da América Latina, consulte Ross (2010).

Outros tipos de riquezas minerais, incluindo cobre e ouro, têm, por vezes, sido associados a movimentos separatistas em regiões excepcionalmente pobres - por exemplo, na ilha de Papua Nova Guiné e Bougainville na Papua Ocidental, província da Indonésia (Ross 2004c).

Tabela 5.3
Conflitos separatistas em regiões produtoras de petróleo

Essa tabela mostra os conflitos separatistas que eclodiram entre 1960 e 2010 em que grupos armados na região produtora de petróleo lutaram pela independência. A *renda do país* refere-se ao ano de início do conflito ou o ano mais próximo em que existam dados disponíveis. Os números estão em dólares per capita constantes de 2000.

País	*Anos de conflito*	*Renda do país*	*Região*
Angola	1975-2007	US$ 1.073	Cabinda
Bangladesh	1974-1992	US$ 243	Chittagong Hill
China	1991-	US$ 422	Xinjiang
Índia	1990-	US$ 317	Assam
Indonésia	1975-2005	US$ 303	Aceh
Irã	1966-	US$ 1.053	Curdistão
Irã	1979-1980	US$ 1.747	Arabistão
Iraque	1961-	US$ 2.961	Curdistão
Nigéria	1967-1970	US$ 267	Biafra

País	*Anos de conflito*	*Renda do país*	*Região*
Nigéria	2004-	US$ 438	Delta do Níger
Paquistão	1971	US$ 275	Bangladesh
Paquistão	1974-1977	US$ 280	Baluchistão
Rússia	1999-2001	US$ 1.613	Chechênia
Sudão	1983-2005	US$ 293	Sul
Turquia	1984-	US$ 2.091	Curdistão
Iêmen	1994	US$ 443	Sul

Fontes: calculado a partir de dados de conflito de Gleditsch et al. (2002); dados do Banco Mundial, 2010; números em falta retirados de Maddison (2009).

Em segundo lugar, 15 dos 16 conflitos eclodiram em regiões tradicionalmente habitadas por minorias étnicas ou religiosas.[41] Isso implica que a riqueza de recursos naturais, por si só, é insuficiente para iniciar um conflito separatista; ela é muito mais perigosa quando combinada com ressentimentos étnicos ou religiosos preexistentes. Enquanto meu modelo de guerra civil enfoca o papel das propriedades econômicas do petróleo - e propositadamente deixa ressentimentos étnicos de fora - no mundo real, as clivagens étnicas parecem desempenhar um papel crítico no separatismo baseado no petróleo.

Como podemos saber se eram rebeldes lutando altruisticamente pela independência ou rebeldes gananciosos prosperando em extorsão que estavam conduzindo essas insurgências? Uma maneira é observando os períodos de tempo. Enquanto a maioria dos conflitos na tabela 5.3 começou após o início da produção de petróleo, as guerras em Bangladesh, na Nigéria (Biafra), na Indonésia, no Sudão e no Iêmen eclodiram depois de o petróleo ter sido descoberto, mas antes de ele ser explorado - quando os saques ainda eram difíceis ou impossíveis. Um estudo excepcionalmente cuidadoso realizado por Lujala mostra que a mera descoberta de depósitos de hidrocarbonetos

[41] A única exceção nesse grupo foi a guerra civil de 1994 no Iêmen, quando o Partido Socialista Iemenita lutava para restabelecer a independência do Iêmen do Sul, que havia se tornado parte da República do Iêmen unificado em 1990. O território reivindicado pelos separatistas incluía reservas de petróleo recentemente descobertas na região de Hadramout.

tende a prolongar conflitos na região circundante, mesmo que a produção ainda não tenha começado.[42]

Um olhar mais atento sobre duas dessas guerras - na província de Achém, na Indonésia, e no sul do Sudão - ilustra como a riqueza de hidrocarbonetos pode inspirar um movimento separatista, mesmo quando não há saques. Os casos realçam duas maneiras diferentes pelas quais o petróleo pode precipitar o separatismo. Na Indonésia, ele desencadeou a formação de um exército separatista. No Sudão, ele ocasionou a repressão preventiva do governo.

O Separatismo em Achém

Achém é uma província no extremo norte da ilha de Sumatra, na fronteira noroeste da Indonésia. Como o resto da Indonésia, Achém é esmagadoramente muçulmana, embora sua população tenda a ser mais devota. A língua também é única, e Achém tem uma história de violência política. No século XIX, o sultanato independente de Achém ofereceu a mais feroz resistência ao domínio colonial holandês na Indonésia e só foi subjugado depois de trinta anos de guerra brutal (1873-1903). Embora seu povo tenha apoiado amplamente a criação da República da Indonésia no final de 1940, Achém foi o local de um levante, entre 1953 e 1962, que clamava por uma maior autonomia local e uma influência mais forte do islamismo no governo nacional.

O movimento de independência de Achém - amplamente conhecido como GAM (Gerakan Aceh Merdeka, ou Movimento do Achém Livre) - surgiu pela primeira vez em 1976, apenas alguns meses antes de uma importante nova unidade começar a ser explorada nos depósitos de gás natural da província. A "Declaração de Independência" do movimento, feita em 1976, protestava contra a "colonização" de Achém e o "roubo" de suas receitas de gás natural pelo governo indonésio (e pelo javanês, que o dominava), embora não se opusesse ao projeto de exploração de gás natural. Na verdade, o fundador do GAM, Hasan di Tiro, era um empresário que apenas alguns anos antes fracassara ao tentar ganhar um contrato de trabalho nas instalações de gás natural.[43]

[42] Lujala, 2010.

[43] Sjamsuddin, 1984; Robinson, 1998.

Durante suas duas primeiras décadas, o GAM manteve-se pequeno e apenas esporadicamente ativo. A maior parte do seu financiamento vinha do ditador líbio Muammar Kadafi, que apoiou movimentos radicais em muitos países pró-ocidente. De 1976 a 1979, as atividades do GAM restringiam-se a distribuir panfletos e levantar a bandeira de Achém.[44] De 1979 a 1989, os líderes do GAM foram para o exílio na Líbia e, durante esse período, mantiveram pouca ou nenhuma presença na Indonésia.

Em 1989, algo entre 150 e 800 combatentes treinados na Líbia entraram em Achém através da Malásia e de Cingapura, sinalizando o início da segunda encarnação do GAM.

A organização, agora com formação maior e melhor, estava também mais agressiva. Primeiramente atacou unidades da polícia e do exército indonésios, em seguida, expandiu seus alvos para autoridades civis, estabelecimentos comerciais, suspeitos de serem informantes do governo e habitantes não originários de Achém.[45]

A resposta do governo foi dura. Em junho de 1990, o Presidente Suharto declarou lei marcial em Achém e ordenou uma tropa adicional de 6.000 soldados para a região. Até o final de 1991, muitos comandantes de campo do GAM haviam sido capturados ou mortos. A brutalidade do governo, porém, produziu uma antipatia profunda em direção à Jacarta, contribuindo, em última análise, para a revitalização do GAM em 1999.

Entre 1991 e 1998, houve poucos sinais de atividade do GAM em ACHÉM, e muitos moradores passaram a acreditar que o movimento já não existia. No entanto, no início de 1999, o GAM reapareceu e começou a crescer mais rapidamente do que antes. Em meados de 2001, a organização teve de dois a três mil combatentes regulares e um adicional de 13.000 a 24.000 membros. No seu auge, esteve supostamente no controle de 80% das localidades de Achém.[46]

Por que o GAM cresceu tão rapidamente depois de 1999, após vinte e três anos de pouca atividade esporádica? Uma das causas do retorno do GAM foi a queda do ditador Suharto, em 1998, e a subsequente abertura democrática da Indonésia. Esse fato afrouxou a pressão militar sobre a região, permitindo que a recente liberdade da imprensa de Achém relatasse as execuções sumárias, a tortura, os estupros e os roubos cometidos pelas forças do governo ao

[44] Sjamsuddin, 1984; Hiorth, 1986.

[45] Robinson, 1998.

[46] International Crisis Group (Grupo de Crise Internacional), 2001.

longo da década anterior. Outra causa foi a crise financeira asiática, que causou uma contração de 17,8% na economia da Indonésia em 1998, fazendo com que ela crescesse apenas 0,4% em 1999.

Esses fatores deram nova relevância aos argumentos de longa data do GAM sobre os benefícios econômicos da independência. Logo depois do retorno, alto-falantes e panfletos do GAM vieram a público alegando que a elite javanesa da Indonésia estava roubando a riqueza natural do Achém e que, ao se tornar independente, Achém seria tão rica quanto Brunei, o sultanato islâmico rico em petróleo na vizinha Bornéu. Essa foi uma afirmação altamente atraente, uma vez que a renda per capita de Brunei era quase vinte vezes maior que a da Indonésia. Mas também não era verdade: mesmo sob os pressupostos mais generosos, na melhor das hipóteses, a independência poderia elevar em até 50% a renda per capita em Achém, nunca em 2.000%.

Os últimos seis anos da rebelião em Achém foram os mais sangrentos, causando talvez dez mil mortes. Depois de anos de impasse político, os dois lados voltaram à mesa de negociações pouco depois de ACHÉM ser devastada pelo tsunami catastrófico de dezembro de 2004. O acordo de agosto de 2005 que pôs fim à guerra deu a Achém considerável autonomia, juntamente com 70% das receitas de todos os projetos de hidrocarboneto atuais e futuros.[47] O acordo foi provavelmente facilitado pelo iminente esgotamento das reservas de gás natural de Achém, o que aliviou o medo do governo de que a autonomia local privasse Jacarta de receitas substanciais.

A riqueza de gás natural de Achém foi apenas um dos muitos fatores que contribuíram para a insurgência. A cultura distinta da região, a crise econômica, a crueldade do regime militar e a queda de Suharto também foram importantes. Nas duas primeiras décadas de produção de gás, o GAM não passou de um aborrecimento menor para o governo.

Ainda assim, a indústria petrolífera de Achém desempenhou um papel crítico. A Indonésia tem centenas de minorias étnicas e religiosas que também foram afetadas pela ditadura militar, pela crise econômica e pela queda de Suharto, mas foi o povo de Achém que, em última análise, deu suporte a um movimento de independência violento e de grande porte.[48] Um dos

---

[47] Para mais detalhes sobre o caso de Achém, consulte Kell, 1995; Ross, 2005b; Aspinall, 2007.

[48] Após 1998, a Indonésia teve outros dois movimentos significativos de independência: um em Papua Ocidental e outro no Timor Leste, uma ex-colônia portuguesa rica em minerais que tornou-se independente em 1975 e foi invadida pela Indonésia pouco depois. Depois de um referendo patrocinado pela ONU em 1999, o Timor Leste tornou-se um Estado soberano em 2002.

principais motivos para isso foi que a população de Achém acreditava que a independência lhes permitiria capturar as receitas que iam para o governo central e os postos de trabalho que iam para imigrantes. Mesmo sem o envolvimento do GAM em pilhagens de recursos, a riqueza de gás natural de Achém ajudou a provocar a guerra civil, gerando apoio generalizado à independência, já que havia a presença de condições agravantes.

Repressão Preventiva no Sudão do Sul

O conflito de Achém foi iniciado por um movimento de independência que disparou o primeiro tiro na guerra de 30 anos. Mas, por vezes, a riqueza de recursos pode levar a conflitos separatistas nos quais o governo faz o primeiro movimento. Isso acontece quando, por exemplo, o governo antecipa pressões separatistas em uma região rica em recursos e reprime preventivamente a população local.

Em 1983, o presidente sudanês Gaafar Numeiry colocou campos de petróleo recém-descobertos no sul do país sob a jurisdição do norte e decidiu construir uma refinaria de petróleo no norte do país, em vez de construí-la no sul. Esses movimentos contribuíram para um colapso em uma trégua de onze anos entre o norte predominantemente muçulmano e o sul fortemente cristão e animista. O principal grupo insurgente, o Exército de Libertação do Povo do Sudão, denunciou que o norte estava roubando os recursos do sul, incluindo o petróleo, e exigiu que o governo interrompesse a operação em um oleoduto que levava petróleo do sul à refinaria no norte. Em fevereiro de 1984, o grupo atacou uma base de exploração de petróleo, levando o projeto a um impasse.[49]

Contudo, foram as ações do governo, antecipando que o petróleo aumentaria os sentimentos de independência no sul do país, e não do Exército de Libertação do Povo do Sudão que provocaram o conflito. O governo também foi responsável por alguns dos atos de maior brutalidade da guerra quando, em 1999 e 2000, realizou execuções sumárias, cometeu crimes de estupro e fez ataques em solo e com bombardeios de helicópteros para forçar dezenas de milhares de pessoas a deixar suas casas nas regiões onde o petróleo havia sido descoberto, mas ainda não explorado.[50]

---

[49] O'Ballance, 2000; Anderson, 1999.

[50] Anistia Internacional, 2000.

Em abril de 1999, por exemplo, a Lundin Oil (uma empresa sueca) descobriu uma grande reserva de petróleo em Thar Jath. As tropas do governo deslocaram dezenas de milhares de pessoas da área cerca de um mês depois, em antecipação a conflitos com os moradores. No entanto, quando os combates eclodiram, 10 meses depois, a Lundin Oil suspendeu as operações, enquanto o governo usou bombardeio aéreo, queima de aldeias e execuções sumárias para despovoar uma grande área ao redor do campo de petróleo. Pouco tempo depois, a Lundin Oil retomou a operação.[51]

Depois de mais de duas décadas de combate, os dois lados assinaram um acordo de paz em janeiro de 2005. Na sequência de um referendo popular em janeiro de 2011, o sul do Sudão tornou-se um estado independente. Como ficou com a maioria dos campos de petróleo, o Sudão do Sul precisa dos oleodutos do Sudão para exportar seu petróleo. Isso permite que o governo de Cartum recolha uma parte das receitas. Como em Achém, a mediação internacional ajudou a resolver um conflito de décadas que foi muitas vezes agravado pela riqueza petrolífera.

A Violência Financiada pelo Petróleo

Existe também um bom caso de estudo que prova que o petróleo leva a um conflito através de saques. Durante a Guerra Fria, as superpotências e seus aliados financiaram muitas insurgências. Desde o fim da Guerra Fria, porém, os insurgentes dependem cada vez mais das receitas dos recursos naturais, especialmente de pedras preciosas, madeira e petróleo.[52]

Os insurgentes têm encontrado três maneiras de levantar dinheiro a partir das instalações nacionais de petróleo em seus países: roubando o ativo propriamente dito, agindo por meio de extorsão e sequestro ou vendendo os direitos futuros sobre o petróleo para investidores estrangeiros. As rebeliões na Nigéria, na Colômbia, no Congo-Brazzaville e na Guiné Equatorial ilustram essas estratégias para obter fundos.

---

[51] Christian Aid, 2001.

[52] Keen, 1998; Ross, 2006a; Kalyvas e Balcells, 2010.

Roubo de Petróleo na Nigéria

O primeiro método consiste em roubar o petróleo drenando-o diretamente dos gasodutos (também conhecido como "bunkering") ou sequestrando caminhões e navios-tanque de petróleo. O petróleo roubado é, então, vendido no mercado negro.[53] O roubo de petróleo pode ser pequeno ou grande. Só em 2006, os insurgentes iraquianos ganharam entre 25 e 100 milhões de dólares com o contrabando de petróleo e atividades conexas.[54] Mas provavelmente em nenhum outro lugar o roubo de petróleo foi maior que na Nigéria.

O Delta do Níger tem uma história longa e complexa de pobreza, repressão do governo, rivalidades étnicas e violência organizada.[55] Desde meados dos anos 1960, a região teve três episódios de militância e rebelião. Nos dois primeiros, sua riqueza petrolífera deu às minorias locais um incentivo para apoiar grupos que lutavam pela autonomia e independência. Mais recentemente, também ajudou a financiar milícias antigovernamentais através de roubo de petróleo e extorsão.

O Delta do Níger é o lar de vinte milhões de pessoas e abrange setenta mil quilômetros quadrados - aproximadamente o tamanho da Irlanda ou do estado norte-americano de West Virginia. Pântanos, rios e florestas tropicais cobrem a maior parte de suas terras. Essa região é uma das mais pobres e etnicamente fragmentadas da Nigéria. Entre 1650 e 1800, talvez um quarto dos escravos africanos enviados para as Américas foram enviados de portos no delta. O Delta do Níger mais tarde se tornou uma importante fonte de óleo de palma, produzida sob condições desumanas durante o domínio britânico.

O primeiro grande episódio de violência da região, na sequência da independência da Nigéria, foi a guerra separatista ocorrida entre 1960 e 1970. O conflito foi causado, em parte, por tensões entre a população de etnia Igbo e a não Igbo, que havia crescido desde a independência. A riqueza do petróleo, porém, contribuiu para o conflito: a crença de que um estado independente Igbo (Biafra) prosperaria foi influenciada pela crescente consciência da di-

---

[53] Em um artigo sobre recursos naturais e guerra civil, especulei que o petróleo era "relativamente impossível de ser saqueado" em comparação com recursos como madeira e diamantes aluviais (Ross, 2003). Rebeldes na Nigéria e no Iraque, desde então, provaram o contrário. Sou grato a Michael Watts (2007) por apontar isso.

[54] Burns e Semple, 2006.

[55] Esta seção é baseada nos relatórios do International Crisis Group (2006a, 2006b); Watts (1997, 2007); Osaghae (1994); Omeje (2006).

mensão das reservas de petróleo da região. Em 1967, o governador regional instruiu seu governo a recolher todas as receitas petrolíferas originadas no estado, em vez de permitir que as receitas passassem para o governo federal. O governo federal reagiu com a criação de três novos estados no delta, o que ofereceu a perspectiva de maior riqueza e autonomia para os grupos de minorias da região, mas privou os Igbo das receitas do petróleo. O governador respondeu proclamando a independência de Biafra, o que marcou o início de uma guerra catastrófica de três anos.

Na década de 1990, o delta havia se tornado a fonte da maior parte da riqueza petrolífera da Nigéria, fornecendo ao governo uma fração significativa das suas finanças e ao país quase todas as suas exportações. No entanto, continuou sendo uma das regiões mais pobres da Nigéria. De acordo com uma pesquisa do governo de 1996, a taxa de pobreza do Delta do Níger era de 58,2%, a mais alta do país, e as taxas de alfabetização e acesso a serviços de saúde e saneamento eram excepcionalmente baixas.

A combinação da pobreza local persistente com a expansão da indústria do petróleo levou a um segundo surto de violência política entre 1990 e 1995. Mais uma vez, a disputa pelas receitas do petróleo desempenhou um papel crítico. Por volta de 1990, o Movimento para a Sobrevivência do Povo Ogoni (MOSOP) e vários grupos aliados começaram a argumentar que a exploração do petróleo da região levou a degradação ambiental, problemas de saúde, deterioração das zonas de pesca e genocídio da população ogoni. O MOSOP exigiu do governo federal uma "parte justa" dos recursos econômicos originários do território dos Ogoni. Grupos aliados foram ainda mais além, afirmando o direito à autodeterminação e ao controle total sobre os direitos do petróleo em suas terras tradicionais.

Em dezembro de 1992, os líderes do MOSOP exigiram dez bilhões de dólares de empresas petrolíferas instaladas no território Ogoni, bem como a recuperação ambiental e outras medidas. Eles também ameaçaram interromper suas operações se as empresas não atendessem a essas exigências no prazo de trinta dias. O governo respondeu com a repressão militar. Confrontos violentos eclodiram, alguns meses depois, entre os Ogonis e os vizinhos Andonis, confrontos esses que os Ogoni acreditavam terem sido instigados pelo governo. Em 1994, o líder do MOSOP, Ken Saro-Wiwa, e outros oito integrantes do movimento foram presos. Eles foram levados a julgamento e executados em 1995.

A morte dos líderes do MOSOP pouco adiantou para sanar os problemas do Delta do Níger. Desde 1997, a região tem sido marcada por conflitos intermitentes entre milícias armadas e as forças do governo e entre as próprias milícias. Os objetivos dessas milícias variam: alguns querem a separação completa, outros exigem mais receitas do petróleo, mas não a independência, e outros são apenas grupos criminosos sem nenhum objetivo político evidente.

Os grupos militantes - o mais proeminente, o Movimento para a Emancipação do Delta do Níger - levantaram somas notáveis de dinheiro, em parte por meio de extorsão e em parte através do roubo de petróleo. A extorsão era feita por meio de ataques às infraestruturas de petróleo do delta. A estatal Nigerian National Petroleum Company estimou que, entre 1998 e 2003, suas instalações foram vandalizadas cerca de quatrocentas vezes; suas perdas totalizaram mais de um bilhão de dólares ao ano. Nas eleições de 2003, a Chevron informou 500 milhões de dólares em danos às suas infraestruturas.

Para evitar mais sabotagem, muitas empresas já fazem pagamentos diretos ou indiretos aos militantes. As empresas ocidentais muitas vezes têm regras que proíbem esses tipos de pagamentos; eles são, portanto, disfarçados sob "contratos de vigilância" dados a grupos para proteger oleodutos, estações de fluxo, poços e outras instalações. Os líderes militantes, por vezes, gabam-se publicamente desses contratos altamente lucrativos. O International Crisis Group relatou que em março de 2005, vários meses após o líder da milícia Asari, Alhaji Dokubo, e seu grupo assinarem uma anistia com as autoridades nigerianas, seu vice, Alali Horsefall, revelou a um pesquisador do Crisis Group que havia ganhado mais de US$ 7.000 por mês a partir de contratos com a Shell detidos pela sua empresa, a Dukoaye Security Services, por serviços de segurança, vigilância e desenvolvimento da comunidade, bem como por serviços de reparação de gerador para os poços de petróleo que, segundo admitiu, não tinha capacidade para realizar. Ele também disse que tinha contratos com as empresas de petróleo Daewoo, Nissco, Willbros e outras. Quando questionado sobre como um líder do grupo militante mais temido do Delta havia conseguido tais contratos com empresas petrolíferas estrangeiras, ele respondeu: "Se eles não aceitassem, lutaríamos contra eles."

Algumas milícias também conseguem dinheiro por meio do roubo e da venda de petróleo. Segundo outro relatório do International Crisis Group, especialistas do setor estimam que a Nigéria perde de 70.000 a 300.000 barris por dia para o abastecimento ilegal. Isso é o equivalente à produção de um pequeno país produtor. No seu último relatório anual, lançado no final de agosto de 2006, a Shell Nigéria estimou perdas entre 20.000 e 40.000

barris por dia para o abastecimento ilegal em 2005. Houve uma queda nos números, que em 2004 ficaram entre 40.000 e 60.000 barris por dia.[56]

O petróleo roubado é carregado em barcaças e rebocadores até os navios e caminhões que o transportam para ser vendido a refinarias ao redor do mundo. Funcionários do governo frequentemente desempenham um papel importante nessas transferências, fornecendo escoltas ou permitindo a passagem pelos postos de controle. No início de 2006, o petróleo "Bonny Light" bruto da Nigéria foi vendido nos mercados mundiais a cerca de US$ 60 o barril. A esse preço, o roubo diário de 40.000 barris rendia cerca de 2,4 milhões dólares por dia, o que perfaz 876 milhões dólares em um ano. Uma grande parte desses recursos foi para o financiamento de grupos militantes que lutavam contra o governo, o que ajudou a tornar esse um dos conflitos de mais difícil solução no mundo.

Extorsão e Sequestro na Colômbia

A venda de petróleo roubado pode ser extremamente rentável, mas apenas quando os insurgentes têm uma sofisticada infraestrutura de segurança e transporte à sua disposição que lhes permita coletar o óleo, transportá-lo em solo ou pelo mar, evitar ou subornar oficiais de fronteira e finalmente vendê-lo para compradores cúmplices. Na Nigéria e no Iraque, essas atividades dependiam da conivência ou da participação ativa de funcionários do governo. Quando os insurgentes são muito fracos ou pobres para roubar e comercializar o petróleo, eles conseguem dinheiro extorquindo fundos ou sequestrando e exigindo resgate dos empregados das empresas de petróleo.

A extorsão e o sequestro têm desempenhado um papel importante no conflito na Colômbia, ajudando a transformá-lo de uma insurgência menor no início de 1980 em uma guerra civil no início de 2000. A Colômbia é um país produtor de petróleo modesto. Em 2006, ganhou cerca de 300 dólares per capita em petróleo e gás natural, que representam cerca de 12% do PIB. O conflito atual começou em meados dos anos 1960, quando dois grandes grupos insurgentes - as Forças Armadas Revolucionárias da Colômbia (FARC) e o Exército de Libertação Nacional (ELN) - foram fundados com o apoio da União Soviética e de Cuba, respectivamente.[57]

Durante as décadas de 1960 e 1970, esses e outros grupos de esquerda

[56] International Crisis Group, 2006a, 2006.

[57] Esses dados do conflito colombiano são baseados em Chernick, 2005; Pearce, 2005; Pax Christi Holanda, 2001.

se empenhavam em guerrilhas contra o Estado colombiano. O petróleo não desempenhava nenhum papel óbvio no conflito. Isso começou a mudar por volta de 1983, quando a Occidental Petroleum descobriu um grande campo de petróleo no sul do estado de Arauca, onde o ELN tinha uma presença modesta. Na época, o ELN era pequeno. Havia sido quase dizimado por uma grande derrota militar em 1973 e, até o final da década de 1970, seu tamanho fora reduzido a não mais que quarenta guerrilhas.

Em 1984, uma empresa alemã, a Mannesmann AG, começou a construir um oleoduto de 184 milhas para o transporte de petróleo de Arauca para a costa do Caribe. Depois de apenas três semanas de trabalho, o ELN lançou o primeiro de quatro ataques ao projeto; com o sequestro de três trabalhadores seguido de uma série de greves dos trabalhadores. De acordo com o gerente do projeto, tanto a empresa estatal de petróleo (Ecopetrol) quanto a Occidental aconselharam a Mannesmann a chegar a um acordo com os rebeldes. A Mannesmann pagou uma grande soma de dinheiro ao ELN, de vários milhões de dólares ou talvez mais e, em seguida, concluiu a implantação dos oleodutos dentro do cronograma.

As táticas do ELN, no entanto, foram muito bem-sucedidas para que eles desistissem. No final de 1986, o ELN começou a usar o slogan "Acorde, Colômbia. . . Estão roubando nosso petróleo" e retomou os ataques ao oleoduto agora concluído. Entre 1986 e 2001, as tubulações foram explodidas 911 vezes. As técnicas de extorsão do ELN, que incluíam o sequestro de funcionários das empresas de petróleo, eram tão lucrativas que foram adotadas por outros grupos. Esses grupos eram formados por paramilitares que extorquiam dinheiro das empresas de petróleo e autoridades locais, e pelas Farc, que já estavam lucrando com o comércio de drogas. Assim que as FARC se tornaram a força dominante em Arauca, em 2001, o oleoduto foi bombardeado 170 vezes, um número recorde.

Graças ao dinheiro obtido com os sequestros e atentados ao oleoduto, o ELN cresceu em tamanho e influência. Em 1983, o grupo tinha apenas três frentes ativas; em 1986, tinha onze. Antes da campanha de bombardeamento, contava com apenas quarenta guerrilheiros; no fim de 1990 tinha cerca de três mil. A extorsão pelos insurgentes só revela uma parte da história: organizações paramilitares ligadas ao governo também arrecadavam dinheiro através de extorsão. Um estudo inovador realizado em novecentos municípios colombianos entre 1988 e 2005 pelos economistas Oeindrila Dube e Juan Vargas constatou que os municípios produtores de petróleo estavam mais frequentemente sujeitos à violência paramilitar, especialmente quando os preços

do petróleo subiam.[58] Os lucros do petróleo e das drogas ilícitas alimentaram ambos os lados na Colômbia, o que ajudou a transformar uma insurgência de baixo nível na década de 1960 e 1970 em uma guerra civil em larga escala hoje.

Venda de Direitos Futuros no Congo-Brazzaville

Os rebeldes também costumam usar, ocasionalmente, uma maneira mais sofisticada de arrecadar dinheiro a partir do petróleo: vendendo o que poderia ser chamado de "direitos futuros." Quando os líderes insurgentes estão bem conectados e têm uma boa chance de vitória, às vezes vendem o direito de extração do petróleo que esperam eventualmente controlar. Fazendo isso, eles não estão vendendo petróleo nem extorquindo dinheiro das empresas de petróleo ou do governo do seu país; em vez disso, estão vendendo os direitos futuros a uma concessão de petróleo, que só podem ser trocados quando os rebeldes forem vitoriosos. Os insurgentes estão, na verdade, vendendo os direitos futuros sobre o butim de guerra, ou seja, sobre o futuro espólio de guerra.

A venda de direitos futuros sobre o petróleo que vier a ser espólio de guerra tem uma característica perigosa: se um grupo rebelde for incapaz de efetuá-la, pode não conseguir os fundos necessários para capturar o próprio espólio. Vender os direitos futuros sobre o ativo torna sua apreensão possível. Sem um comprador para o ativo que o grupo rebelde espera capturar, a ofensiva rebelde - e talvez o próprio conflito - têm menos chances de ocorrer.

Os fundos levantados a partir de espólios futuros ajudaram a desencadear a guerra civil que eclodiu no Congo-Brazzaville (também conhecido como República do Congo) no início de junho de 1997. Congo-Brazzaville é uma ex-colônia francesa que tem sido um grande exportador de petróleo desde 1974. Durante a maior parte de sua história, o país foi controlado por governos autoritários, começando a rumar em direção à democracia no início de 1990. Desde então, enfrentou três conflitos de baixo nível, em 1993-94, 1999 e 2002, e uma grande guerra civil entre 1997 e 1998.

A guerra civil de 1997-98 no Congo-Brazzaville começou quando o presidente congolês Pascal Lissouba enviou forças do governo para cercar o composto privado de seu principal rival, Denis Sassou Nguesso.[59] Sassou foi presidente do Congo de 1979 a 1992. Ele esperava ser eleito novamente

[58] Dube e Vargas, 2009.

[59] Para uma descrição mais completa do papel do petróleo nos conflitos do Congo-Brazzaville, incluindo os conflitos de antes e depois de 1997-1998, consulte Englebert e Ron, 2004.

e estava concorrendo nas eleições. Sassou tinha sua própria milícia privada, e a guerra civil foi desencadeada quando sua milícia entrou em confronto com tropas do governo fora de seu composto.

A milícia privada de Sassou foi financiada, em parte, pela venda de direitos futuros sobre a exploração de reservas de petróleo do Congo. Na véspera do conflito, Sassou recebeu um apoio significativo de uma empresa de petróleo francesa, a Elf Aquitaine (hoje Total). Alguns relatórios sugerem que ele recebeu 150 milhões de dólares em dinheiro; outros afirmam que a Elf Aquitaine o ajudou a comprar armas.[60]

A Elf Aquitaine tinha boas razões comerciais para comprar contratos futuros de petróleo de Sassou. Quando era presidente, entre 1979 e 1992, ele mantinha excelentes relações com a Elf Aquitaine e com o governo francês, dando à empresa francesa controle quase exclusivo sobre o petróleo do Congo. Quando Lissouba assumiu em 1992, o novo presidente começou a abrir a indústria de petróleo do país para outras empresas, incluindo a Occidental Petroleum, a Exxon, a Shell e a Chevron. O governo de Lissouba também apresentou uma proposta de lei ao Parlamento que dava ainda mais acesso ao petróleo congolês a novas empresas. A Elf Aquitaine apoiou Sassou em sua tentativa de substituir Lissouba a fim de recuperar sua posição dominante sobre o petróleo do Congo.

Esse acabou sendo um investimento inteligente para a Elf Aquitaine. Depois de uma guerra sangrenta de quatro meses, Sassou derrubou Lissouba e arquivou a legislação pendente, devolvendo à Elf Aquitaine uma posição dominante.[61] Sassou também lucrou: depois de derrotar o governo na guerra

---

[60] Galloy e Gruénai, 1997; consulte também Johannesburg Mail e Guardian, 17 de outubro de 1997.

[61] Observadores de longa data da África francófona podem se perguntar se a Elf Aquitaine estava apoiando Sassou por razões comerciais ou se estava agindo em nome dos interesses políticos do governo francês. Até 1994, a Elf Aquitaine era uma empresa estatal e trabalhava em estreita colaboração com o governo para promover os interesses políticos franceses na África, mas, em 1994, foi privatizada, e sua nova liderança adotou uma postura mais comercial com governos estrangeiros. Embora o envolvimento da Elf Aquitaine na guerra do Congo tenha sido amplamente escrutinado pelos meios de comunicação e por tribunais franceses e belgas, nenhuma evidência de que a Elf Aquitaine apoiou Sassou em nome ou sob ordens do governo francês veio à tona. Sassou não foi o único no conflito congolês a usar a venda de direitos futuros. Quando os combates eclodiram, em junho de 1997, o presidente em exercício, Lissouba, precisava desesperadamente de armas para sufocar a rebelião. Em julho de 1997, o governo de Lissouba aproximou-se de Jack Sigolet, que por muito tempo trabalhou como financiador da Elf Aquitaine no FIBA, um banco francês. De acordo com uma entrevista que Sigolet mais tarde deu a um jornal belga, no final de julho [1997], as autoridades congolesas já o questionavam sobre a possibilidade de organizar o pré-financiamento envolvendo petróleo bruto:

civil de 1997-98, tornou-se presidente mais uma vez e encerrou a experiência democrática do Congo. Ele foi esmagadoramente reeleito para o cargo em 2002 e 2009, quando os principais partidos de oposição boicotaram a votação ou foram impedidos de participar.

A Mancha de Wonga na Guiné Equatorial

A venda de direitos futuros também pode levar a outros tipos de atos violentos. Em março de 2004, mercenários estrangeiros tentaram derrubar o governo de Guiné Equatorial, rica em petróleo. Como os conspiradores foram apanhados na véspera do golpe de Estado, o incidente não levou a uma guerra civil, mas chegou perto. Muitos foram levados a julgamento, por isso foi possível traçar um retrato extraordinariamente completo do financiamento dessa operação, que veio de uma quantia absurda de dinheiro conhecida como "splodge de wonga". Esse dinheiro é arrecadado através da venda de direitos futuros.[62]

A Guiné Equatorial é uma ex-colônia espanhola governada desde 1979 por Teodoro Obiang Nguema Mbasogo, que derrubou seu tio em um golpe militar. O país é altamente corrupto e antidemocrático. Na sequência da descoberta de petróleo, em 1996, tornou-se também um dos maiores produtores da África. Nunca antes havia enfrentado uma guerra civil.

A tentativa de golpe em 2004 não foi organizada por oficiais militares desonestos ou pela oposição política, mas por uma equipe de estrangeiros liderados por Simon Mann, um mercenário britânico conhecido com base na África do Sul. Mann foi o fundador de duas empresas - Executive Outcomes e Sandline International - que forneciam forças mercenárias às guerras civis em Serra Leoa e Angola na década de 1990.

Em março de 2004, Mann fez arranjos para transportar 65 mercenários estrangeiros para Guiné Equatorial a partir do Zimbábue. Na Guiné Equatorial, sua equipe estava planejando se juntar a 15 mercenários armênios e

"Se eu me lembro corretamente, eles precisavam de US$ 50 milhões. Minha preocupação era descobrir quantos barris tinham disponíveis. Eles deram a entender que tinham acesso a 10.000 barris por dia, número que poderia ser aumentado para 15.000 em outubro. Preparei um contrato de petróleo bruto convencional, sem saber quem seria o comprador (citado em Lallemand, 2001). Felizmente, Lissouba não conseguiu encontrar alguém para comprar esses direitos futuros. Ele foi rapidamente perdendo a guerra e tornou-se demasiadamente arriscado apostar. Se ele tivesse conseguido, a guerra poderia ter sido mais longa e mais cara.

[62] O relato é baseado em Roberts, 2006; Barnett, Bright e Smith, 2004.

sul-africanos já instalados no país, depor Obiang e substituí-lo por Severo Moto, um político da oposição exilado.

As autoridades da Guiné Equatorial e do Zimbábue foram avisadas, e o golpe foi evitado no último momento. O avião cheio de mercenários foi preso em Harare, no Zimbábue, e os outros conspiradores foram apanhados na Guiné Equatorial. Mann foi mais tarde condenado a sete anos de prisão no Zimbábue, e seus companheiros mercenários foram condenados a doze meses. Em 2008, Mann foi extraditado para a Guiné Equatorial e condenado a 34 anos de prisão. No ano seguinte, ele recebeu um perdão presidencial e foi libertado.

A tentativa de golpe foi logisticamente complexa e não teria sido possível sem um financiamento substancial. Um grupo de empresários britânicos e sul-africanos financiou o projeto, usando contas bancárias offshore nas Ilhas Virgens Britânicas e em Guernsey para esconder suas transações. Os investidores levantaram entre três e quatorze milhões de dólares - o total nunca ficou claro - que deveriam ser pagos de volta em receitas do petróleo da Guiné Equatorial. Alguns tiveram a promessa de um retorno de dez vezes o valor investido em apenas dez semanas; outros estavam planejando formar sua própria companhia de petróleo a fim de obter acesso a concessões de petróleo na Guiné Equatorial. Moto, o candidato a presidente, alegadamente ofereceu a Mann dezesseis milhões de dólares e um lote de lucrativos contratos com o governo. Aos mercenários, foram prometidos bônus extraordinários se a operação fosse bem-sucedida. Embora a maioria dos investidores tenha permanecido anônima, Mark Thatcher - filho da ex-primeira-ministra britânica, Margaret Thatcher – foi declarado culpado, em um julgamento na África do Sul em 2005, da acusação de ter ajudado a financiar a tentativa de golpe. Ele recebeu uma pena suspensa e pagou uma multa vultuosa.

Tanto Sassou, no Congo-Brazzaville, quanto Mann, na Guiné Equatorial, arrecadaram dinheiro para seus empreendimentos com a venda de acesso futuro às receitas do petróleo que eles esperavam capturar. Se seus alvos fossem governos em países sem petróleo, eles teriam encontrado mais dificuldades para arrecadar dinheiro suficiente para financiar seus ataques. A venda de direitos futuros proporcionou-lhes uma maneira de transformar a riqueza do petróleo do governo em uma arma contra ele mesmo.[63]

A ligação entre a riqueza do petróleo e os conflitos pode ser enganosa: empresas de petróleo e de mineração, por vezes, trabalham em regiões instá-

[63] Para mais informações sobre o comércio de direitos futuros sobre saques e exemplos dessas operações no setor de diamantes, consulte Ross 2005a.

veis, onde o risco de conflitos já é elevado. Mas a produção de petróleo tende a aumentar o perigo de uma guerra civil, em especial nos países de baixa e média renda e, mais particularmente, a partir de 1991.

A maioria dos conflitos relacionados ao petróleo são relativamente pequenos. Alguns deles - como os recentes conflitos na Colômbia e no Delta do Níger - são travados por grupos que visam mais a prática de extorsão do que movimentos de libertação. Outros têm sido lutas reais pela autodeterminação, como os movimentos de independência no Curdistão iraquiano, no sul do Sudão e na província de Achém, na Indonésia.

O petróleo não é a única fonte de conflitos e nunca torna um conflito inevitável. Desde 1970, quase metade de todos os países produtores de petróleo se encontram livres de conflitos. Infelizmente, muitos dos mais novos produtores de petróleo do mundo são países de baixa renda que já enfrentam altos riscos de conflito, particularmente na África, na bacia do Cáspio e no Sudeste Asiático. A maioria deles tem petróleo apenas o suficiente para durar uma década ou duas. Se sucumbirem à guerra civil, desperdiçarão qualquer esperança de usar a riqueza do seu petróleo para escapar da pobreza.

Anexo 5.1: Uma Análise Estatística entre Petróleo e Conflitos Civis

Esse anexo descreve uma série de regressões logísticas que exploram a correlação entre a renda do petróleo e a probabilidade de uma guerra civil.

Quatro hipóteses testáveis podem ser extraídas do modelo de conflito no Capítulo 5:

Hipótese 5.1: quanto maior a renda per capita de petróleo de um país, maior a probabilidade de que uma guerra civil comece.

Hipótese 5.2: quanto mais baixa a renda per capita de um país, maior o impacto do petróleo sobre a probabilidade de conflito.

Hipótese 5.3: a taxa de guerras civis em países produtores de petróleo deveria ser maior após 1980 do que antes de 1980.

Hipótese 5.4: se o petróleo for extraído de instalações offshore, não aumentará o risco de conflitos.

Dados e Métodos

Uma vez que minha variável dependente - o início da guerra civil - é dicotômica, uso regressões logísticas para estimar meus modelos. Enquanto inícios de guerra civil são eventos raros - entre 1960 e 2006, apenas 193 desses conflitos começaram em cerca de 6.200 países - os resultados com logito são praticamente idênticos aos produzidos com o estimador de logito para eventos raros de King-Zen. Desse modo, prefiro usar logito, já que é mais familiar para outros estudiosos.

Para resolver o problema da dependência temporal - o fato de que, para um determinado país, muitas observações ao longo do tempo são estatisticamente relacionadas - sigo o conselho de Nathaniel Beck, Jonathan Katz e Richard Tucker, adicionando três splines cúbicas para cada modelo e controlando o número de anos desde o fim do conflito anterior no mesmo país.[64] Aplico uma defasagem a todas as variáveis explicativas em um único período para ajudar a mitigar a endogeneidade e agrupar os erros padrão por país.

Variáveis Dependentes

A variável dependente principal é o início do conflito. Eu a construo a partir do conjunto de dados Conflitos Armados de 2007 (versão 4), que é o conjunto de dados mais abrangentes e transparentes definido para conflitos violentos. Os autores do conjunto de dados definem o conflito como "uma incompatibilidade contestada que preocupa o governo e/ou o território onde o uso da força armada entre duas partes, sendo pelo menos uma delas representada pelo governo, resulta em pelo menos 25 mortes relacionadas com o combate em um único ano civil". Uma vez que meu foco são os conflitos nacionais, e não os internacionais, restrinjo minha análise ao que os autores do conjunto de dados chamam de eventos "Tipo 3" (conflito intraestadual) e "Tipo 4" (conflito intraestadual internacionalizado).[65]

Uso esses dados para produzir uma variável chamada início da guerra civil, que assume o valor "um" durante o ano que um conflito começa e "zero" de outro modo. Incluo apenas os conflitos que começaram depois de dois

---

[64] Beck, Katz e Tucker, 1998. Em um conjunto de estimativas anteriores (Ross 2006a), mostrei que um método alternativo de tratar a dependência temporal (Fearon e Laitin, 2003) produzia resultados praticamente idênticos.

[65] Gleditsch et al., 2002.

ou mais anos consecutivos de paz para ajudar a evitar contagens duplas de conflitos em curso em retrocesso temporário.[66] Também uso os dados de "conflitos armados" definidos para criar variáveis para medir três subcomponentes do início da guerra civil: o início de conflitos para o controle do governo nacional (início de conflito pelo governo), início dos conflitos pelo território (início de conflito separatista) e a eclosão de grandes guerras civis (início de conflitos maiores). Assim como outros pesquisadores, defino o último como conflitos que geram, pelo menos, mil mortes relacionadas a combates em um determinado ano civil. Também avalio se meus resultados se mantêm com o uso dos códigos alternativos de guerra civil desenvolvidos por James Fearon e David Laitin, bem como por Nicholas Sambanis.[67]

Variáveis Independentes e de Controle

Como no Capítulo 3, minha variável independente é o logaritmo da renda de petróleo per capita.

Não existe um modelo único de guerras civis sobre o qual todos os estudiosos concordem, o que torna difícil identificar o conjunto apropriado de controles. Håvard Hegre e seus colegas, Fearon e Laitin, Collier e Anke Hoeffler, Lars Erik Cederman, Andreas Wimmer e Brian Min, entre outros pesquisadores proeminentes, identificaram vários fatores de risco plausíveis.[68] Testes efetuados por Fearon, Hegre e Sambanis mostram que algumas variáveis amplamente usadas não são resistentes a alterações na especificação do modelo, no período abrangido pela amostra, na duração de cada observação (ou seja, se as observações dos países são agrupadas em um único ano ou períodos de cinco anos) e na definição da guerra civil.[69]

Os preditores mais consistentemente robustos de guerra civil parecem ser o nível de renda e o tamanho populacional. Um pouco menos robustos são o tipo de regime (com anocracias - países que são em parte democráticos e em parte autoritários - mostrando um risco mais elevado de conflitos)

[66] A inclusão dos conflitos que começaram depois de apenas um ano de paz não tem praticamente nenhum efeito sobre os resultados.

[67] Fearon e Laitin, 2003, Sambanis, 2004.

[68] Hegre et al., 2001; Fearon e Laitin, 2003; Collier e Hoeffler, 2004; Cederman, Min, e Wimmer, 2010.

[69] Fearon, 2005; Sambanis, 2004; Hegre e Sambanis, 2006.

e a recente independência de um país.[70] Outros fatores que podem aumentar o risco de guerra civil incluem instabilidade política recente, menor crescimento econômico e marginalização étnica, bem como a presença de terreno montanhoso, território não contíguo e vizinhos não democráticos propensos a guerras.

Começo desenvolvendo um "modelo principal" que inclui apenas a renda do petróleo (log) e as duas variáveis explicativas que parecem ser mais robustas ligada à guerra civil: renda e população. Como teste de robustez, adicionei ao modelo as outras variáveis explicativas utilizadas em Fearon e o modelo de guerra civil seminal de Laitin, incluindo todos os fatores mencionados acima.

Resultados

A tabela 5.4 apresenta os resultados das estimativas em que o início da guerra civil é a variável dependente. A primeira coluna mostra que duas variáveis de controle, renda (log) e população (log), estão significativamente correlacionadas com o início da guerra civil na direção esperada: países com menor renda e populações maiores são mais propensos a guerra civil.

Na coluna dois, a renda do petróleo está positivamente correlacionada com o início da guerra civil e estatisticamente significativa no nível de p = 0,01. Isso é consistente com a hipótese 5.1, a versão mais simples da afirmação de que o "petróleo desencadeia guerra civil". Dividi a amostra pela renda nas colunas três e quatro. A renda do petróleo (log) está significativamente relacionada ao início da guerra civil nos países de baixa e média renda (aqueles com renda inferior a US$ 5.000 per capita em dólares constantes de 2000), mas não nos países de alta renda (acima de US$ 5.000 per capita).

Na coluna cinco, uso um termo de interação (quintil de renda* do petróleo renda (log)) como uma forma alternativa de verificar se os efeitos da renda do petróleo variam de acordo com a renda total do país. Em lugar de usar a renda (log) no termo de interação, uso o quintil de renda para facilitar a interpretação do coeficiente: é uma variável cardinal de um para cinco, com "cinco" indicando o quintil mais baixo e "um" o mais elevado. Isso significa que um termo de interação maior, que corresponde a mais petróleo, renda mais baixa ou ambos, deve ser inequivocamente associado a um maior risco

[70] Consulte, no entanto, Cederman, Hug e Kreb, 2010.

de guerra civil se a hipótese 5.2 for válida. O termo de interação é positivo e altamente significativo, sugerindo que os efeitos do petróleo dependem do nível de renda global de um país.[71] Os resultados nas colunas 3, 4 e 5 são consistentes com a hipótese 5.2, que afirma que o petróleo tem um efeito sobre as guerras civis mais significativo nos países pobres do que nos ricos.

Na tabela 5.5, eu divido a amostra de países em dois períodos: o período de 1960-1989 é de "guerra fria" (coluna um) e o de 1990-2006 é de "pós-guerra fria" (coluna dois). A variável renda do petróleo (log) está significativamente relacionada ao início da guerra civil só no último período, e seu coeficiente é mais de três vezes maior do que no período anterior. Isso é consistente com a hipótese 5.3, o que sugere que os efeitos indutores de guerra da renda do petróleo têm crescido desde 1980.[72]

Tabela 5.4
Inícios de Guerra Civil, 1960 a 2006

Essa tabela mostra estimativas com logito da probabilidade de que uma nova guerra civil tenha início em um determinado ano. A variável dependente é o início de uma guerra civil. Cada estimativa inclui uma variável que mede os anos desde o conflito anterior, e três splines cúbicas corrigem a dependência temporal (não mostrado). Todas as variáveis explicativas estão defasadas em um ano. Os erros padrão robustos estão entre parênteses.

	(1)	*(2)*	*(3)*	*(4)*	*(5)*
Renda (log)	– 0,316***	– 0,444***	– 0,280***	– 0,533***	– 0,410***
	(0,0610)	(0,0690)	(0,0979)	(0,181)	(0,0653)
População (log)	0,314***	0,258***	0,255***	0,487***	0,247***
	(0,0725)	(0,0776)	(0,0878)	(0,106)	(0,0778)
Renda do petróleo (log)	—	0,133***	0,124***	0,146	—
		(0,0383)	(0,0425)	(0,0910)	
Renda do petróleo* Renda (logaritmo)	—	—	—	—	0,108***
					(0,0316)

[71] Não incluí a renda do petróleo e o termo de interação no mesmo modelo. Quando ambos são introduzidos simultaneamente, não conseguem atingir significância estatística, talvez devido à colinearidade.

[72] Embora a incidência de conflitos nos países produtores de petróleo tenha aumentado de forma constante de 1970 a meados de 1990 (consulte a figura 5.2), ela não se tornou significativamente diferente da taxa de conflitos no resto do mundo até cerca de 1990.

Grupo por renda	Todos	Todos	Abaixo de US$ 5.000,00	Acima de US$ 5.000,00	Todos
Países	169	169	140	169	169
Observações	6.426	6.426	4.554	1.872	6.382
Observações ausentes	6,7%	6,7%	10,6%	3,9%	6,8%

*Significativo a 10%
**Significativo a 5%
***Significativo a 1%

O fato de a renda do petróleo (logaritmo) estar associada ao início de guerra civil não significa que ela afeta ambos os tipos de conflitos, os separatistas e os pela posse do governo. Nas colunas três e quatro, analiso cada tipo de conflito separadamente: a renda do petróleo (logaritmo) está significativamente relacionada a ambos os tipos de conflito, e os coeficientes de renda do petróleo (logaritmo) são surpreendentemente similares.

Outra ambiguidade é que os conflitos de baixo nível - aqueles que causam entre vinte e cinco e mil mortes anuais relacionadas a combates por ano – estão incluídos na variável dependente. Talvez o petróleo só esteja relacionado a conflitos pequenos, e não a guerras civis maiores. Para verificar essa probabilidade, estimo o modelo principal mais uma vez na coluna cinco, mas uso o surgimento de grandes conflitos como a variável dependente. A variável da renda do petróleo (log) cai um pouco na significância estatística. Na coluna seis, estimo o mesmo modelo, mas incluo apenas observações do período pós-guerra fria. Agora, a renda do petróleo (logaritmo) torna-se significativa estatisticamente.

Na coluna sete, analiso separadamente o impacto da produção de *petróleo onshore* e offshore através da criação de duas novas variáveis fictícias: uma para os produtores de petróleo onshore que geram pelo menos 100 dólares de renda do petróleo per capita e uma segunda para os produtores offshore que ultrapassam esse valor.[73]

A variável de *petróleo offshore* fica próxima de zero e não é estatisticamente significativa. O coeficiente de petróleo onshore é mais de dez vezes maior

[73] Uso variáveis fictícias porque não há dados disponíveis sobre a quantidade de produção onshore e offshore de cada país. Os dados sobre a localização de poços de petróleo e gás natural encontram-se em Lujala, Rød e Thieme, 2004. Observações ausentes para oito países foram preenchidas por meio de dados da US Geological Survey (ND) e relatórios dos países da Energy Information Administration, disponíveis em http://tonto.eia.doe.gov/country/

e estatisticamente significativo. Apenas a produção de petróleo onshore parece estar relacionada a guerras civis. Isso é consistente com a hipótese 5.4, que afirma que o petróleo offshore não leva a conflitos violentos.

Robustez

É concebível que esses resultados possam ser acionados por um pequeno número de casos influentes, pelas peculiaridades de uma única região rica em petróleo, pelos caminhos que o conjunto de dados "Conflitos Armados" definem como "guerra civil" ou por variáveis tendenciosas omitidas.

A tabela 5.6 lista os resultados de sete testes de robustez projetados para atender essas preocupações. Eles são realizados para os três modelos associados com as três primeiras hipóteses - que relacionam a renda do petróleo a conflitos em todos os países e períodos, apenas a países no período pós-1989 e apenas a países de média renda. Cada célula exibe a renda do petróleo (log) e o coeficiente de sua significância estatística sob as seguintes condições:

Tabela 5.5

Conflitos separatistas, disputas pelo governo e guerras civis maiores, 1960 a 2006

Essa tabela descreve estimativas com logito da probabilidade de que uma nova guerra civil tenha início em um determinado ano. Cada estimativa inclui uma variável que mede os anos desde o conflito anterior e três splines cúbicas que corrigem a dependência temporal (não mostrado). Todas as variáveis explicativas estão defasadas em um ano. Os erros padrão robustos estão entre parênteses.

	(1)	*(2)*	*(3)*	*(4)*	*(5)*	*(6)*	*(7)*
Variável dependente	Todos os conflitos	Todos os conflitos	Conflitos separatistas	Disputas pelo governo	Conflitos maiores	Conflitos maiores	Todos os conflitos
Renda (log)	- 0,297***	- 0,636***	- 0,457***	- 0,427***	- 0,326***	- 0,512***	- 0,405***
	(0,0727)	(0,124)	(0,174)	(0,0742)	(0,0974)	(0,155)	(0,0648)
População (log)	0,259***	0,256***	0,537***	0,252***	0,0493	0,203**	0,276***
	(0,0849)	(0,0848)	(0,109)	(0,0549)	(0,0745)	(0,0970)	(0,0785)
Renda do petróleo (log)	0,0595	0,206***	0,135**	0,138***	0,0960	0,160**	—
	(0,0470)	(0,0560)	(0,0665)	(0,0438)	(0,0642)	(0,0744)	
Produção de petróleo offshore	—	—	—	—	—	—	0,0450
							(0,341)
Produção de petróleo onshore	—	—	—	—	—	—	0,655**
							(0,266)
Anos	1960-89	1990-2006	1960-2006	1960-2006	1960-2006	1990-2006	1960-2006
Países	144	169	169	169	169	169	169
Observações	3.618	2.808	6.426	6.426	6.426	2.808	6.149
Observações ausentes	9,0%	2,1%	6,7%	6,7%	6,7%	2,1%	10,2%

*Significativo a 10%
**Significativo a 5%
***Significativo a 1%

Tabela 5.6
Inícios de guerra civil: testes de robustez

Esses números são os coeficientes da variável de renda do petróleo (log) em cada um dos modelos descritos. Consulte o texto para mais detalhes.

	Todos os países e períodos	1990 a 2006	Baixa e média renda
Modelo principal	0,133***	0,207***	0,124***
Petróleo dicotômico	0,704***	0,965***	0,657***
Irã e Iraque	0,099**	0,182***	0,097**
Todos do Oriente Médio	0,124***	0,213***	0,117**
Variáveis fictícias regionais	0,118***	0,200***	0,111***
Variáveis de controle Fearon-Laitin	0,109***	0,165***	0,096**
Variáveis de guerras civis Fearon-Laitin	0,089*	0,194***	0,075
Variáveis de guerras civis Sambanis	0,090*	0,129*	0,087

*Significativo a 10%
**Significativo a 5%
***Significativo a 1%

1. O modelo principal, incluindo apenas renda (logaritmo) e população (logaritmo) como controles.
2. O modelo principal, mas com uma medida dicotômica da renda do petróleo - denotando países que geram pelo menos cem dólares de renda de petróleo per capita em dólares constantes de 2000 - o que pode ajudar a reduzir a assimetria da medida de renda do petróleo (logaritmo).
3. O modelo principal depois de todas as observações sobre o Irã e o Iraque. Entre os países produtores de petróleo, esses dois tiveram o maior número de inícios de conflitos entre 1960 e 2006. Conforme observo no Capítulo 5, as histórias coloniais do Irã e do Iraque, sem dúvida, os tornam casos especiais e países extraordinariamente propensos a conflitos.
4. O modelo principal depois de todos os países do Oriente Médio analisados pelo conjunto de dados.
5. O modelo principal, além de variáveis fictícias para quatro regiões do mundo (Oriente Médio e Norte da África, África subsaariana, Amé-

rica Latina e Ásia), usando a definição do Banco Mundial para essas regiões.

6. O modelo principal, além de todas as variáveis de controle do modelo de Fearon-Laitin: democracia, democracia ao quadrado, fracionamento étnico, fracionamento religioso, terreno montanhoso, território não contíguo e instabilidade política.
7. O modelo principal com uma medida alternativa de inícios de guerra civil tomada a partir do conjunto de dados de guerra civil do modelo Fearon-Laitin, que usa uma definição mais estreita de guerra civil e, portanto, exclui alguns conflitos de baixo nível. Uma vez que o conjunto original de dados de Fearon-Laitin termina em 1999 e não inclui quinze países do conjunto de dados "Conflitos Armados", uso observações desse último para os quinze países ausentes e para todos os países de 2000 a 2006 e as adiciono ao conjunto de dados de Fearon-Laitin.[74]
8. O modelo principal com outra medida alternativa de inícios de guerra civil, tomada do conjunto de dados de guerra civil de Sambanis. Uma vez que o conjunto de dados original de Sambanis termina em 1999 e não inclui oito países no conjunto de dados "Conflitos Armados", uso observações desse último para os oito países ausentes e para todos os países de 2000 a 2006, aumentado a variável de Sambanis para inícios de guerra civil.[75]

A associação entre o petróleo e os conflitos é robusta para cada um dos testes em todo o período de 1960 a 2006, bem como no período pós-Guerra Fria. Nesse último período, os coeficientes de renda do petróleo (logaritmo) são consistentemente maiores. A relação entre o petróleo e os conflitos é menos robusta entre os países de baixa e média renda e perde significância estatística (ainda que ligeiramente) ao usar os códigos de guerra civil de Fearon-Laitin ou Sambanis, talvez porque eles omitam conflitos menores.

Em todos os três conjuntos de modelos, a renda do petróleo (logaritmo) permanece significativamente correlacionada a guerras civis latentes

[74] Os quinze países ausentes dos dados originais de Fearon-Laitin que foram adicionados à versão aumentada são Bahamas, Belize, Barbados, Brunei, Ilhas Comores, Cabo Verde, República Checa, Guiné Equatorial, Islândia, Luxemburgo, Maldivas, Malta, Ilhas Salomão, Suriname e Iêmen.

[75] Os oito países ausentes do conjunto original de dados de Sambanis que foram adicionados à versão aumentada são Brunei, Guiné Equatorial, Etiópia (entre 1995 e 1999 apenas), Madagascar, Maldivas, Sérvia, Vietnã e Iêmen.

quando o Irã e o Iraque, bem como os demais países do Oriente Médio, são inseridos. A adição de variáveis fictícias regionais tem relativamente pouco efeito sobre a renda do petróleo (logaritmo).

Coletivamente, essas estimativas sugerem que a renda do petróleo está associada com conflitos latentes sob uma série de condições plausíveis. Elas também são consistentes com três das quatro hipóteses expostas no capítulo - relacionando a renda do petróleo a uma maior probabilidade de guerra civil, em particular entre os países com renda mais baixa e quando a produção de petróleo é onshore. Enquanto as características indutoras de guerra civil do petróleo parecem ter crescido ao longo do tempo, a divisão entre os períodos pré e pós 1980 é menos saliente do que a divisão entre os períodos pré e pós 1990.

A correlação entre a renda do petróleo e inícios de guerra civil vale tanto para conflitos separatistas quanto para conflitos de disputa pelo governo. Ela também vale para grandes conflitos, ainda que apenas na era pós-Guerra Fria. Uma série de testes de robustez sugere que a correlação não é produzida por um pequeno número de países influentes, por uma única região, por decisões de codificação distintiva do conjunto de dados"Conflitos Armados" ou pela omissão de variáveis padrão do lado direito.

Capítulo Seis

O Petróleo, o Crescimento Econômico e as Instituições Políticas

> A prosperidade atribulada é seguida muito rapidamente pelo colapso total.
>
> — Paul Frankel, "Princípios Fundamentais do Petróleo"

Nas décadas de 1950 e 1960, a maioria dos cientistas sociais acreditava que a riqueza dos recursos naturais era benéfica para o crescimento econômico: os países ricos em minerais na África pareciam ter um futuro promissor, enquanto os países pobres em minerais na Ásia Oriental provavelmente enfrentariam grandes dificuldades. No entanto, em meados de 1990, a situação era justamente o oposto: os países pobres em recursos da Ásia Oriental tiveram décadas de forte crescimento, enquanto a maior parte dos países ricos em recursos da África experimentou fracassos no desenvolvimento. Os países ricos em petróleo do Oriente Médio - que até meados de 1970 haviam mostrado um crescimento espetacular – passaram a maior parte dos anos 1980 e do início dos anos 1990 perdendo terreno. Até 2005, pelo menos metade dos países da OPEP eram mais pobres do que 30 anos antes. Os economistas começaram a argumentar que a riqueza de recursos naturais, em geral, e a riqueza do petróleo, em particular, poderiam, paradoxalmente, reduzir o crescimento econômico no mundo em desenvolvimento, causando corrupção, governos fracos, busca por rendas, fraudes e saques.[1]

Grande parte dessa sabedoria convencional está errada: o petróleo normalmente não leva a um crescimento econômico mais lento, ineficácia burocrática, níveis de corrupção invulgarmente altos ou índices de desenvolvimento humano anormalmente baixos. O crescimento econômico nos países produtores de petróleo tem sido irregular, mas não mais rápido ou mais lento do que o crescimento econômico em outros países. O verdadeiro enigma é por que os países produtores de petróleo tiveram taxas de crescimento

---

[1] Sala-i-Martin e Subramanian, 2003, 4.

normais, quando deveriam ter tido um crescimento econômico mais rápido que o normal devido à sua enorme riqueza natural.

Os países produtores de petróleo tiveram um crescimento econômico lento?

Muitos estudos influentes alegam que a riqueza do petróleo é uma maldição econômica: quanto mais petróleo os países extraem, mais lento o seu crescimento econômico.[2]

Tabela 6.1

Crescimento econômico anual per capita, 1960 a 2006

	Países não produtores	Países produtores	Diferença
Todos os países			
1960 - 2006	1,76	1,67	- 0,09
1960-1973	2,77	4,5	1,72***
1974-1989	1,14	0,22	- 0,93***
1990 - 2006	1,45	2,04	0,59**
Unicamente países em desenvolvimento			
1960 - 2006	1,56	1,54	- 0,02
1960-1973	2,34	4,67	2,33***
1974-1989	0,97	- 0,38	−1,35***
1990 - 2006	1,42	2,24	0,82***

*Significativo a 10%, em um teste t unicaudal

**Significativo a 5%

***Significativo a 1%

Fonte: calculado a partir de dados coletados em Maddison, 2009.

[2] O artigo seminal sobre esse tema foi escrito pelos economistas Jeffrey Sachs e Andrew Warner (1995). Com base em trabalhos anteriores de Alan Gelb e seus colegas (1988) e de Richard Auty (1990), Sachs e Warner analisaram as taxas de crescimento de noventa e sete países entre 1971 e 1989 e descobriram que países com índices de exportações de recursos naturais mais elevados em relação ao seu PIB, em 1971, tiveram taxas de crescimento anormalmente lentas. A associação permaneceu significativa mesmo após os autores aplicarem controles para uma vasta gama de variáveis relacionadas com o crescimento. Para mais contribuições importantes para esse debate, consulte também Manzano e Rigobon, 2007; Sala-i-Martin e Subramanian, 2003; Papyrakis e Gerlagh, 2004; Robinson, Torvik e Verdier, 2006; Melhum, Moene e Torvik, 2006; Collier e Goderius, 2009. Céticos recentes incluem Brunnschweiler e Bulte, 2008; Alexeev e Conrad, 2009. Para revisões dessa literatura, consulte Ross, 1999; Stevens e Dietsche, 2008; Wick e Bulte, 2009; Frankel, 2010.

A maioria dos estudos se concentra no período entre 1970 e 1990, quando os países produtores de petróleo estavam de fato economicamente conturbados. Mas, se olharmos ao longo de um período mais longo, veremos que o crescimento econômico nos países produtores de petróleo não foi extraordinariamente lento, embora tenha sido extraordinariamente volátil.

A Tabela 6.1 resume as taxas de crescimento per capita dos países produtores e dos não produtores de petróleo entre 1960 e 2006. Durante todo o período, os países produtores cresceram mais ou menos na mesma taxa que os outros países. No mundo em desenvolvimento, suas taxas de crescimento foram virtualmente idênticas - apenas 1,5% ao ano acima.

Mas, quando dividimos esses 47 anos em três períodos mais curtos, encontramos um padrão surpreendente: os países produtores de petróleo apresentaram períodos alternados de crescimento econômico excepcionalmente rápido e excepcionalmente lento. De 1960 a 1973, os países produtores de petróleo cresceram mais rapidamente do que os outros países; de 1974 a 1989, cresceram mais lentamente; e, de 1990 a 2006, mais uma vez cresceram mais rapidamente. Se deixarmos os países industrializados avançados de fora, o abismo entre os países produtores de petróleo e todos os outros - nos bons e nos maus momentos - torna-se ainda maior.

Também podemos considerar o desvio padrão dessas taxas de crescimento para verificar o quanto elas flutuaram de ano para ano. Entre todos os países do mundo, o desvio padrão de crescimento foi cerca de 40% maior para os países produtores de petróleo do que para os não produtores. Entre os países em desenvolvimento, foi mais que 60% maior para os produtores.

Outra maneira de observar os efeitos econômicos do petróleo é acompanhando o crescimento, ano após ano, das fortunas econômicas nos países produtores de petróleo mais importantes do mundo em desenvolvimento - os treze países que produziram, em média, pelo menos mil dólares per capita em petróleo e gás natural entre os anos 1970 e 1980 e cujas fortunas estavam, por conseguinte, mais estreitamente atreladas aos seus ativos em petróleo (consulte a figura 6.1)[3]. Em 1950, esses países já eram cerca de seis

[3] Nas décadas de 1960, 1970 e 1980, os treze maiores produtores de petróleo do mundo em desenvolvimento em uma base per capita foram Argélia, Bahrein, Gabão, Irã, Iraque, Kuwait, Líbia, Omã, Catar, Arábia Saudita, Trinidad, Emirados Árabes Unidos e Venezuela. Brunei produziu uma quantidade comparável de petróleo, mas não existem dados confiáveis sobre seu recorde de crescimento. Para entender a trajetória dos países ricos em petróleo no mundo em desenvolvimento, é

vezes mais ricos que outros países em desenvolvimento. Durante as duas décadas seguintes, o abismo entre eles e o resto do mundo em desenvolvimento cresceu ainda mais, atingindo um pico no momento do primeiro choque do petróleo em 1973 - 74. No entanto, entre 1974 e 1989, a renda per capita caiu em uma média de 47%. Em 1990, quatro deles (Iraque, Kuwait, Catar e Emirados Árabes Unidos) eram mais pobres do que em 1950.

Isso ocorreu, em parte, porque suas economias estavam intimamente ligadas à evolução global dos preços do petróleo. A figura 6.2 mostra a média da renda per capita desses treze países entre 1950 e 2006, mas agora justaposta ao preço do petróleo (valores calibrados em dólares constantes de 2007). De 1950 a 1973, enquanto o preço real do petróleo permaneceu mais ou menos inalterado, todos os países se beneficiaram de um forte crescimento do PIB per capita. O país com o crescimento mais acelerado foi a Líbia, onde a renda per capita aumentou 678%.

No entanto, suas taxas de crescimento começaram a desacelerar na década de 1970, quando o preço real do petróleo aumentou mais de nove vezes. Quase todos os principais produtores de petróleo tiveram problemas para gerenciar as receitas inesperadas que receberam, apesar de suas estratégias variadas. Alguns dos maiores produtores – incluindo Irã, Venezuela, Kuwait, Catar, Bahrein - tentaram retardar suas taxas de crescimento a níveis administráveis cortando a produção de petróleo. Outros mantiveram ou aumentaram a produção para financiar ambiciosos programas de desenvolvimento.

Nas décadas de 1960, 1970 e 1980, os treze maiores produtores de petróleo do mundo em desenvolvimento em uma base per capita foram Argélia, Bahrein, Gabão, Irã, Iraque, Kuwait, Líbia, Omã, Catar, Arábia Saudita, Trinidad, Emirados Árabes Unidos e Venezuela. Brunei produziu uma quantidade comparável de petróleo, mas não existem dados confiáveis sobre seu recorde de crescimento. Para entender a trajetória dos países ricos em petróleo no mundo em desenvolvimento, é melhor considerar um grupo de países do que a OPEP, uma vez que a OPEP exclui alguns países ricos em petróleo (como Bahrein, Omã e Trinidad), mas inclui alguns mais modestamente dotados (como Equador, Indonésia e Nigéria).

---

melhor considerar um grupo de países do que a OPEP, uma vez que a OPEP exclui alguns países ricos em petróleo (como Bahrein, Omã e Trinidad), mas inclui alguns mais modestamente dotados (como Equador, Indonésia e Nigéria).

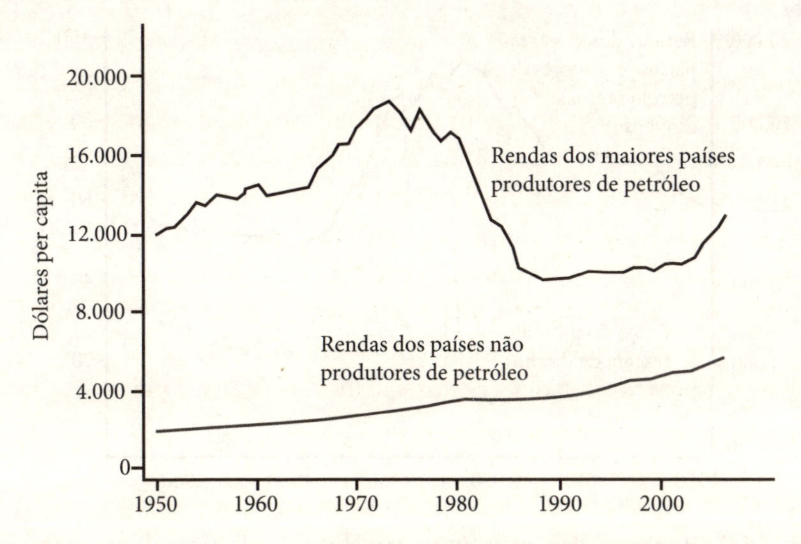

Figura 6.1. Renda dos principais produtores de petróleo, 1950 a 2006
A linha escura mostra a renda per capita média dos treze maiores produtores de petróleo e gás natural nas décadas de 1960, 1970 e 1980, fora da América do Norte e da Europa: Argélia, Bahrein, Gabão, Irã, Iraque, Kuwait, Líbia, Omã, Catar, Arábia Saudita, Trinidad, Emirados Árabes Unidos e Venezuela. Brunei produziu uma quantidade comparável de petróleo, mas não existem dados confiáveis sobre seu crescimento recorde. A linha mais clara inclui todos os outros países em desenvolvimento. A renda foi medida em dólares constantes de 2007.

Fonte: calculado a partir de dados de Maddison, 2009.

Entre 1980 e 1986, o preço real do petróleo caiu em mais de dois terços, uma vez que os países ocidentais reduziram seu consumo e o governo saudita aumentou a produção. O colapso dos preços levou a um declínio econômico abrupto em quase todos os grandes produtores. A figura 6.3 descreve a mudança na renda per capita em todos os países em desenvolvimento entre 1974 e 1989 (no eixo vertical), juntamente com sua renda per capita média de petróleo e gás natural (no eixo horizontal). Em geral, quanto mais petróleo esses países produziam, menor era sua renda. Cinco países produtores de petróleo - Angola, Gabão, Kuwait, Catar e Emirados Árabes Unidos - viram sua renda per capita cair mais de 50%. Durante esse período de dezesseis anos, o petróleo foi uma maldição econômica: quanto mais os países produziam, maior era o seu declínio econômico.

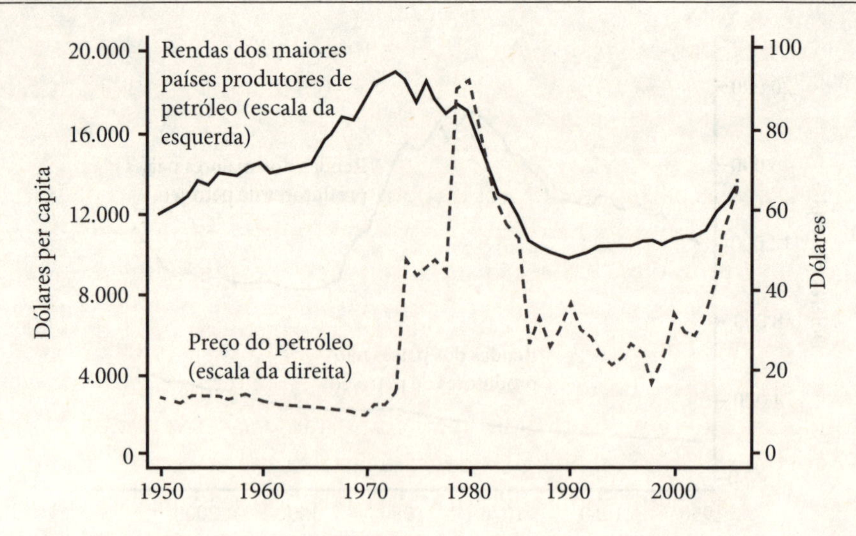

Gráfico 6.2. Receitas dos principais produtores de petróleo e preços do petróleo, 1950 - 2006

A linha escura mostra a renda per capita média dos treze maiores produtores de petróleo e gás natural nas décadas de 1960, 1970 e 1980, fora da América do Norte e da Europa. A linha tracejada mostra o preço do barril de petróleo em dólares constantes de 2007.

Fontes: calculado a partir de dados em Maddison, 2009; BP, 2010.

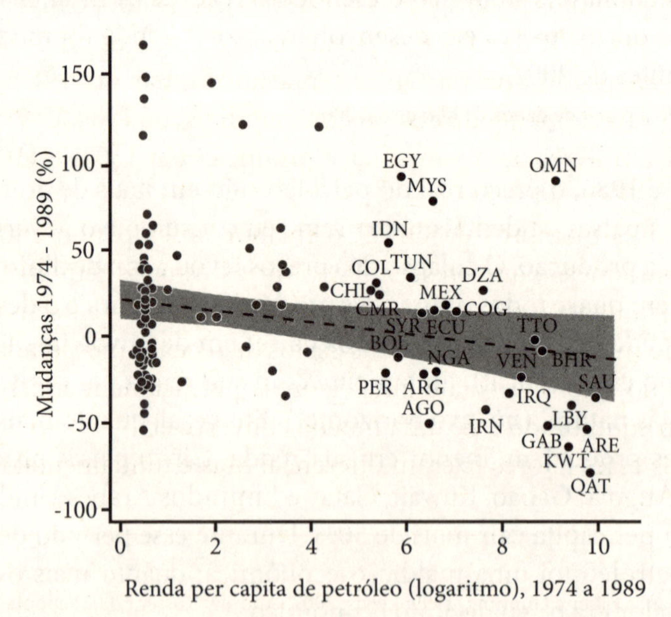

Figura 6.3. Mudanças na renda per capita, 1974 a 1989

O eixo vertical indica a variação percentual de cada país por renda per capita de 1974 a 1989. O valor inclui todos os países em desenvolvimento.
Fonte: calculado a partir de dados de Maddison, 2009.

Nem todos os países produtores de petróleo sofreram. Os dois países produtores de petróleo mais bem-sucedidos economicamente entre os anos de 1974 e 1989 foram Omã e Malásia, cujas rendas per capita aumentaram 89% e 78%, respectivamente. Na figura 6.3, são os países mais próximos ao canto superior direito, combinando rendas elevadas de petróleo com elevado crescimento econômico. Por que Omã e Malásia se saíram tão bem?

A liderança do governo foi um fator importante. O governo da Malásia, em particular, merece crédito pela construção de uma economia bem diversificada e de um setor industrial forte graças a políticas industriais hábeis e a uma riqueza em petróleo que não era significativa a ponto de causar os problemas graves relacionados à doença holandesa.[4]

Mas Omã e Malásia tinham outra vantagem: eles foram capazes de compensar o colapso dos preços do petróleo do período de 1980 a 1986 aumentando sua produção (consulte as figuras 6.4 e 6.5). Seus fortes registros econômicos foram, pelo menos em parte, devidos à boa sorte, uma vez que novas reservas de petróleo deram a cada nação a capacidade de aumentar a produção, enquanto os preços estavam caindo. Isso só foi possível porque eles não eram membros da OPEP e, portanto, podiam ignorar suas políticas. Enquanto os produtores da OPEP tentavam limitar ou restringir sua produção para reverter a queda dos preços mundiais, de 1980 a 1989, Omã e Malásia estavam livres para aumentar a produção em 130% e 110%, respectivamente.

Entre os países membros da OPEP, o melhor desempenho entre 1974 e 1989 foi da Indonésia, que cresceu 54%. Vários estudos têm atribuído o histórico relativamente forte da Indonésia a suas políticas mais sensatas, incluindo o ritmo mais deliberado de seus gastos de receitas inesperadas, mais investimentos no setor agrícola e uma rigorosa política de manutenção de um orçamento equilibrado e de uma moeda convertível.[5]

Todos esses fatores fizeram diferença. Mas é fundamental lembrar

[4] Abidin, 2001.

[5] Consulte Bevan, Collier e Gunning, 1999; Lewis, 2007. Andrew Rosser (2007) aponta para fatores mais amplos e estruturais que afetaram o sucesso da Indonésia, incluindo a Guerra Fria e a posição da Indonésia na economia global.

que, em uma base per capita, a Indonésia produziu menos petróleo e gás natural do que qualquer outro país da OPEP. Em 1980, seu ano de pico, ganhou US$ 333 em renda per capita de petróleo e gás natural, o que representava menos da metade da renda de petróleo do próximo maior produtor, o Equador, e cerca de 1% da renda de petróleo da Arábia Saudita. Uma vez que o governo do país não usou as receitas de petróleo inesperadas do mesmo modo que os demais países da OPEP na década de 1970, a Indonésia sofreu menos com a queda dos preços do petróleo na década de 1980. Ela foi menos amaldiçoada porque tinha menos petróleo.

Apesar dos fortes registros desses três países, o período de 1974 a 1989 foi um desastre para a maioria dos produtores de petróleo e levou muitos economistas a concluir que a riqueza dos recursos naturais em geral e do petróleo em particular eram uma praga econômica. A expressão "maldição dos recursos naturais" - usada pela primeira vez na imprensa pelo geógrafo econômico Richard Auty, em 1993 – passou a ser adotada popularmente para descrever os problemas paradoxais enfrentados pelos países ricos em recursos naturais.[6] No entanto, a maioria dos estudos sobre o tema foram míopes. A análise seminal de Jeffrey Sachs e Andrew Warner, por exemplo, concluiu que a abundância de recursos era uma maldição, mas examinou apenas o período sombrio de 1971 a 1989. Muitos estudos posteriores sobre a maldição dos recursos abrangeram aproximadamente o mesmo período e chegaram à mesma conclusão.

[6] Embora Auty possa ter sido o primeiro estudioso a usar a expressão "maldição dos recursos" em um trabalho impresso, ele afirma não ter cunhado o termo. Disse-me, certa vez, que outros o utilizaram informalmente antes de ele colocá-lo no subtítulo de seu livro de 1993.

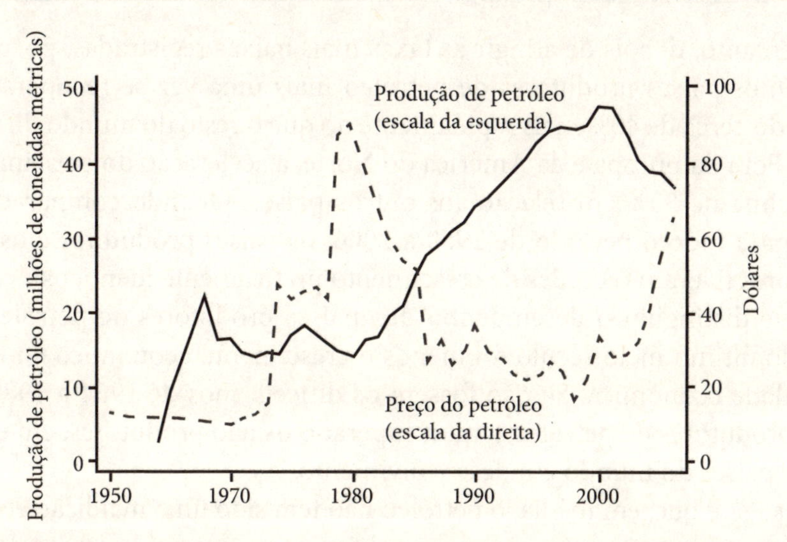

Figura 6.4. A produção de petróleo no Omã e os preços mundiais do petróleo, 1960 a 2006

A produção de petróleo (linha preta) é medida em milhões de toneladas métricas. Os preços do petróleo (linha cinza tracejada) são em dólares constantes de 2007. *Fontes*: US Geological Survey n.d.; BP, 2010.

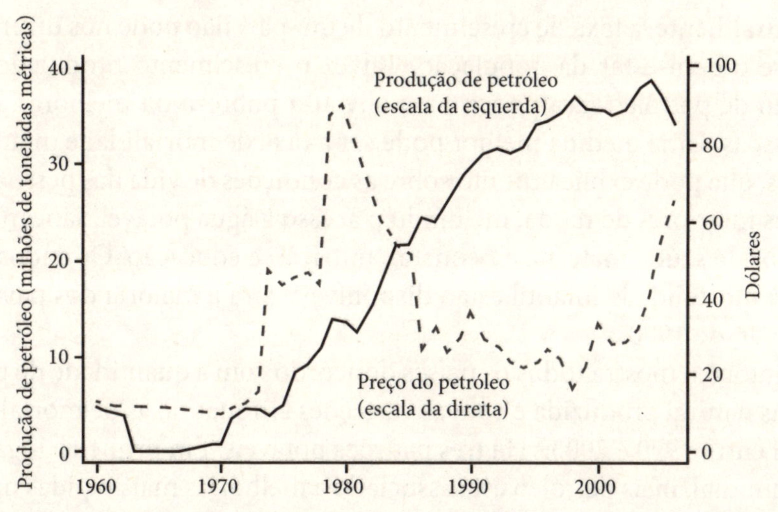

Figura 6.5. A produção de petróleo da Malásia e os preços mundiais do petróleo, 1960 a 2006

A produção de petróleo (linha preta contínua) é medida em milhões de toneladas métricas. Os preços do petróleo (linha cinza quebrada) estão em dólares constantes de 2007. *Fontes*: US Geological Survey n.d.; BP 2010.

No entanto, depois de atingir as taxas mais baixas registradas, por volta de 1989, os países produtores de petróleo mais uma vez se recuperaram, crescendo cerca de 40% mais rapidamente do que o resto do mundo de 1990 a 2006. Fora da Europa e da América do Norte, a aceleração do crescimento ficou acima de 55% em relação aos outros países. Quando comparados à média para todo o período de 1960 a 2006, os países produtores e os não produtores tiveram recordes de crescimento praticamente idênticos.

O que distinguiu o desempenho dos países produtores de petróleo ao longo do último meio século foi menos o crescimento econômico e mais a volatilidade econômica. Se não fossem os difíceis anos de 1974 a 1989, os países produtores de petróleo teriam superado os não produtores, em especial nos países do mundo em desenvolvimento.

Isso sugere que, em média, o petróleo não tem sido uma maldição econômica - mesmo para os países em desenvolvimento - no sentido estrito do termo: o petróleo não torna os países mais pobres do que seriam de outra forma. Se o petróleo realmente fosse uma maldição econômica, os países com maior riqueza de petróleo per capita, como Arábia Saudita, Líbia, Venezuela e Gabão, estariam entre os países mais pobres do mundo. Eles são, de fato, muito mais ricos que os países vizinhos, com pouco ou nenhum petróleo.

Naturalmente, a taxa de crescimento de um país não pode nos dizer muito sobre o bem-estar da população. Talvez o crescimento produzido pela extração de petróleo faça pouco para aliviar a pobreza ou melhorar a vida das pessoas. Uma medida melhor pode ser a taxa de mortalidade infantil de um país, que pode explicar muito sobre as condições de vida das pessoas nos escalões inferiores de renda, incluindo o acesso a água potável, saneamento, cuidados de saúde materna e neonatal, nutrição e educação. Os dados referentes à mortalidade infantil estão disponíveis para a maioria dos países do mundo desde 1970.

A figura 6.6 mostra todos os países de acordo com a quantidade de petróleo e gás natural produzida e com as variações em suas taxas de mortalidade infantil entre 1970 e 2003.[7] Há três padrões notáveis. Em primeiro lugar, em nível mundial, mais petróleo está associado a melhorias mais rápidas na área de saúde infantil. Isso não foi apenas resultado do crescimento econômico mais rápido: mesmo nos países onde o crescimento da renda era controlado, houve, em média, mais progresso.

[7] Eu reverti a escala no eixo Y de tal forma que os números maiores, indicam melhores resultados - neste caso, reduções mais rápidas na mortalidade infantil.

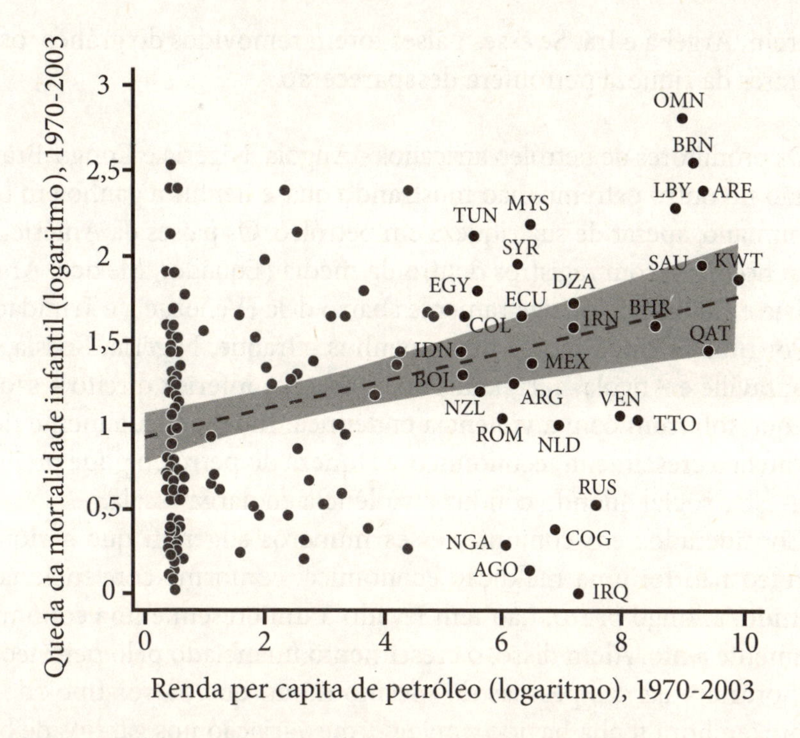

Figura 6.6. Mudanças na mortalidade infantil, 1970-2003

Os números no eixo vertical indicam o quanto a taxa de mortalidade infantil de um país caiu no período de 1970 a 2003. Números mais altos indicam uma queda maior. Em vez de medir a mudança absoluta na mortalidade infantil, uma vez que países com taxas iniciais mais baixas necessariamente mostram menos avanços, o gráfico mede a evolução do logaritmo natural das taxas de mortalidade infantil.

Fonte: calculado a partir de dados do Banco Mundial, n.d.

Em segundo lugar, houve uma grande variação no desempenho dos países ricos em petróleo, que está mais ou menos correlacionada com a região. A associação global entre o petróleo e as melhorias na mortalidade infantil foi impulsionada inteiramente pelos fortes registros dos países do Oriente Médio no canto superior direito da figura 6.6 - nomeadamente Omã, Emirados Árabes Unidos, Líbia e, em menor escala, Arábia Saudita, Kuwait,

[8] O único país não situado no Oriente Médio que atinge o canto superior direito é o minúsculo Brunei. Curiosamente, Brunei é semelhante aos ricos países produtores de petróleo do Golfo Pérsico, como o Kuwait e o Catar: ele é pequeno, predominantemente muçulmano e governado por um monarca tradicional.

Bahrein, Argélia e Irã. Se esses países forem removidos do gráfico, os efeitos salutares da riqueza petrolífera desaparecerão.

Os produtores de petróleo africanos - Angola, Nigéria e Congo-Brazzaville - estão no outro extremo, não mostrando quase nenhum ganho em bem-estar humano, apesar de sua riqueza em petróleo. Os países da América Latina caem no meio, com registros dentro da média (Equador, México, Argentina, Bolívia e Colômbia) ou ligeiramente abaixo dela (Venezuela e Trinidad).[9]

Por fim, os cinco piores desempenhos - Iraque, Nigéria, Rússia, Congo -Brazzaville e Angola, agrupados no quadrante inferior direito – são de países que sofreram com a violência endêmica. Independentemente de como isso afeta o crescimento econômico, a riqueza do petróleo pode prejudicar o bem-estar social quando conduz à violência em larga escala.

Considerados em conjunto, esses números sugerem que a riqueza do petróleo não foi uma maldição econômica, conforme convencionalmente definido: a longo prazo, não tem levado a um crescimento econômico atipicamente lento. Além disso, o crescimento financiado pelo petróleo parece melhorar a vida das pessoas do mesmo modo que outros tipos de crescimento, embora tenha havido uma enorme variação nos ganhos de bem-estar dos países produtores de petróleo. A maioria dos produtores do Oriente Médio obteve ganhos notavelmente rápidos na área de saúde infantil. Entre os países produtores de petróleo conflituosos, porém, especialmente na África, tem havido pouca ou nenhuma melhoria.

O Enigma do Crescimento "Normal"

Mesmo quando a riqueza do petróleo não é prejudicial, muitos produtores de petróleo parecem sofrer de uma forma mais branda da maldição dos recursos: eles não estão tão bem quanto deveriam, dada a sua riqueza geológica. Se os países produtores de petróleo cresceram no mesmo ritmo dos não produtores, significa que eles não obtiveram vantagens dos seus ativos no subsolo. Isso implica que algo deu errado: a teoria econômica básica nos diz que países com mais capital e, portanto, com mais dinheiro para investir em infraestrutura para sua população devem crescer mais rapidamente.

[9] Essa variação nos resultados ressalta o valor de estudos que tentam explicar as variações nas trajetórias dos países produtores de petróleo. Consulte Melhum, Moene e Torvik, 2006; Smith, 2007; Luong e Weinthal, 2010.

Receitas em cascata de petróleo são um tipo de capital e deveriam ter produzido altos níveis de crescimento impulsionado pelo investimento. Por que as taxas de crescimento dos países produtores de petróleo ficaram dentro da média, quando deveriam ter ficado acima?

Democracia

Muitos observadores relacionam os recordes decepcionantes de crescimento dos produtores de petróleo à sua falta de democracia. A princípio, a lógica parece correta: o petróleo torna os governos menos responsáveis, o que, por sua vez, torna os líderes políticos menos inclinados a promover o bem-estar geral. Liberados do escrutínio dos eleitores, os políticos se deixam levar pela estreiteza de visão. De acordo com um influente estudo realizado por Hussein Mahdavy em 1970, eles "dedicam a maior parte dos recursos para manter zelosamente o status quo", em vez de investir em desenvolvimento econômico.[10]

Uma maneira simples de verificar a relevância da democracia é observando os registros de crescimento dos países que têm produzido petróleo ao longo de muitos anos – os produtores de longo prazo identificados na tabela 1.1 do Capítulo 3. A tabela 6.2 lista todos os vinte e oito produtores de petróleo de longo prazo fora da Europa e da América do Norte, classificados por suas taxas de crescimento médias anuais entre 1960 (ou, caso tenham se tornado independentes depois de 1960, a partir do primeiro ano da sua independência) e 2006. Ela também lista a fração desse período na qual eles tiveram governos democráticos e guerras civis em curso. Esses valores variam de zero (nenhum período de democracia e guerras civis) a 1 (a cada ano de democracia e guerra civil). Para efeitos de comparação, ela também lista os números médios para todos os países fora da OCDE.

Apenas quatro desses vinte e oito países tiveram democracia durante mais de metade do tempo desde 1960: Trinidad, Argentina, Equador e Venezuela. Desses quatro, um apresenta um dos dez melhores desempenhos (Trinidad), outro apresenta um dos dez piores (Venezuela) e os outros dois estão na faixa média. Quatro outros países tiveram passagens mais breves pela democracia (México, Romênia, Nigéria e República do Congo), mas todos estão agrupados na faixa média. Não há nenhuma vantagem clara

[10] Mahdavy, 1970, 442.

para o crescimento advinda de um governo democrático. Alguns autocratas arruínam as economias de seus países, mas outros fazem investimentos inteligentes no crescimento de longo prazo.

O que é verdadeiro para os países produtores de petróleo é verdadeiro, em geral, para o resto do mundo. A maioria dos estudos transversais encontram poucas evidências de que a democracia ajude o crescimento econômico, embora não haja consenso.[11] Alguns analistas argumentam que, independentemente de estimular ou não o crescimento, a democracia melhora o bem-estar do cidadão médio.[12] Infelizmente, esses estudos dependem de conjuntos de dados incompletos que ignoram registros de autocracias bem geridas.

Tabela 6.2
Crescimento econômico dos países produtores de petróleo de longo prazo, 1960 - 2006

Esses são os vinte e oito países fora da América do Norte e da Europa que têm produzido quantidades consistentemente significativas de petróleo ou de gás natural desde 1960, ou, caso tenham se tornado independentes depois de 1960, desde o seu primeiro ano de independência. Eles são classificados por sua taxa de crescimento anual per capita. Também é mostrada a fração desse período na qual eles tiveram governos democráticos e guerras civis em curso. Para efeito de comparação, a tabela também lista os valores médios para todos os países não membros da OCDE.

	País	Crescimento anual	Guerra civil	Democracia
1	Omã	5,56	0	0,09
2	Malásia	4,13	0	0,17
3	Irã	2,85	0	0,51
4	Azerbaijão	2,79	0	0,11
5	Trinidad	2,61	1	0,02
6	Síria	2,36	0	0,11
7	Cazaquistão	2,26	0	0
8	México	2,03	0,15	0,04
9	Arábia Saudita	1,98	0	0,02
10	Bahrein	1,93	0	0
11	Romênia	1,89	0,36	0,02

[11] Barro, 1997; Tavares e Wacziarg, 2001; Gerring, Thacker e Alfaro, 2005.

[12] Halperin, Siegle e Weinstein, 2005; Bueno de Mesquita et al., 2003; Lake e Baum, 2001.

Tabela 6.2 (continua)

	País	Crescimento anual	Guerra civil	Democracia
	Média do país (não OCDE)	1,56	0,31	0,16
12	Líbia	1,54	0	0
13	Nigéria	1,45	0,38	0,13
14	Argentina	1,35	0,68	0,13
15	Argélia	1,34	0	0,34
16	Equador	1,17	0,62	0
17	República do Congo	1,09	0,17	0,13
18	Angola	0,58	0	0,62
19	Uzbequistão	0,51	0	0,04
20	Rússia / URSS	0,35	0	0,3
21	Gabão	0,22	0	0,02
22	Turquemenistão	0,15	0	0
23	Venezuela	0,11	1	0,04
24	Brunei	- 0,48	0	0
25	Emirados Árabes Unidos	- 0,64	0	0
26	Kuwait	- 0,86	0	0
27	Iraque	0	0,79	-1,03
28	Catar	-1,51	0	0

Fontes: calculado a partir de dados econômicos em Maddison, 2009; dados sobre democracia em Cheibub, Gandhi e Vreeland, 2010; dados sobre conflitos em Gleditsch et al., 2002.

Assim que os dados são contabilizados, a "vantagem democrática" se torna mais fraca ou desaparece completamente.[13] Em teoria, os governos democráticos devem se mostrar mais atentos às necessidades de bem-estar dos seus cidadãos. Na prática, porém, as democracias muitas vezes não são capazes de atendê-las. Isso não significa que a democracia é inútil. Ela oferece às pessoas mais oportunidades, maior dignidade e maior liberdade para viver a vida da maneira que escolherem. O capítulo final argumenta que a transparência e a prestação de contas podem ajudar os países a escapar um pouco das doenças políticas causadas pela riqueza do petróleo. Historicamente, porém, as democracias não têm obtido muito mais sucesso do que as autocracias em transformar sua riqueza do petróleo em crescimento econômico sustentável.

[13] Ross, 2006b.

Guerra Civil

Se o petróleo leva a guerras civis mais frequentes, e as guerras civis são economicamente prejudiciais, talvez insurgências violentas expliquem por que os produtores de petróleo não conseguiram crescer mais rapidamente. Em alguns países, isso é dolorosamente verdadeiro. Argélia, Angola, Congo -Brazzaville, Irã, Iraque, Nigéria e Rússia têm sofrido com conflitos devastadores (tanto civis e internacionais) que os drenam de recursos valiosos que poderiam, de outro modo, impulsionar seu crescimento.

Ainda assim, as guerras civis são muito mais raras do que os decepcionantemente normais recordes de crescimento da maioria dos países produtores de petróleo. Consulte novamente a tabela 6.2. Entre os dez países com os piores registros, apenas dois (Rússia e Iraque) tiveram períodos significativos de guerra civil. Entre os dez países com melhor desempenho, quatro (Malásia, Irã, Azerbaijão e Síria) tiveram episódios significativos de conflito armado, mas ainda alcançaram crescimento maior que a média. O conflito armado pode explicar um número limitado de catástrofes, mas nos diz muito pouco sobre o desempenho econômico da maioria dos países ricos em petróleo.

Mulheres e Crescimento da População

Uma explicação mais poderosa para o crescimento mais lento do que o esperado é que a riqueza petrolífera tende a sufocar oportunidades para as mulheres, conforme explicado no Capítulo 4. Uma consequência disso é que os países ricos em petróleo têm taxas de fertilidade anormalmente elevadas, o que leva a um crescimento mais rápido da população e mais lento da renda per capita. Se suas populações tivessem crescido mais lentamente, os países produtores de petróleo teriam crescido mais rapidamente.

Os sociólogos têm observado que, quando as mulheres trabalham fora de casa, tendem a ter menos filhos.[14] Essa é uma razão pela qual o crescimento da população é mais lento nos países ricos do que nos mais pobres. Nas economias mais avançadas, as mulheres têm mais oportunidades de ganhar seus próprios rendimentos. Quanto melhores são suas oportunidades no mercado de trabalho, mais tarde elas se casam e têm filhos, que tendem a ser em menor número. Uma vez que as mulheres nos países produtores de petróleo ricos

[14] Consulte, por exemplo, Brewster e Rindfuss, 2000.

têm menos chances de trabalhar fora de casa, elas normalmente se casam mais jovens e têm mais filhos do que teriam sob outras circunstâncias.

Manter as mulheres fora do mercado de trabalho também estimula o crescimento da população através de uma segunda rota: incentivando a imigração excessiva. Quando a demanda por trabalhadores excede o número de cidadãos em idade de trabalho do sexo masculino, os países têm duas opções: eles podem contratar mais mulheres, ou importar trabalhadores do sexo masculino de outros países. O Capítulo 4 aponta que muitos países ricos em petróleo, em particular no Oriente Médio e no Norte da África, optaram pela segunda rota, buscando trabalhadores estrangeiros em vez de empregar seus próprios cidadãos do sexo feminino.

A combinação de uma alta taxa de fertilidade aliada a uma alta taxa de imigração leva a um crescimento populacional incomumente rápido. Nos países cujo crescimento econômico é alimentado pela produção, o crescimento populacional cai rapidamente. Nos países cujo crescimento vem da venda de petróleo, as taxas de crescimento populacional caem mais lentamente ou não caem. Isso não ocorre apenas no Golfo Pérsico, mas também no Norte da África (Líbia e Argélia), na África (Gabão e República do Congo) e na América Latina (Venezuela e Trinidad).[15]

Tabela 6.3
Crescimento econômico anual, 1960 - 2006

Essa tabela mostra o crescimento anual do PIB total, enquanto a tabela 6.1 mostra o crescimento anual do PIB per capita.

	Países produtores	Não produtores	Diferença
Todos os países			
1960-2006	3,72	4,05	0,33**
1960-73	5,06	8,21	3,15***
1974-89	3,25	2,83	-0,42*
1990-2006	3,02	3,81	0,79***

[15] Note que a produção de petróleo de um determinado país não parece ter um efeito absoluto na sua taxa de fertilidade:mais petróleo não significa uma correlação direta com o aumento na taxa de fertilidade e consequentemente um crescimento mais rápido da população. O impacto do petróleo, somente emerge quando nós adotamos um controle em relação as receitas de um país. Ainda sim, isso não parece ser apenas um efeito Beverly Hillbillies (segue explicação): mesmo após gerações de altas rendas, as taxas de fertilidade em paises ricos em petróleo permanecem estranhamente altas. Para saber mais sobre este assunto, veja Jamal et al. 2010.

Tabela 6.3 (continua)

	Países produtores	Não produtores	Diferença
Unicamente países em desenvolvimento			
1960-2006	3,97	4,63	0,66***
1960-73	4,96	9,07	4,11***
1974-89	3,43	2,95	-0,48*
1990-2006	3,58	4,62	1,05***

*Significativo a 10%, em um teste t unicaudal
**Significativo a 5%
***Significativo a 1%
Fonte: calculado a partir de dados coletados em Maddison, 2009.

Esse padrão tem profundas consequências econômicas, uma vez que, em uma economia baseada em exportações de petróleo, quanto mais rápido é o crescimento da população de um país, mais lento é o crescimento da sua renda per capita. Manter as mulheres fora da força de trabalho tem levado a um crescimento econômico per capita mais lento nos países produtores de petróleo.

Uma vez controlados os efeitos do crescimento da população, o desempenho da economia dos países produtores de petróleo melhora acentuadamente.[16] Uma maneira simples de constatar isso é analisando o crescimento do PIB total do país, em vez de seu crescimento do PIB per capita. Por exemplo, no Kuwait, o PIB per capita caiu de cerca de US$ 28.900 em 1950 para apenas US$ 13.200 em 2006 - uma queda de mais de 50% - o que parece desastroso. Mas isso só se deu porque um aumento de 760% no PIB total do Kuwait foi ultrapassado por um igualmente espantoso salto de 1660% em sua população total. Se sua população tivesse crescido a uma taxa normal - mais próxima da taxa que os países não produtores desenvolveram ao longo do mesmo período - seu crescimento per capita teria sido muito mais impressionante.

A tabela 6.3 é semelhante à tabela 6.1, mas compara os países pelo crescimento do seu PIB total e não pelo crescimento do seu PIB per capita. Há algumas diferenças marcantes entre as duas tabelas. Na tabela 6.1, não há diferença estatisticamente significativa entre países produtores e não produtores em relação ao crescimento do seu PIB per capita ao longo do período

[16] Anca Cotet e Kevin Tsui (2010) reportam um achado similar - de que as rendas do petróleo acabam levando a um aumento das taxas de fertilidade, a um crescimento mais rápido da população, e consequentemente a um crescimento mais lento da renda per capita.

de 1960 a 2006. A tabela 6.3, no entanto, mostra que os países produtores registraram um crescimento significativamente mais elevado em seu PIB total do que os países não produtores no mesmo período.

Quando medido pelo crescimento rendimento total, o desempenho dos países produtores também melhora em cada um dos três períodos: eles ultrapassam os países não produtores por uma margem maior nos períodos favoráveis (de 1960 a 1973 e de 1990 a 2006) e ficam atrás por uma margem menor nos períodos desfavoráveis (de 1974 a 1989).

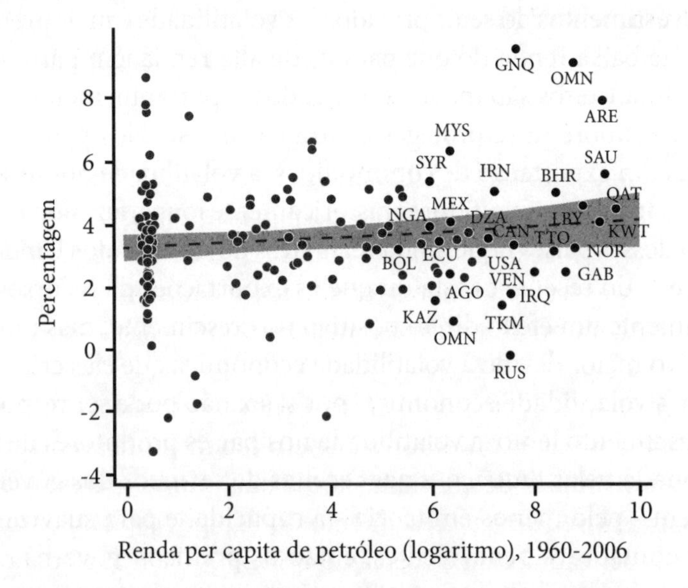

Gráfico 6.7. Crescimento anual do PIB total, 1960-2006

Esses números mostram a taxa média de crescimento anual do PIB em todos os países de 1960 a 2006.

Fonte: calculado a partir de dados de Maddison, 2009.

Podemos ver o mesmo padrão geral em um gráfico de dispersão. A figura 6.7 compara todos os países de 1960 a 2006 de acordo com o crescimento total do seu PIB e das suas receitas de petróleo: os países com mais petróleo tiveram um crescimento significativamente mais rápido. O caso discrepante mais óbvio é a Rússia, cuja economia foi dizimada pelo colapso da União Soviética. Se não fosse pelos efeitos prejudiciais do petróleo sobre o trabalho das mulheres, os países ricos em petróleo teriam superado os não produtores, melhorando as condições das mulheres e também dos homens.

O Problema da Volatilidade

O segundo obstáculo a um crescimento mais rápido são as políticas inadequadas do governo - em particular as políticas que não conseguem compensar a volatilidade das receitas de petróleo.

O Capítulo 2 explica como as receitas de petróleo têm se mostrado voláteis, especialmente desde o início dos anos 1970. Essa volatilidade pode prejudicar o crescimento econômico criando incerteza sobre o futuro, o que, por sua vez, desencoraja investimentos do setor privado.[17] A volatilidade é mais prejudicial para os países de baixa renda do que para os de alta renda, em parte porque seus mercados financeiros são menos sofisticados e, portanto, menos capazes de ajudar os investidores a se proteger contra os riscos.[18] Nos países em desenvolvimento com exportação de commodities, a volatilidade nos termos de comércio tem mantido os investidores historicamente longe, fazendo com que o desempenho desses países fique ainda mais atrás do dos Estados Unidos e da Europa.[19] Um estudo recente constatou que as exportações de recursos naturais têm tipicamente um efeito direto positivo no crescimento, mas um efeito indireto negativo maior devido à volatilidade econômica que elas criam.[20]

No entanto, a volatilidade econômica, por si só, não pode ser responsabilizada pelo crescimento lento: a volatilidade nos países produtores de petróleo é impulsionada pelas flutuações nas receitas de recursos dos governos, e os governos têm - pelo menos em teoria - a capacidade para suavizar essas flutuações. Se contadores benevolentes, e não os políticos, governassem os países ricos em petróleo, suas economias seriam muito mais estáveis. O fracasso dos governos financiados pelo petróleo em estabilizar suas economias é um dos enigmas centrais da maldição dos recursos.

O método básico para suavizar a volatilidade é conhecido desde os tempos bíblicos, quando o faraó egípcio –seguindo um conselho de José - guardou uma fração da produção de grãos do seu reino durante sete anos de prosperidade para sustentar seu povo durante os próximos sete anos, que seriam de fome. Na linguagem econômica, o faraó havia adotado políticas anticíclicas - políticas para deixar de lado uma fração do excedente durante um boom e usar essa fração durante um período de baixa.

[17] Ramey e Ramey, 1995; Acemoglu et al., 2003.

[18] Loayza et al., 2007.

[19] Blattman, Hwang e Williamson, 2007.

[20] Van der Ploeg and Poelhekke, 2009.

Para os países que dependem de recursos não renováveis, como o petróleo, o uso cuidadoso desse excedente é extraordinariamente importante. No Capítulo 2, observo que a depleção das reservas de petróleo pode conduzir a um declínio nas receitas do governo. Para neutralizar a desaceleração econômica que isso causaria, os governos devem investir uma fração das suas receitas de recursos em ativos mais sustentáveis, como o capital físico da nação (infraestruturas), o capital humano (educação) ou mesmo ativos financeiros no exterior. Um país produtor de petróleo que seguir essa estratégia pode compensar a perda de seus recursos naturais por meio da acumulação de outros tipos de ativos - efetivamente negociando a riqueza abaixo do solo pela riqueza acima do solo. Mas, se ele simplesmente consumir sua riqueza petrolífera em vez de investi-la, as gerações futuras vão sofrer quando o petróleo acabar.

Esse princípio – de que, quando os países contam com recursos não renováveis, devem investir uma certa fração de suas receitas em formas de riqueza mais sustentáveis - é conhecido como regra de Hartwick.[21] Países que seguem a regra de Hartwick podem tornar-se mais ricos ao longo do tempo, mesmo quando esgotam seu capital natural. Eles também podem ter economias mais diversificadas, uma vez que o capital natural é transformado em outros tipos de capital.

Felizmente, essas duas tarefas do governo – suavizar receitas voláteis e investi-las em ativos sustentáveis - andam de mãos dadas.[22] Investimento é fundamental, mas não pode ser feito de uma só vez. As economias têm uma capacidade limitada para absorver novos investimentos, que são tipicamente restritos por retornos decrescentes. Por exemplo, se um governo tentar construir muita infraestrutura muito rapidamente, isso levará a uma má planificação, supervisão fraca e construção de má qualidade a preços inflacionados. Quando os governos recebem grandes receitas inesperadas, os economistas os aconselham a fazer apenas investimentos nacionais que produzam uma taxa suficientemente alta de retorno e guardar os fundos remanescentes para uso contracíclico.[23]

Praticamente todos os governos de países ricos em petróleo reconhecem a importância das políticas fiscais anticíclicas, mas eles raramente têm sucesso na sua implementação.

---

[21] Hartwick, 1977.

[22] Mesmo que essas duas tarefas sejam distintas, eu as agrupo para efeitos dessa discussão.

[23] Consulte, por exemplo, Humphreys, Sachs e Stiglitz, 2007; Collier et al., 2009; Gelb e Grasman, 2010.

De acordo com vários estudos importantes, muitos dos maiores produtores de petróleo na década de 1970 e 1980 não conseguiram implementar políticas fiscais anticíclicas e desperdiçaram uma grande fração de suas receitas inesperadas. A análise abrangente de Alan Gelb sobre Argélia, Equador, Irã, Nigéria, Trinidad e Venezuela descobriu que, ao longo dos choques de petróleo de 1973-74 e 1978-79, os gastos aumentaram mais rapidamente do que as receitas em cinco dos seis países – em todos eles, com exceção da pequena Trinidad.[24] O estudo de Auty sobre um grupo de sobreposição de exportadores de petróleo (Nigéria, Indonésia, Trinidad e Venezuela) confirmou que todos os seus governos haviam fracassado na aplicação de políticas anticíclicas.[25]

Às vezes, os políticos reconhecem que a gestão de grandes receitas em cascata é difícil. Em meados da década de 1970, o presidente mexicano José López Portillo advertiu seus compatriotas de que "a capacidade de digestão monetária é como a de um corpo humano. Você não pode comer mais do que pode digerir, com o risco de ficar doente. Com a economia acontece da mesma forma."[26] Mas os governos raramente exercem essa restrição; em vez disso, eles efetivamente deixam que o tamanho de suas reservas determine seus orçamentos nacionais. Com efeito, López Portillo ajudou a aumentar a produção de petróleo do México quase quatro vezes entre 1972 e 1980, ao mesmo tempo que os preços estavam subindo. O resultado foi um súbito excesso de receitas que levou à crise econômica do México em 1982.

Será que os países produtores de petróleo aprenderam com seus erros políticos nas décadas de 1970 e 1980? À primeira vista, a resposta parece ser "sim". Desde o início da década de 1990, muitos produtores de petróleo criaram fundos especiais para ajudá-los a gerir suas receitas de recursos através do uso contracíclico, de investimentos para compensar o esgotamento futuro ou de ambos. Uma análise mais próxima, porém, mostra que esses fundos têm sido surpreendentemente ineficazes. Muitos governos violam suas próprias regras sobre depositar ou retirar dinheiro de seus fundos de recursos; outros elaboram lacunas que prejudicam a eficácia dos fundos. Dois estudos recentes do FMI - em geral, favorecendo o estabelecimento desses fundos - não encontraram evidência visível de que eles ajudaram os governos a melhorar seu desempenho fiscal.[27] Um terceiro estudo do FMI

[24] Gelb e Associados, 1988.

[25] Auty, 1990.

[26] Citado em Yergin, 1991, 667.

[27] IMF, 2007; Davis et al., 2003.

sobre oito produtores de petróleo africanos constatou que, mesmo sob premissas altamente favoráveis, seus governos adotaram políticas fiscalmente insustentáveis.[28]

Um estudo recente do Banco Mundial também descobriu que muitos dos países produtores de petróleo não fizeram investimentos suficientes para atender a regra de Hartwick. Eles têm usado suas receitas petrolíferas para o consumo, perdendo a oportunidade para aumentar a renda e diversificar suas economias. Se Nigéria e Gabão tivessem seguido a regra de Hartwick entre 1970 e 2006, seriam cerca de três vezes mais ricos do que são hoje. Venezuela e Trinidad seriam cerca de duas vezes e meia mais ricos.[28]

O gasto excessivamente rápido dos resultados excepcionais dos recursos não é um problema novo, nem restringe-se ao óleo. Um exemplo histórico marcante é o do Peru no século XIX. Na época, o Peru era o principal fornecedor mundial de guano (excremento seco de aves marinhas), na época, um fertilizante comercial muito valioso. Entre 1840 e 1879, um punhado de pequenas ilhas ao largo da costa peruana fornecia ao mundo praticamente sua única oferta de guano. A extração do guano era fácil: ele era empurrado dos penhascos e jogado em calhas de madeira, por onde deslizava diretamente para os porões dos navios à espera. Os custos do trabalho eram baixos, porque a força de trabalho era composta de escravos, prisioneiros, desertores do exército e "cules" chineses importados sob condições quase de escravidão.[30]

Graças ao seu quase monopólio sobre o abastecimento global e aos custos do trabalho espantosamente baixos, o boom do guano deu ao governo peruano enormes cascatas de receitas inesperadas. Entre 1846 e 1873, as receitas do governo aumentaram cinco vezes. No mesmo período, porém, os gastos do governo aumentaram oito vezes, produzindo dívidas externas insustentáveis. Em 1876, com os suprimentos de guano próximos de se esgotar, o governo peruano declarou falência.[31]

[28] York e Zhan, 2009.

[29] Hamilton, Ruta e Tajibaeva, 2005.

[30] As condições eram tão onerosas que não se passava um dia sem uma tentativa de suicídio registrada entre os trabalhadores. Para resolver a escassez de mão de obra em 1862, empreiteiros sequestraram cerca de mil nativos da Ilha de Páscoa - cerca de um terço da população da ilha. Apesar de os governos francês e britânico, eventualmente, forçarem o governo peruano a enviá-los de volta para a Ilha de Páscoa em 1863, apenas quinze sobreviveram à provação e voltaram para casa vivos.

[31] Essa conta é baseada em Levin, 1960; Hunt, 1985.

A Explicação para Políticas Fracassadas

Se um faraó do Antigo Testamento foi capaz de acumular recursos durante os anos de vacas gordas para usar durante os anos de vacas magras, por que os países produtores de petróleo de hoje não conseguem fazer o mesmo?

Uma resposta possível é que as instituições do governo são danificadas pelas receitas do petróleo. Se o petróleo torna os governos menos eficazes, pode prejudicar sua capacidade de manter políticas anticíclicas - um pouco como o médico que está tão enfraquecido pela doença, que não consegue tratar seus pacientes corretamente.

Existem vários modos de isso ocorrer. A volatilidade das receitas pode encurtar o horizonte de planejamento do governo, o que pode subverter grandes projetos de investimento. Uma vez que as flutuações de receita produzem flutuações nos orçamentos governamentais, os projetos que levam muitos anos para ser implementados - tais como grandes melhorias nas áreas de saúde, educação ou infraestrutura física – estão sujeitos a um alto risco de serem suspensos ou cancelados quando as receitas sofrem uma queda. Os dirigentes do governo que antecipam esse problema podem enfrentá-lo evitando programas de longo prazo ao mesmo tempo em que evitam gastar completamente seus fundos antes que eles desapareçam.

Outra possível causa é o que poderia se chamar de "sobrecarga burocrática", que significa que as receitas de um governo se expandem mais rapidamente do que a sua capacidade de gerenciá-las de forma eficiente. A maioria dos governos se preocupa em ter pouco dinheiro, não muito. Mas países ricos em recursos às vezes recebem receitas em cascata inesperadas que sobrecarregam sua capacidade burocrática, amplificando o perigo de que elas sejam mal utilizadas.[32]

---

[32] Órgãos do governo que gerenciam o setor de recursos em expansão são especialmente vulneráveis à sobrecarga burocrática. Como têm autoridade sobre os recursos que se tornam repentinamente valiosos, os governos podem ser atormentados pelo que eu chamo de "apropriação de renda" em um livro anterior. A apropriação de renda ocorre quando os políticos contornam restrições institucionais para obter o controle sobre a alocação e regulamentação de um recurso valioso, adquirindo poder para usá-lo para patrocínio ou corrupção (Ross 2001b). Madagascar é um exemplo recente. Até 2005, o governo alocava os direitos de mineração através de plena concorrência por meio de uma agência destinada a impedir interferências políticas e promover a transparência. Mas o sistema começou a ruir em 2006 face à subida dos preços dos minerais. O poder de atribuir autorizações foi transferido da antigamente independente Mining Cadastre Office (Agência de Registro de Mineração) para nomeações políticas que desconsideraram o Código de Mineração de Madagascar, abandonando medidas como a licitação, que havia fomentado a transparência, e, em vez disso, distribuindo licenças por meio de um processo opaco, discricionário e quase que certamente corrupto (Kaiser, 2010).

Durante os primeiros dias de seu governo, Ibn Saud, o monarca fundador da Arábia Saudita, conseguia transportar todo o tesouro nacional nos alforjes do seu camelo. Depois que garimpeiros descobriram petróleo em 1938, o governo de Saud foi inundado com dezenas de milhões - que logo seriam bilhões - de dólares das receitas petrolíferas, que tinha pouca capacidade para gerir.[33] A tumultuada expansão do Estado saudita na década de 1950 levou ao caos administrativo. De acordo com Steffen Hertog,

> No que diz respeito à importância das instituições, suas operações diárias eram frequentemente realizadas de forma autônoma, com os ministérios funcionando como feudos pessoais. A natureza personalizada da autoridade e a distribuição administrativa significavam que a coordenação entre as agências foi muito insuficiente, com diferentes instituições produzindo muitas vezes decisões diretamente contraditórias e jurisdições obscuras. Já em 1952, seis diferentes entidades eram responsáveis pelo planejamento econômico.[34]

Muitos estudiosos fazem uma reivindicação mais ambiciosa: que a riqueza petrolífera leva a "instituições fracas", tornando os governos mais ineficazes, mais corruptos, menos competentes e menos capazes de manter políticas fiscais prudentes. Kiren Aziz Chaudhry afirma que as receitas do petróleo prejudicam o desenvolvimento de uma burocracia estatal eficiente, o que torna os países incapazes de desenvolver políticas econômicas sólidas.[35] Terry Lynn Karl sustenta, no seu influente livro *The Paradox of Plenty* (O paradoxo da abundância), que as receitas provenientes do petróleo diminuem a autoridade do Estado, provocando a "psicologia rentista", crises de "petromania" e a "multiplicação de oportunidades para autoridades públicas e interesses privados se envolverem na caça à renda".[36] Timothy Besley e Torsten Persson desenvolveram um modelo formal no qual os rendimentos dos recursos desencorajam os políticos de investir na capacidade burocrática do Estado, deixando-o fraco e incapaz de promover o crescimento do

[33] Yergin, 1991.

[34] Hertog, 2007, 546.

[35] Chaudhry, 1989.

[36] Karl, 1997, 57, 67, 15.

setor privado.[37] Dezenas de outros estudos apresentam argumentos semelhantes.[38]

Essas conclusões podem estar corretas, mas são enganosamente difíceis de verificar. Os cientistas sociais têm muitas dificuldades para definir e medir as instituições, o que torna essas afirmações difíceis de refutar. Na medida em que esses argumentos podem ser testados, eles não se encaixam bem com provas.

Se a extração de petróleo fosse ruim para as instituições governamentais, deveríamos observar uma correlação negativa entre a renda de petróleo do país e a qualidade do seu governo. Uma vez que normalmente não possuem medidas do desempenho real de um governo, os cientistas sociais muitas vezes dependem das medidas do desempenho percebido do mesmo. O Banco Mundial compilou um conjunto de medidas cuidadosamente montado com base em dados de agências de crédito de risco, ONGs e agências de ajuda multilateral. Números mais altos indicam melhores resultados, assim como uma maior eficácia do governo e melhor controle da corrupção.[39]

Na tabela 6.4, a primeira linha compara a eficácia percebida do governo nos países produtores de petróleo e nos não produtores em 2006. Os países produtores de petróleo têm pontuações ligeiramente melhores, embora as diferenças não sejam estatisticamente significativas.

A segunda linha compara as pontuações de seu controle da corrupção.

Mais uma vez, os países produtores de petróleo têm melhores pontuações, mas não muito significativamente.

Também podemos considerar as mudanças em vez de considerar os níveis de qualidade do governo.

Algumas teorias sugerem que a qualidade de um governo é prejudicada pelas mudanças em sua renda do petróleo, ou seja, por uma explosão em suas receitas de petróleo - em oposição ao seu nível de renda do petróleo.[40] Analisar as mudanças também é uma maneira simples de controlar fatores fixos que também podem afetar a qualidade do governo e mascarar o verdadeiro impacto do petróleo.

---

[37] Besley e Persson, 2010.

[38] Consulte também Mahdavy, 1970; Leite e Weidemann, 1999; Isham et al., 2005; Bulte, Damania e Deacon, 2005. Para uma excelente revisão desses argumentos, consulte Wick e Bulte, 2009.

[39] Kaufman e Kraay, 2008. Infelizmente, opiniões de especialistas sobre a corrupção parecem ser pobres preditores da corrupção real. Consulte, por exemplo, Olken, 2009; Razafindrakoto e Roubaud, 2010.

[40] Tornell e Lane, 1999.

Tabela 6.4
Qualidade percebida do governo, 1996-2006

Números mais altos indicam melhor qualidade do governo - o que significa uma maior eficácia e melhor controle da corrupção. Os resultados dos países para a eficácia do governo variam em uma faixa de -2,16 a 2,22; as pontuações para controle da corrupção variam em uma faixa de -1,76 a 2,53.

	Não produtores de petróleo	Produtores de petróleo	Diferença
Nível de eficácia do governo, 2006	– 0,120	0,007	0,0127
Nível de controle da corrupção, 2006	- 0,132	-0,026	0,107
Mudança na eficácia do governo, 1996-2006	- 0,003	- 0,077	-0,073
Mudança no controle da corrupção, 1996-2006	- 0,037	0,022	0,059

*Significativo a 10% em um teste t unicaudal
**Significativo a 5%
***Significativo a 1%
Fonte: calculado a partir de dados em Kaufman e Kraay, 2008.

A linha 3 mostra como as pontuações de eficácia do governo mudaram de 1996 a 2006 – em um nível em que praticamente todos os produtores de hidrocarbonetos foram experimentando grandes aumentos de receitas devido à alta dos preços. Enquanto a eficácia do governo diminuiu nos países produtores de petróleo em relação aos não produtores, as diferenças novamente não foram estatisticamente significativas. A linha 4 mostra que as pontuações de corrupção dos países produtores de petróleo melhoraram ligeiramente em relação às dos países não produtores, mas não muito significativamente.

A figura 6.8 oferece um olhar mais atento às mudanças nas pontuações de corrupção dos países de 1996 a 2006, em comparação com as mudanças na sua renda do petróleo. A linha ajustada inclina-se ligeiramente para cima - países com mais petróleo tornaram-se um pouco menos corruptos - mas o desempenho dos países variou muito. Cinco países da Península Arábica melhoraram sua capacidade de controlar a corrupção (Arábia Saudita,

Emirados Árabes Unidos, Catar, Omã e Bahrein), assim como alguns dos produtores africanos (República do Congo e Gabão). A corrupção piorou em outros países produtores de petróleo, tanto no mundo em desenvolvimento (Trinidad, Guiné Equatorial, e Venezuela) quanto no desenvolvido (Noruega, Canadá, Holanda e Estados Unidos). Há pouca evidência de que as receitas de petróleo tendam a prejudicar a qualidade do governo.

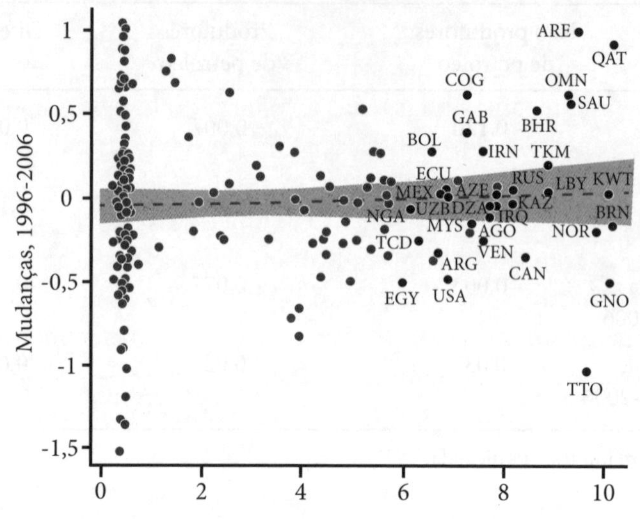

Gráfico 6.8. Mudanças no controle da corrupção, 1996-2006

Os números mostram as mudanças na pontuação de controle da corrupção de cada país de 1996 a 2006. Os números mais altos sugerem melhorias no controle da corrupção. O eixo horizontal mostra a alteração absoluta na renda per capita de petróleo de cada país (logaritmo) ao longo do mesmo período.

Fonte: calculado a partir de dados sobre o controle da corrupção em Kaufman e Kraay 2008.11

Duas Falácias

Se ter mais petróleo não danifica a qualidade das instituições do governo de uma forma clara, por que tantos estudos inteligentes - muitas vezes com base em dados irrefutáveis - afirmam o contrário? Muitos pesquisadores são desviados por duas falácias. A primeira pode ser chamada de falácia de Beverly Hillbillies. Beverly Hillbillies foi uma comédia de televisão popular na década de 1960 que retratava a vida de uma família adorável, mas sem sofisticação, os Clampetts, que viviam nos montes Ozark e de repente se

tornaram ricos ao descobrir petróleo. Os Clampetts se mudam para uma mansão em Beverly Hills e entram comicamente em choque com seus vizinhos pedantes.

Aqui é onde a falácia entra. Os Clampetts eram tão ricos quanto seus vizinhos, mas, como cresceram na pobreza, faltava-lhes a "educação" e a "classe" daqueles.[41] A análise estatística das famílias em sua vizinhança mostraria que os que enriqueceram com o petróleo (no caso, os Clampetts) eram menos educados do que os que enriqueceram por outros meios. Observadores poderiam inferir erroneamente que a riqueza do petróleo faz com que as famílias se tornem menos instruídas. Mas a riqueza do petróleo não tornou os Clampetts ignorantes ou sem sofisticação. Ela os tornou mais ricos - levando-os ao convívio em um novo grupo, mais instruído – sem afetar sua educação ou boas maneiras. Comparar os Clampetts a seus novos vizinhos de Beverly Hills faz com que a riqueza do petróleo pareça uma maldição. Mas, em comparação a um grupo de vizinhos mais realista - como seus vizinhos de longa data dos montes Ozark - sua educação e boas maneiras serão consideradas, provavelmente, bastante normais.

Muitos estudos sobre petróleo e qualidade institucional cometem um erro semelhante ao comparar implicitamente países produtores de petróleo recém-enriquecidos a países de média e alta renda cujas instituições se desenvolveram ao longo de muitos anos. Isso faz com que os países produtores de petróleo "novos ricos" pareçam institucionalmente atrofiados.

Por exemplo, a figura 6.9 mostra que os países mais ricos tendem a ter governos mais eficazes. Há uma forte correlação entre a renda per capita de um país (no eixo horizontal) e a eficácia percebida da sua administração (no eixo vertical). Padrões similares são encontrados em dezenas de estudos acadêmicos que relacionam a renda de um país à eficácia de seu governo: rendas mais elevadas tendem a tornar os governos mais eficazes e governos mais eficazes tendem a tornar seus países mais ricos.[42] Isso é um pouco como a correlação de duas vias entre renda e educação de Beverly Hills (ou de qualquer outro lugar): famílias mais ricas podem pagar por níveis mais elevados de educação, e pessoas mais educadas tendem a ganhar rendas mais elevadas.

[41] Os Clampetts gostavam de se gabar de que o membro mais instruído da sua família, Jethro Bodine, completara com sucesso a sexta série.

[42] Consulte, por exemplo, La Porta et al., 1999; Adsera, Boix e Payne, 2003.

Observe a posição dos países que produzem pelo menos mil dólares per capita em renda de petróleo – marcada pelas abreviaturas dos países em inglês. A maioria deles se encontra abaixo da linha ajustada, sugerindo que eles têm, invulgarmente, governos ineficazes para países em seus níveis de renda. Se controlarmos a renda de um país, podemos facilmente concluir que a produção de petróleo tende a diminuir a eficácia dos governos.

Há uma interpretação mais benigna, no entanto: talvez o petróleo aumente suas rendas, mas sem influenciar a eficácia de seus governos. Um aumento nos preços globais do petróleo ou a exploração de uma nova reserva de petróleo poderiam tornar um país mais rico sem ajudar ou prejudicar a qualidade de seu governo - assim como encontrar petróleo aumentou a renda dos Clampetts sem afetar seus níveis de educação. Se isso houvesse ocorrido, não observaríamos nenhuma correlação direta entre a renda de petróleo de um país e a qualidade de seu governo - ainda que o petróleo pareça estar correlacionado com a baixa qualidade do governo quando controlamos a renda de um país, uma vez que, em comparação com países com rendas semelhantes, a qualidade do governo nos países produtores de petróleo é anormalmente baixa. O fato de o petróleo elevar rapidamente a renda de um país sem produzir um aumento igualmente rápido na eficácia do seu governo não significa que o petróleo tenha prejudicado o governo - ele apenas não ajudou da forma que os estudiosos ingenuamente imaginaram.[43]

[43] A falácia de Beverly Hillbillies também poderia ser vista como uma espécie de viés pós-tratamento: o petróleo parece estar negativamente correlacionado com a qualidade institucional quando controlamos a renda, mas, como o petróleo afeta a renda, a inclusão de renda no modelo produz uma estimativa tendenciosa do verdadeiro impacto do petróleo. Michael Alexeev e Conrad Robert (2009) apontam algo semelhante na análise estatística de petróleo e instituições, mostrando que, quando o impacto do petróleo sobre a renda é devidamente contabilizado, o petróleo não parece estar correlacionado com uma redução na qualidade institucional. Xavier Sala-i-Martin e Arvind Subramanian (2003) também usam esse argumento, mas Alexeev e Conrad afirmam que sua solução econométrica é inadequada. Michael Herb (2005) sugere que um problema semelhante cria a falsa aparência de que o petróleo dificulta a democracia. Alexeev e Conrad, no entanto, acham que o petróleo ainda está associado com menos democracia após a contabilização do efeito do petróleo sobre a renda.

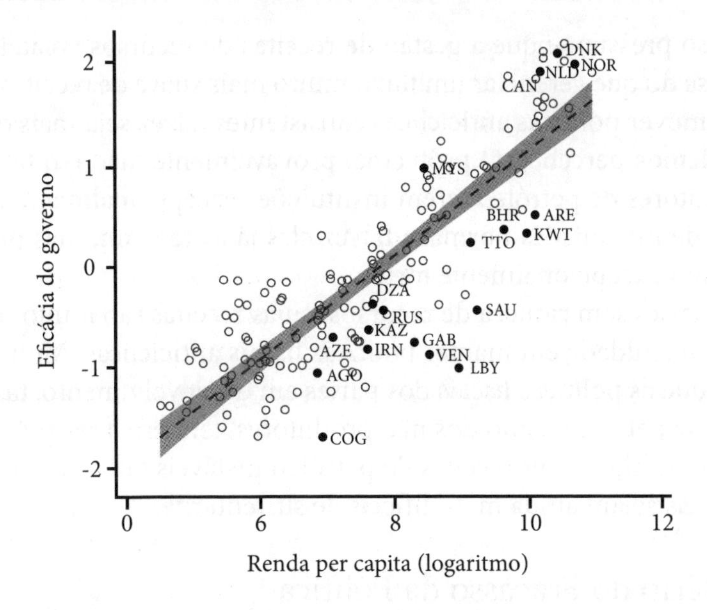

Gráfico 6.9. Receitas e eficácia percebida do governo, 2005

Fonte: o eixo vertical mostra pontuações de eficácia do governo, com números altos indicando uma maior eficácia. Os pontos preenchidos são países produtores de petróleo, e os pontos vazios são países não produtores. Os dados sobre a eficácia percebida do governo foram extraídos de Kaufman e Kraay, 2008.

Os estudiosos também podem ser induzidos ao erro pela falácia de encargos não observados. Imagine um professor de meia-idade subindo rapidamente em direção a uma palestra em um salão em um andar superior, seguido por seu muito mais lento assistente. Observadores podem inferir que o professor está em melhor forma do que seu assistente. Mas o assistente carrega a mochila na qual está o laptop do professor, um projetor e cinco livros didáticos. Já a mochila do professor está vazia, exceto por um pedaço de giz. Os dois indivíduos são igualmente aptos, mas uma carga mais pesada retarda o assistente. No entanto, como não é possível observar as diferenças das respectivas cargas, os observadores erroneamente concluem que o professor é mais apto.

Ao olhar para a eficácia do governo, os estudiosos muitas vezes cometem o mesmo erro: podem inferir que os baixos desempenhos dos governos devem-se a instituições fracas, sem considerar variações nas dificuldades das suas funções. Nós nos esquecemos de olhar dentro da mochila.

Quando os governos financiados pelo petróleo administram mal suas receitas, os observadores muitas vezes culpam a fraqueza institucional do

governo. Isso pressupõe que a gestão de receitas de recursos voláteis não é mais onerosa do que gerenciar um fluxo muito mais suave de receitas fiscais. Porém, promover políticas anticíclicas consistentes talvez seja mais oneroso do que podemos perceber. O problema, provavelmente, não é o fato de os países produtores de petróleo terem instituições excepcionalmente fracas e precisarem de instituições normais; talvez eles já as tenham, mas precisem que elas sejam excepcionalmente fortes.

Mesmo países sem riqueza de recursos, cujas receitas são muito mais estáveis, têm dificuldade em manter políticas fiscais anticíclicas. Muitos estudos acham que as políticas fiscais dos países em desenvolvimento, tanto dos produtores de petróleo como dos não produtores, tendem a ser pró-cíclicas em vez de anticíclicas. Ter receitas de petróleo instáveis faz com que políticas anticíclicas sejam ainda mais difíceis de sustentar.[44]

O Mistério do Fracasso da Política

Por que os governos encontram tanta dificuldade em manter políticas anticíclicas? Voltemos ao nosso modelo básico de política petrolífera, que apresenta um governante que quer permanecer no poder, os cidadãos que querem melhorar seu bem-estar social e as receitas de petróleo que fluem para o governo. Soubemos no Capítulo 3 que o governante enfrenta pressão constante dos cidadãos para gastar mais dinheiro e melhorar o bem-estar social deles. Para implementar políticas fiscais anticíclicas, um governante deve fazer mudanças intertemporais - desagradando os cidadãos hoje a fim de fazer-lhes bem no futuro.

Estudiosos reconhecem quatro conjuntos de fatores que podem afetar as probabilidades dessas mudanças - fatores que podem afetar tanto democracias quanto ditaduras, líderes sábios e tolos, países ricos e pobres. Infelizmente, esses estudos enfatizam o quão difícil pode ser fazer essas compensações, mesmo que elas produzam melhorias para os cidadãos no longo prazo.

[44] Catão e Sutton, 2002; Manasse 2006; Talvi e Végh, 2005; Alesina, Campante e Tabellini, 2008; Ilzetzki e Végh, 2008. Alguns estudos sobre petróleo e instituições cometem um terceiro erro: eles argumentam que o petróleo é prejudicial para indicar a força estatal e usam o valor dos impostos cobrados pelo governo para medi-la. Consulte, por exemplo, Chaudry, 1997; Thies, 2010; Besley e Persson, 2010. Como mostra o Capítulo 2, as receitas do petróleo necessariamente reduzem a dependência do governo sobre as receitas fiscais, aumentando suas receitas não fiscais. O fato de um país rico em petróleo recolher menos receitas fiscais não significa, ipso facto, que seu governo é fraco ou ineficaz.

A Incerteza entre os Governantes

Um dos fatores é a expectativa dos governantes sobre quanto tempo eles vão permanecer no cargo. Imagine um governo de um país produtor de petróleo dirigido por um líder sábio que quer adotar políticas fiscais anticíclicas. Para a eficácia dessas políticas, elas devem ser mantidas nos próximos anos, de modo que eventuais excedentes acumulados durante um boom estejam disponíveis durante uma recessão. Mas o nosso líder não pode vincular seus sucessores ao curso que ele deseja implementar; políticas e instituições estabelecidas pelo governo de hoje podem ser dissolvidas pelos futuros dirigentes. Reconhecendo que o dinheiro que ele coloca em reserva pode ser perdido para o clientelismo e a corrupção por um sucessor menos responsável, um governante sábio pode preferir usá-lo imediatamente em projetos que ele considera terem mais mérito. Quanto mais ele acreditar que em breve perderá o poder, mais forte será o incentivo para gastar o dinheiro rapidamente.

Da mesma forma, um governante ganancioso também será afetado por suas expectativas quanto à longevidade de sua permanência no cargo. Imagine um líder cujas decisões fiscais sejam totalmente guiadas pelo desejo de poder e riqueza pessoal e que queira usar a colheita exclusivamente para o clientelismo e a corrupção. E suponha que os retornos colaterais do clientelismo e da corrupção sejam decrescentes, o que significa que o governante faria melhor distribuindo favores ao longo de vários anos em vez de todos de uma vez só. Se o governante acredita que em breve será substituído, ele perde qualquer incentivo para reservar um superávit orçamentário para uso futuro.

Esses exemplos sugerem que os líderes políticos que estão mais seguros no cargo são provavelmente mais propensos a conter gastos durante booms econômicos e líderes que estão menos seguros exercerão menos contenção de gastos.[45] Isso não significa, necessariamente, que os governos autoritários implementarão melhores políticas fiscais do que os democráticos. Muito pode ser feito para dar a líderes democráticos horizontes mais longos

[45] Herschman, 2009. Para uma discussão sobre os fatores que influenciam o horizonte de tempo de um político e, portanto, seu ritmo de execução de despesas preferido, consulte Levi, 1988. Macartan Humphreys e Martin Sandbu (2007) utilizam um modelo formal para explorar, com muito mais detalhes, condições que podem afetar a probabilidade de contenção de gastos.

e assim incentivar uma maior contenção.[46] Em *Os Pensadores Federalistas*, Alexander Hamilton usou esse argumento para explicar as vantagens de ter um presidente que possa concorrer à reeleição:

> Um homem ganancioso, que eventualmente estivesse ocupando o cargo (de presidente), ansioso pelo momento de fazer valer todos os bônus de que dispõe, sentiria uma propensão, nada fácil de ser contida por um homem assim, de fazer o melhor uso da oportunidade que tem enquanto ela durar, e pode não ter escrúpulos para recorrer aos expedientes mais corruptos ao colher um resultado tão abundante quanto transitório; embora o mesmo homem, provavelmente, com uma perspectiva diferente diante de si, pudesse se contentar com as gratificações regulares de sua situação e até não estar disposto a arriscar as consequências de um abuso de oportunidade. (...) Mas, com a perspectiva diante de si aproximando-se de um final inevitável, sua cobiça possivelmente venceria sua precaução, ou sua vaidade, ou ainda sua ambição.[47]

Mais recentemente, Macartan Humphreys e Martin Sandbu mostraram que, quando um governo rico em recursos está sujeito a mais controles e prestações de contas, menor a probabilidade de gastar seus superávits além do razoável.[48] Alberto Alesina, Filipe Campante e Guido Tabellini afirmam que, entre as democracias, o fator crítico é a corrupção: democracias do mundo em desenvolvimento com mais corrupção têm políticas fiscais piores do que as democracias com menos corrupção.[49]

A Seleção dos Governantes

A maneira como os líderes são escolhidos também pode fazer a diferença. Imagine que o nosso país-modelo é uma democracia e que o governo recebe um grande lucro inesperado de petróleo, às véspera de uma eleição. Os eleitores devem escolher entre um candidato sábio, que quer restringir os gastos, e um candidato ganancioso, que quer gastar o lucro inesperado

[46] Alesina; Campante e Tabellini, 2008.

[47] Hamilton, Madison e Jay, 1788, 2000, nr. 72.

[48] Humphreys e Sandbu, 2007.

[49] Alesina; Campante e Tabellini, 2008.

imediatamente. Para competir por votos, cada candidato deve levantar fundos de campanha, e aquele que levantar mais dinheiro tem mais chances de ganhar. Para levantar esses fundos, cada um faz promessas de futuro clientelismo a seus apoiadores.

Sob essas condições simples, o candidato que estiver mais disposto a gastar os recursos do governo em clientelismos vai ter vantagem sobre seu adversário, uma vez que é capaz de prometer benefícios governamentais para um número maior de grupos eleitorais. Mesmo em países sem nenhum clientelismo, os candidatos que fazem as promessas mais generosas ao eleitorado - como novas estradas, escolas e postos de trabalho - podem ter vantagem sobre adversários que prometem menos. A mesma dinâmica pode ocorrer em países autoritários. Michael Herb explica que, em algumas monarquias do Oriente Médio, para chegar ao trono, os príncipes que herdarão o governo devem subornar outros membros da família com promessas de dinheiro do petróleo e indicações a postos administrativo.[50] Países ricos em recursos por vezes enfrentam um problema de *seleção adversa:* rivais que prometem menos contenção poderão acabar substituindo líderes que favorecem mais contenção fiscal.[51]

O problema da seleção adversa pode ser ilustrado por um dos maiores escândalos de corrupção da história dos EUA - o escândalo Teapot Dome, que abalou o governo do presidente Warren Harding no início dos anos 1920.[52] Entre os principais produtores de petróleo do mundo, os Estados Unidos são uma anomalia: a maior parte de suas reservas de petróleo em solo são de propriedade e regulamentada pelos estados, e não pelo governo nacional em particular. Mas, em 1920, os mais valiosos campos de petróleo inexplorados no país - talvez no mundo - estavam localizados em terrenos de propriedade e sob a jurisdição do governo nacional. O campo Teapot Dome, em Wyoming, juntamente com vários campos menores, na Califórnia, havia sido reservado para uso exclusivo da Marinha dos Estados Unidos em tempos de emergência nacional. Mesmo que esses campos estivessem estimados em vários bilhões de dólares (em moeda de hoje), a administração Wilson, no cargo de 1913 ao início de 1921, resistiu à pressão do lobby petroleiro para liberá-los para uso comercial.

[50] Herb, 1999.

[51] Para um olhar mais cuidadosamente desenvolvido nessa dinâmica, consulte Collier e Hoeffler, 2009.

[52] O relato a seguir é extraído de McCartney, 2008.

O Partido Republicano era claramente favorito para ganhar a eleição geral de 1921, e muitos candidatos disputavam a indicação para concorrer. Harding, um obscuro senador de Ohio sem uma agenda política especial além de "um retorno à normalidade", era um dos candidatos menos inspirados.[53] Uma contagem de delegados do partido às vésperas da convenção de indicação mostrava Harding ocupando uma distante sexta colocação. O *Wall Street Journal* deu-lhe uma cotação de apostas à indicação partidária de um por oito, enquanto o jornalista esportivo Ring Lardner colocou as probabilidades em 1 por 200.

Quando a convenção republicana começou, vários ricos executivos do setor petrolífero abordaram os principais candidatos e ofereceram-lhes grandes doações em troca de acesso futuro aos campos de petróleo da Marinha. A maioria recusou, mas Harding - cuja campanha estava desesperadamente sem dinheiro - prontamente concordou com o negócio. Com acesso repentino a vários milhões de dólares, Harding foi capaz de comprar o apoio de delegados suficientes para obter a nomeação. Depois de receber novas injeções de dinheiro de ansiosos executivos do petróleo, ele venceu as eleições gerais em uma avalanche. Ao assumir o cargo, Harding nomeou Albert Fall, o candidato favorito de seus apoiadores da indústria do petróleo, para o cargo de secretário do interior. Fall logo concedeu aos apoiadores de Harding locações não licitadas extremamente valiosas dos campos de petróleo da Marinha. A disposição de Harding em vender ativos do governo como clientelismo, em vez de salvá-los para uso futuro em caso de emergência, o ajudou a triunfar na eleição.

O Papel dos Cidadãos

As preferências dos cidadãos também são importantes, especialmente nas democracias. Se os cidadãos estiverem bem informados e entenderem os benefícios das políticas anticíclicas, o governante deve encontrar mais facilidade para exercer a contenção fiscal.

[53] De acordo com William McAdoo, secretário da fazenda de Woodrow Wilson, "os discursos [de Harding] deixaram a impressão de um exército de frases pomposas que se deslocam sobre uma paisagem em busca de uma ideia. Às vezes, essas palavras sinuosas realmente capturavam um pensamento disperso e o apresentavam triunfantes, feito um prisioneiro naquele meio, até que morresse de servidão e excesso de trabalho." Citado em McCartney (2008, 43).

Mas, mesmo que o eleitorado esteja bem informado, sob algumas condições, os cidadãos podem ainda pressionar por mais gastos. Se a população estiver fortemente dividida em facções concorrentes - talvez por agrupações étnicas, regionais ou de classe - os partidários do governo atual podem favorecer a imediata distribuição de quaisquer lucros inesperados, com medo de que um futuro governo favoreça uma facção rival e a exclua de seu espólio.[54] Mesmo que eles não estejam divididos, os eleitores também são menos propensos a favorecer contenção de gastos quando percebem o governo como corrupto ou incompetente, uma vez que eles temem que um excedente não consumido seja desperdiçado ou desviado, e não guardado para uso futuro.[55]

É claro que esse não é um medo irracional. Muitos governos *desperdiçam* seus lucros inesperados. O uso ineficiente de lucros inesperados pode, portanto, tornar-se uma profecia autorrealizada: como o público acredita que qualquer excedente será mal gasto, o governo pode ser forçado a desembolsá-lo de imediato - mesmo que isso cause exatamente o desperdício que os cidadãos antecipam. Mas o uso prudente de lucros inesperados - acompanhado de transparência suficiente - pode criar um ciclo virtuoso de retroalimentação: quando os cidadãos acreditam que seu governo vai poupar e investir uma colheita de forma responsável, eles podem se tornar mais pacientes quanto ao recebimento dos benefícios resultantes disso.

O Papel dos Mercados de Crédito

Os governos têm grande parte da culpa por gastos demasiado rápidos, mas os mercados de crédito também desempenham um papel nisso.

Há um ditado popular que diz que os bancos vão emprestar-lhe um guarda-chuva quando o sol estiver brilhando, mas vão pedi-lo de volta quando chover. Esse adágio reflete a maneira irônica de como os mercados de crédito funcionam: banqueiros apenas financiam clientes que estão em melhor situação - mesmo que eles necessitem menos - porque eles são mais propensos a pagar de volta os seus empréstimos.

[53] De acordo com William McAdoo, secretário da fazenda de Woodrow Wilson, "os discursos [de Harding] deixaram a impressão de um exército de frases pomposas que se deslocam sobre uma paisagem em busca de uma ideia. Às vezes, essas palavras sinuosas realmente capturavam um pensamento disperso e o apresentavam triunfantes, feito um prisioneiro naquele meio, até que morresse de servidão e excesso de trabalho." Citado em McCartney (2008, 43).

[54] Humphreys e Sandbu, 2007.

[55] Alesina; Campante e Tabellini, 2008.

O mesmo padrão se mantém em nível global quando os governos são mutuários: quando as receitas de um governo sobem, sobe também sua capacidade de tomar dinheiro emprestado. Infelizmente, isso significa que os governos encontram mais facilidade para pedir dinheiro emprestado durante os bons tempos econômicos e mais dificuldade durante os tempos ruins - o que promove políticas orçamentais pró-cíclicas.[56]

A lógica inversa dos mercados de crédito agravou os problemas econômicos de muitos países produtores de petróleo nos anos 1980. Quando as receitas do petróleo deles subiram nos anos 1970, o mesmo aconteceu com sua reputação creditícia. Como o valor de suas exportações crescia rapidamente, os bancos internacionais acreditavam que esses governos seriam capazes de atender dívidas de grandes empréstimos e ofereceram-lhes termos generosos. Um estudo de 2008 por Irfan Nooruddin descobriu que, entre 1970 e 2000, quanto mais petróleo os países produzissem, maior o peso de suas dívidas.

Às vezes, faz sentido econômico para os governos de países produtores de petróleo pedir dinheiro emprestado. Os anos podem passar entre o dia em que um campo de petróleo valioso é descoberto e o dia em que começa a produzir receitas significativas para o governo. Se o governo toma dinheiro emprestado projetando produção futura, ele pode se expandir em um ritmo mais suave e mais controlável, e seu povo pode desfrutar dos benefícios da riqueza do petróleo mais cedo. Em países pobres, onde a necessidade de comida, de educação e de serviços de saúde é urgente, empréstimos projetados para receitas futuras podem salvar vidas.

Mas os governos não devem pedir mais do que podem pagar de volta, e a capacidade de governos dependentes de petróleo para pagar seus empréstimos depende muito do preço futuro do petróleo. No final dos anos 1970, banqueiros e funcionários do governo acreditavam que as condições subjacentes que estavam produzindo preços recordes de petróleo continuariam indefinidamente e, portanto, que os governos produtores de petróleo teriam receita suficiente para atender grandes empréstimos.

Quando o preço do petróleo colapsou, depois de 1980, os governos dos oito maiores exportadores de petróleo - México, Venezuela, Nigéria, Gabão, República do Congo, Trinidad, Argélia e Equador - ficaram inviabilizados pela dívida. Todos foram obrigados a recorrer à ajuda do FMI.[57] A dispo-

[56] Catão e Sutton (2002); Kaminsky, Reinhart e Végh (2004).

[57] Após o primeiro choque do petróleo, em 1975, até a Indonésia, que administrou seus modestos lucros inesperados prudentemente, foi perturbada por uma explosão de dívida (Bresnan, 1993).

nibilidade de crédito fácil ajudou esses governos a acelerar gastos públicos quando os preços estavam altos, com empréstimos que tiveram de ser restituídos quando os preços estavam baixos - isso tornou suas economias mais voláteis e não mais estáveis.

Em teoria, a democracia pode ajudar a conter o endividamento dos governos, uma vez que os contribuintes podem estar mais preocupados do que os seus líderes políticos sobre a saúde financeira de longo prazo do país. O estudo de Nooruddin, no entanto, encontrou o inverso: os produtores democráticos de petróleo tiveram problemas de dívida piores do que os produtores não democráticos.[58] Mais uma vez, a democracia é menos útil para a economia do que poderíamos esperar.

O estudo do crescimento do petróleo e da economia está repleto de equívocos. Muitos livros e artigos afirmam que a riqueza do petróleo leva à debilidade das instituições do Estado, ao crescimento econômico mais lento e a um declínio no desenvolvimento humano. No entanto, esses estudos geralmente se concentram no conturbado período de 1970 a 1990, e todos caíram na armadilha de algumas falácias comuns.

Um olhar mais atento aos dados sugere que os países produtores de petróleo têm crescido mais ou menos na mesma velocidade que outros países - o que indica que o petróleo não tem sido tipicamente prejudicial, mas também não criou o impulso econômico que poderíamos esperar. Collier descreve adequadamente os problemas econômicos dos produtores de petróleo como "predominantemente uma oportunidade perdida".[59]

Uma das razões para essas oportunidades perdidas foi o fracasso de muitos países produtores de petróleo em fornecer bons empregos para as mulheres, o que retardaria o crescimento de suas populações. A segunda razão tem sido sua incapacidade de manter políticas fiscais adequadas - não porque os produtores de petróleo tenham instituições anormalmente fracas, mas porque compensar a volatilidade das receitas de petróleo é anormalmente difícil. Esses fracassos políticos, no entanto, não são causados por instituições governamentais atipicamente ruins ou fracas. A maioria dos países produtores de petróleo parece ter instituições relativamente normais. O problema é que os países produtores de petróleo precisam de instituições excepcionalmente fortes para lidar com o volume e a volatilidade de suas receitas.

[58] Nooruddin, 2008.

[59] Collier 2010, 44.

Capítulo Sete

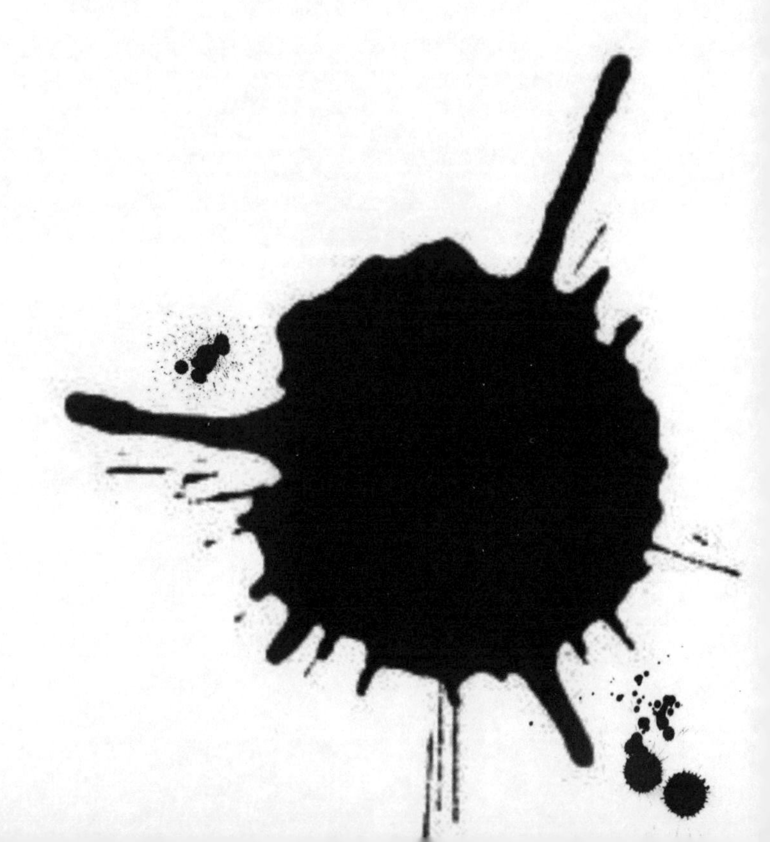

Boas e Más Notícias sobre o Petróleo

> De todos os projetos caros e incertos, do tipo que traz falência para a maior parte das pessoas que se engajam neles, talvez não haja nenhum mais ruinoso do que a busca por novas minas de ouro e prata. (. . .) Eles são portanto os projetos que um legislador prudente, que deseje aumentar o capital de sua nação, menos encorajaria particularmente.
>
> - Adam Smith, A Riqueza das Nações

Esse livro analisa meio século de dados para produzir uma ampla contabilidade da política e da economia da riqueza de petróleo. Ele encontra pouca evidência para algumas das reivindicações mais pessimistas na literatura sobre a maldição dos recursos: que extrair petróleo desacelera o crescimento econômico de um país, ou que torna os governos mais fracos ou menos eficazes.[1] Em algumas frentes de desenvolvimento, como a redução da mortalidade infantil, o típico estado produtor de petróleo tem sido mais rápido que seus parceiros não produtores.

No entanto, esse livro também mostra que, desde o início de 1980, os países produtores de petróleo no mundo em desenvolvimento foram vítimas de uma série de males políticos: em comparação com países semelhantes sem petróleo, seus governos têm sido menos democráticos e menos transparentes; suas economias têm proporcionado às mulheres menos empregos e menos influência política e eles têm sido mais frequentemente marcados por revoltas violentas. Eles sofrem de um tipo mais sutil de enfermidade econômica também. Enquanto cresceram mais ou menos na mesma velocidade de outros países, deveriam ter crescido mais rápido, mas foram retardados por dois fatores: sua incapacidade de oferecer mais oportunidades econômicas para as mulheres - o que levou ao crescimento extraordinariamente rápido da população - e sua incapacidade de gerir com prudência o volume e a volatilidade de suas receitas do petróleo - não porque seus governos fossem extraordinariamente fracos, mas porque a tarefa é extraordinariamente difícil.

---

[1] Como eu disse no início do livro, mea culpa: alguns dos meus próprios estudos anteriores apoiaram várias dessas interpretações.

Antes de perguntar como reverter essas síndromes, deixe-me voltar atrás e considerar algumas das suas implicações mais amplas.

Geologia e Desenvolvimento

Durante séculos, filósofos ocidentais - incluindo Nicolau Maquiavel, o barão de Montesquieu, Adam Smith e John Stuart Mill - têm sugerido que as nações são fortemente moldadas por suas geografias. Muitas vezes, eles argumentam que condições favoráveis têm consequências desfavoráveis. De acordo com o filósofo francês do século XVI, Jean Bodin,

> Homens de um solo rico e fértil são mais comumente efeminados e covardes, enquanto, pelo contrário, um país de solo estéril torna os homens temperados pela necessidade e por consequência cuidadosos, vigilantes e industriosos.[2]

Nos últimos anos, os cientistas sociais têm tido um novo interesse pelos caminhos que afetam o desenvolvimento econômico de um país segundo suas características geográficas, incluindo sua colocação entre os continentes, localização nos trópicos, ambiente insalubre, acesso ao mar e proximidade de grandes mercados.[3]

Esse livro mostra de que modo uma outra característica geográfica - a dotação de petróleo de um país - pode modelar profundamente sua evolução política, social e econômica. Os países com uma riqueza significativa de petróleo quase certamente terão governos maiores e mais bem financiados do que seus vizinhos pobres em petróleo, dando-lhes uma elevada capacidade de aliviar a pobreza e investir em desenvolvimento. Se eles usarem suas receitas petrolíferas bem, deverão ter um crescimento econômico mais rápido e mais melhorias no bem-estar social.

Extrair petróleo, porém, também tornará suas economias mais voláteis, colocará uma sela em seus governos para tarefas de gestão de receitas que são excepcionalmente onerosas, sacudirá o mercado de trabalho com empregos para homens tirando postos de trabalho das mulheres, desencadeará um crescimento relativamente rápido da população e dará aos políticos na

[2] Bodin ([1606] 1967).

[3] Consulte Crosby, 1986; Diamond, 1997; Landes, 1998; Sachs e Malaney, 2002; Acemoglu, Johnson e Robinson, 2001; Sachs e Warner, 1997; Fujita, Krugman e Venables, 2001.

ativa o poder de se entrincheirarem em seus cargos. Se petróleo ou gás natural forem encontrados em terras continentais, no caso de países de baixa e média renda isso também aumentará o perigo de conflitos violentos nos territórios de populações marginalizadas ou alienadas.

Isso pode soar como determinismo geográfico, mas não é. Enquanto a geografia pode nos dizer muito sobre as oportunidades e os obstáculos que os países ricos em petróleo vão enfrentar, ela nos diz pouco sobre como eles vão responder. E a resposta deles é crucial. Os governos não podem decidir se seus países devem residir nos trópicos, se têm acesso ao mar ou a vizinhos mais prósperos. Mas eles podem decidir onde prospectar petróleo, quanto extrair e o que fazer com as receitas.

Receitas de Petróleo são Diferentes

O campo da economia política é construído sobre a percepção de que a política de um país é fortemente moldada pela sua economia. Por exemplo, estudos mostram que um aumento na renda per capita de um país está vinculada a melhorias em praticamente todas as dimensões do seu bem-estar político, incluindo a prestação de contas e a eficácia do seu governo, a emancipação das mulheres e a incidência de violência política.[4]

No entanto, os cientistas sociais raramente fazem distinções entre os diferentes tipos de receitas, partindo do princípio de que todas elas têm os mesmos efeitos benéficos. Esse livro demonstra que a fonte de receita de um país é fundamental: enquanto a receita produzida pelos setores industrial, de serviços e agrícola de um país tem efeitos em grande medida benéficos, os rendimentos obtidos com a venda de ativos estatais, tais como reservas de petróleo, têm consequências políticas profundamente diferentes.

É possível levar esse argumento longe demais. Ao contrário de Terry Lynn Karl e D. Michael Shafer, duvido que cada setor importante da economia tenha um cunho político distinto - pelo menos eu tenho visto pouca evidência disso.[5] Minha alegação é mais limitada: há uma clivagem nítida entre a renda que flui do setor de petróleo de um país, o que coloca um fluxo grande, opaco e volátil de receitas nas mãos do Estado, e a renda gerada pela maioria

[4] La Porta et al. (1999); Adsera, Boix, e Payne (2003); Lipset 1959; Londregan e Poole (1996); Epstein et al. (2006); Inkeles e Smith (1974); Inglehart e Norris (2003); Fearon e Laitin (2003); Hegre e Sambanis (2006).

[5] Karl (1997); Shafer (1995).

das outras fontes, que são amplamente difundidas através do setor privado.[6]

A distinção entre receitas petrolíferas e não petrolíferas tem duas implicações surpreendentes. A primeira pode ser considerada boa notícia: estudos que não conseguem distinguir entre receitas do petróleo e não petrolíferas estão subestimando os benefícios políticos das receitas não petrolíferas. Se a receita *total* de um país tem um impacto neutro sobre a política, mas sua renda de petróleo é prejudicial, isso implica que suas receitas não petrolíferas estão tendo um efeito benéfico que é mascarado pelos efeitos nocivos do petróleo.

Por exemplo, cientistas políticos discordam sobre se os países mais ricos têm mais probabilidade de transitar do autoritarismo para a democracia.

De acordo com o estudo de referência publicado em 2000 por Adam Przeworski, Michael Alvarez, José Cheibub e Fernando Limongi, rendimentos mais elevados não têm impacto sobre a probabilidade de uma transição e só afetam as chances de que uma democracia permaneça democrática.[7] Mas a análise não conseguiu distinguir entre petróleo e receitas não petrolíferas, o que significa que os efeitos antidemocráticos das receitas do petróleo podem ter mascarado os efeitos pró-democráticos das receitas geradas a partir de todas as outras fontes.[8]

Leitores interessados em estatística podem ter notado o efeito de mascaramento nas regressões do modelo com logito no anexo 3.1 (consulte a tabela 3.7): em primeiro lugar, a receita global de um país *(receita (log))* parece não ser correlacionada com a probabilidade de que ele vai ter uma transição democrática (coluna um), de acordo com o argumento apresentado por Przeworski e seus colegas; mas, uma vez que controlamos os efeitos antidemocráticos das receitas de petróleo (coluna dois), a variável *receita (logaritmo)* acaba por ter fortes efeitos pró-democráticos. Da mesma forma, as mudanças na receita global parecem ter pouca ou nenhuma influência sobre a participação feminina na força de trabalho (consulte a tabela 4.5, coluna

[6] É concebível que outros tipos de receitas não tributárias, como a ajuda externa, possam ter efeitos semelhantes, especialmente quando são comparáveis ao tamanho, sigilo e instabilidade das receitas petrolíferas. Consulte Brautigam, Fjelstad e Moore, 2008; Morrison, 2009.

[7] Przeworski et al., 2000.

[8] Para ser justo, esse estudo reconheceu a possibilidade de que o petróleo pode não ser propício para a democracia ao descontar sete países do Oriente Médio ricos em petróleo a partir do conjunto de dados. No entanto, ele manteve dentro da contabilização muitos outros países produtores de petróleo - como Argélia, Angola, Gabão, Nigéria, México, Venezuela, Trinidad, Irã, Iraque, Indonésia, Malásia e União Soviética - sem controle sobre sua riqueza em petróleo. Para desafios importantes ao trabalho de Przeworski e seus colegas, consulte Boix e Stokes, 2003; Epstein et al., 2006.

um); mas, depois de contabilizar os efeitos negativos da receita do petróleo (coluna dois), vemos que *a renda (logaritmo)* tem um impacto substancial e estatisticamente significativo sobre o trabalho das mulheres. No Capítulo 5, os efeitos de redução de conflito de receitas mais elevadas acabam por ser mais poderosos do que parecem inicialmente, uma vez que controlamos os efeitos de aumento de conflitos a partir da renda de petróleo (consulte a tabela 5.4, colunas um e dois).

Isso sugere que as más notícias sobre receita de petróleo também são boas notícias sobre as receitas provenientes de outras fontes, como indústria, serviços e agricultura, e os estudiosos têm subestimado suas qualidades politicamente favoráveis.

A segunda implicação, no entanto, é uma má notícia: a doença holandesa é mais prejudicial do que a maioria dos observadores percebem. Apesar de seu nome alarmante, muitos economistas argumentam que não há nada de errado em ter a doença holandesa.[9] A riqueza de petróleo de um país pode drenar condições de outros setores, como a agricultura e a manufatura, mas isso não implica que a economia estaria melhor sem petróleo - apenas que a descoberta de petróleo pode aumentar a renda menos do que seria de esperar, ingenuamente, uma vez que os ganhos provenientes da venda de petróleo serão parcialmente descompensados por um declínio na competitividade de outros bens "comercializáveis".

Mas a doença holandesa só é benigna se a receita de petróleo tiver as mesmas externalidades que as receitas da agricultura e da indústria, que estão sendo deslocadas. Isso, contudo, parece ser falso: enquanto uma maior receita não petrolífera está associada a melhorias na política de um país, uma maior receita de petróleo está ligada a menos democracia, menos igualdade de gênero, mais conflitos e mais volatilidade.

A descoberta de petróleo ainda pode fazer um país melhorar de outras maneiras - por exemplo, através do aumento do estoque de bens públicos. Muitos países do Oriente Médio têm usado sua riqueza de petróleo para financiar melhorias extraordinariamente rápidas em saúde pública e educação. No entanto, as perdas na indústria e na agricultura são mais preocupantes do que os estudiosos geralmente percebem, especialmente para a política de um país. Ao final de tudo, a doença holandesa pode mesmo ser uma doença.[10]

---

[9] Krugman, 1987; Matsen e Torvik, 2005.

[10] Um artigo famoso de Paul Krugman (1987) faz uma alegação parecida: se há externalidades econômicas positivas produzidas pela indústria transformadora (em seu argumento, o aumento da

A Maldição do Petróleo é Nova

Os cientistas sociais gostam de acreditar que estão buscando verdades sobre o mundo que transcenderão tempo e espaço. Nossas conquistas, no entanto, são extremamente modestas: nós normalmente não sabemos se os padrões que observamos em um lugar, em um dado momento, serão verificados em outros lugares, em outros momentos.

Estudos anteriores sugeriram que a maldição dos recursos já existe há muito tempo e que assolou tanto a Espanha do século XVI quanto a Venezuela do século XX.[11] Existem semelhanças óbvias entre a maldição do petróleo de hoje e doenças relacionadas a recursos naturais no passado - como a resposta desastrosa do governo peruano ao *boom* do guano no século XIX, que discuti no Capítulo 6. Mas, como um fenômeno global, as doenças políticas causadas pela produção de petróleo e gás parecem ser limitadas a um determinado conjunto de países (descritos abaixo) justamente no período pós-1980. Antes de 1980, havia pouca ou nenhuma associação global entre a riqueza do petróleo e menos democracia, menos trabalho para as mulheres e insurgências mais frequentes e, a partir desse ano, os países produtores de petróleo tiveram um crescimento econômico impressionantemente rápido.

Há pouco a romantizar sobre o mundo produtor de petróleo dos anos 1940, 1950 e 1960, quando algumas poucas empresas internacionais controlavam o fornecimento de petróleo mundial e mantinham a maior parte dos lucros para si próprias. Os países em desenvolvimento que forneciam o petróleo tinham extraordinariamente pouco a dizer sobre o seu uso e recebiam apenas um fragmento das rendas disponíveis, contudo, ironicamente esse fragmento tornava suas receitas petrolíferas relativamente pequenas e estáveis, e, portanto, mais fáceis de gerenciar.

Os problemas que hoje atormentam os países em desenvolvimento, ricos em petróleo, só surgiram após os eventos transformadores dos anos 1960 e 1970, quando os governos anfitriões tomaram o controle das indústrias de petróleo de seus países, os preços subiram e o sistema de Bretton Woods colapsou. Esses eventos tornaram os governos financiados pelo petróleo maiores e mais ricos do que jamais foram; deu a governantes autoritários o poder de resistir às pressões democratizantes que varreram o resto do mundo em 1980

produtividade através do aprender fazendo), mas não pela mineração, a doença holandesa pode ter efeitos nocivos a longo prazo no bem-estar social.

[11] Karl, 1997.

e 1990; criou muito mais oportunidades para os homens do que para as mulheres e, em países de baixa renda, incentivou grupos desprivilegiados de regiões produtoras de petróleo a pegar em armas. E a nacionalização destruiu os mecanismos de estabilização de preços estabelecidos pelas companhias internacionais de petróleo, dando início a uma nova era de volatilidade de preços que causou tanto *booms* imprevisíveis quanto recessões em finanças públicas.

O surgimento de uma maldição do petróleo pós-1980 ajuda a explicar por que algumas das objeções mais fortes à ideia de uma maldição dos recursos naturais vieram de historiadores que estudaram o desenvolvimento baseado no petróleo e em minerais em épocas anteriores.[12] Ele também se encaixa em um importante novo estudo realizado por Pauline Jones Luong e Erika Weinthal sobre os cinco países ricos em petróleo da ex-União Soviética (Rússia, Azerbaijão, Cazaquistão, Turcomenistão e Uzbequistão), que considera que a riqueza de petróleo só leva ao enfraquecimento de instituições do Estado quando o governo tem uma posição dominante na indústria do petróleo. O estudo delas argumenta que, quando o setor privado, especialmente investidores estrangeiros, tem um papel dominante, os governos tendem a ter instituições fiscais mais fortes, incluindo sistemas fiscais mais generalizados e mais estáveis, com orçamentos transparentes.[13] Infelizmente, na grande maioria dos países produtores de petróleo desde os anos 1970, o papel do governo tem sido dominante - o que ajuda a explicar grande parte da maldição do petróleo descrita nos capítulos anteriores.

Se a propriedade estatal faz parte da doença, então a privatização pode parecer parte da cura. Mas alguns medicamentos são piores do que as doenças para as quais eles são prescritos, e eu explico abaixo por que a privatização completa pode não ser a cura certa para a maioria dos países produtores de petróleo no mundo em desenvolvimento.

As Diferenças entre os Países Produtores de Petróleo

A riqueza de petróleo não afeta todos os países igualmente.[14] Embora esse livro destaque as grandes diferenças entre os países produtores de petróleo e

[12] Wright e Czelusta, 2004; Haber e Menaldo, 2009.

[13] Jones Luong e Weinthal, 2010.

[14] Esse dificilmente é um novo insight sobre o tema. Muitos estudos importantes têm mostrado como "a política da riqueza do petróleo é filtrada através de realidades políticas locais e moldada por legados históricos" (Smith, 2007, 7), tornando os países mais ou menos suscetíveis a uma maldição de recursos. Consulte, por exemplo, Yates (1996); Vandewalle (1998); Peluso e Watts (2001); Smith (2007); Omeje (2006) e Lowi (2009).

os não produtores, ele também mostra que diferentes tipos de produtores de petróleo são vulneráveis a diferentes doenças.

Quando o petróleo é encontrado em países governados por autocratas, isso os ajuda a permanecer no poder, desde que possam esconder o tamanho e a aplicação das receitas petrolíferas do governo. Esse padrão se mantém em todas as regiões do mundo, exceto em uma: América Latina. A riqueza de petróleo e gás natural não ajudou autocratas no hemisfério ocidental a se manterem no poder, embora as razões disso sejam, reconhecidamente, pouco claras. Dunning argumenta que os níveis anormalmente elevados de desigualdade da região podem explicar esse padrão.[15] Alternativamente, poderia ser devido à experiência prévia da América Latina com democracia e sindicatos mais fortes, o que tornou mais difícil para os governos manter suas receitas petrolíferas em segredo.

Quando petróleo é encontrado em democracias, seu impacto depende da força preexistente de fiscalização sobre o poder executivo. Em países de baixa e média renda, que colocam tênues restrições ao poder executivo, como Rússia, Iraque ou Venezuela, um governante patrocinado pelo petróleo pode desmantelar freios e contrapesos que de outra forma os restringiriam, levando à erosão das instituições democráticas. Em democracias ricas e bem estabelecidas, um aumento na renda de petróleo pode ajudar a reeleger políticos no poder, como nos Estados Unidos, mas sem perigo para a saúde das instituições democráticas a longo prazo.

O petróleo pode reduzir as oportunidades econômicas e políticas para as mulheres nos países em que elas não podem trabalhar facilmente nos setores público e de serviços, os quais, nos países ricos em petróleo, são os que oferecem a maioria dos novos postos de trabalho. Infelizmente, essa é uma condição particularmente comum no Oriente Médio e Norte da África. Os países que permitem às mulheres trabalhar em seus setores em expansão, público e de serviços, ou que encontram outras maneiras de incluir as mulheres à força de trabalho, como México, Síria e Noruega, mostram-se imunes a esse efeito. Instituir cotas de gênero significativas para cargos eletivos também pode ajudar os países a evitar esses problemas, desde que as mulheres tenham influência política suficiente para eliminar obstáculos à sua participação na força de trabalho.[16]

---

[15] Dunning, 2008.

[16] Kang, 2009.

Extrair petróleo e gás natural também pode levar a conflitos violentos, mas, novamente, apenas sob certas condições: quando um país é relativamente pobre; quando pelo menos uma parte da produção ocorre em solo ou é transformada em terra firme, em uma região povoada por pessoas marginalizadas ou gangues criminosas, ou ainda quando rebeldes podem vender direitos de exploração futuros para o petróleo que eles esperam capturar em batalha - o efeito espólio futuro. O petróleo também pode ter uma compensação, o efeito de reduzir conflitos: uma vez que só desencadeia conflitos em países pobres, se o petróleo é abundante o suficiente para tirar um país da pobreza, também pode reduzir o risco de uma guerra civil. Países de baixa renda estão mais em risco quando têm petróleo suficiente para tornar financeiramente atraente a vida de um rebelde, mas não o suficiente para tornar igualmente atraente a vida de um cidadão.

O impacto da riqueza do petróleo sobre o crescimento econômico também varia. Enquanto as economias de todos os países produtores de petróleo oscilam ao longo do tempo em conjunto com os preços do petróleo, os países que são mais dependentes das exportações de petróleo serão mais afetados pelos preços mundiais e têm *booms* e recessões mais pronunciados. O sucesso econômico de longo prazo de países ricos em petróleo parece depender, em parte, de seu sucesso em incluir as mulheres à força de trabalho, o que reduz as taxas de fertilidade e a demanda por mão de obra migrante e, assim, o crescimento da população, e, em parte, da capacidade do governo de manter políticas anticíclicas para atenuar os *booms* e recessões da economia. Os dois países produtores de petróleo economicamente mais bem-sucedidos nos últimos 50 anos - Omã e Malásia - também tiveram as políticas anticíclicas mais bem-sucedidas quando os preços do petróleo caíram nos anos 1980 e 1990. Infelizmente, suas estratégias não são fáceis de imitar. Ambos compensaram quedas de preços com aumento da produção - uma estratégia que só é possível para pequenos produtores com reservas não exploradas que não sejam membros da OPEP.

Ainda assim, os países que adotam os tipos mais comuns de políticas anticíclicas, como pagar suas dívidas, construindo fundos de estabilização e promovendo o crescimento em setores não petrolíferos, estarão melhor preparados para o crescimento sustentável.

Para aprovar esses e outros tipos de políticas anticíclicas, os políticos devem ser capazes de abrir mão dos benefícios políticos de curto prazo dos gastos imediatos para os de longo prazo de crescimento sustentável. Essas trocas são mais fáceis de fazer quando os políticos no poder acreditam que seus partidos têm chances de permanecer no cargo tempo suficiente para lucrar com ganhos futuros; quando o governo está mais limitado por controles e prestações de contas; quando os cidadãos são bem informados e têm confiança em seu governo e quando eles não estão fortemente divididos em facções concorrentes que procuram se excluir de benefícios futuros.

Em certo sentido, essas qualificações devem ser animadoras: os países só são prejudicados pela riqueza do petróleo sob certas condições - algumas delas bastante restritivas. Mas é também desencorajador, por causa do que denominei no Capítulo 1 como "a ironia da riqueza do petróleo": os países com os maiores deficit sociais e econômicos - países com baixa renda, minorias excluídas, poucas oportunidades para mulheres e instituições relativamente frágeis - também são os mais vulneráveis à maldição do petróleo. Onde ela é mais necessária, a riqueza do petróleo é menos capaz de ajudar. A maioria dos países na fronteira do petróleo - países da África, da bacia do Mar Cáspio e do Sudeste Asiático que começaram recentemente ou estão prestes a começar a exportar petróleo e gás natural - infelizmente estão prestes a enfrentar esse dilema incômodo.

Para Entender o Oriente Médio

Cientistas políticos que realizam amplas pesquisas transnacionais muitas vezes evitam o Oriente Médio. Muitos estudos centrais para o desenvolvimento político olham para todas as regiões, *exceto* para o Oriente Médio.[17] Isso provavelmente reflete a crença de que o Oriente Médio muçulmano é uma região *sui generis*, que segue um caminho histórico único e não pode ser comparada com o resto do mundo. É claro que muita coisa no Oriente Médio é diferente. Mas quando os cientistas sociais descartam a região como uma excentricidade, eles perdem uma oportunidade de aprender lições mais gerais sobre os efeitos que a riqueza de recursos naturais pode ter sobre a política, a economia e a estrutura social de um país.

A região do Oriente Médio parece desafiar dois padrões globais: tornou-se mais rica sem se tornar democrática e sem fazer muito progresso em direção à igualdade de gêneros. Muitos observadores atribuem ambos os reveses às tradições islâmicas da região.[18]

[17] Consulte, por exemplo, O'Donnell, Schmitter e Whitehead (1986); Diamond, Linz e Lipset (1988); Przeworski et al. (2000); Acemoglu e Robinson (2001, 2002).

[18] Consulte, por exemplo, Midlarsky (1998); Fish (2002); Donno e Russett (2004).

O Islã pode realmente explicar as anomalias do Oriente Médio? Não é fácil distinguir os efeitos do Islã dos do petróleo, graças a um acidente geográfico estranho: a maior parte do petróleo do mundo é encontrada em países com maiorias ou pluralidades muçulmanas, não só no Oriente Médio e no Norte da África, mas também na África Subsaariana (Nigéria, Sudão e Chade), no Sudeste Asiático (Indonésia, Malásia e Brunei) e na bacia do Cáspio (Azerbaijão, Cazaquistão e Turcomenistão). É verdade que há países de maioria muçulmana com pouco ou nenhum petróleo (como Somália, Turquia e Afeganistão) e países com poucos muçulmanos e muito petróleo (como Angola, Venezuela e Noruega). Ainda assim, em 2008, os países de maioria muçulmana - que compõem cerca de 23% dos Estados soberanos do mundo - exportaram cerca de 51% do petróleo do mundo e hoje dominam 62% de suas reservas de petróleo. Como sua parte das reservas é maior do que sua quota de exportações atual, o papel dos países de maioria muçulmana nos mercados petrolíferos globais quase certamente crescerá nas próximas décadas.

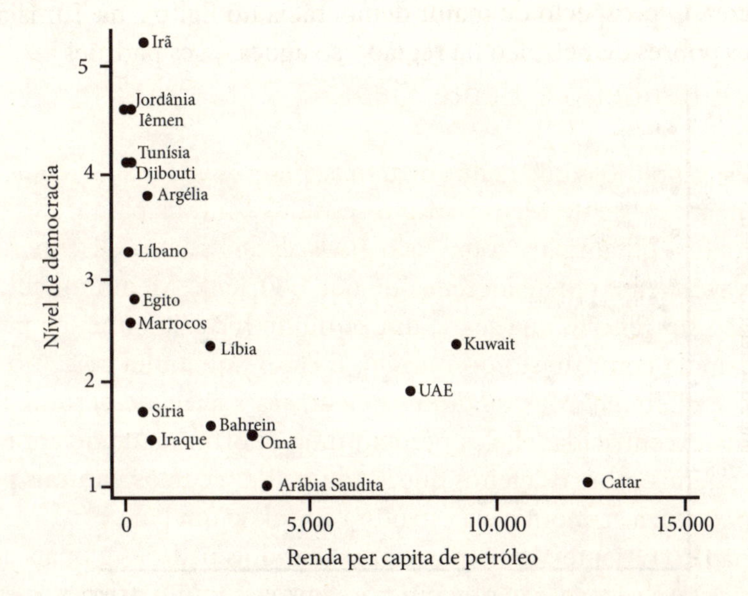

Gráfico 7.1. Petróleo e democracia no Oriente Médio, 1993-2002
O nível de democracia de um país é a sua média de pontuação do índice Polity, traduzida para uma escala de um a dez no período de 1993 a 2002. Números mais altos indicam um governo mais democrático.
Fonte: calculado a partir de dados em Marshall e Jaggers (2007).

Uma grande parte dos deficit de democracia e direitos de gênero do Oriente Médio pode ser explicada pela riqueza do petróleo. Uma maneira de apreciar o papel do petróleo é observando as variações dentro do Oriente Médio muçulmano. Mesmo que esses dezessete países estejam comumente agrupados, existem grandes diferenças tanto no nível de democracia quanto nos direitos de gênero em toda a região. Uma vez que todos esses países têm grandes populações muçulmanas, o Islã não pode explicar facilmente essas diferenças.

Os países do Oriente Médio têm diferentes quantidades de riqueza petrolífera, e suas riquezas petrolíferas estão fortemente correlacionadas com os níveis de democracia e com os direitos de gênero. Os gráficos 7.1 e 7.2 comparam suas riquezas médias de petróleo ao longo de um período recente de dez anos e suas pontuações médias de democracia e uma medida de seus direitos de gênero.[19] Em geral, os países com menos petróleo e gás natural têm mais liberdades democráticas e direitos de gênero, enquanto os países com mais petróleo e gás natural têm menos democracia e piores condições para as mulheres. O prospecto de maior democracia no Egito e na Tunísia - dois dos países pobres de petróleo na região - só aguça esses padrões.

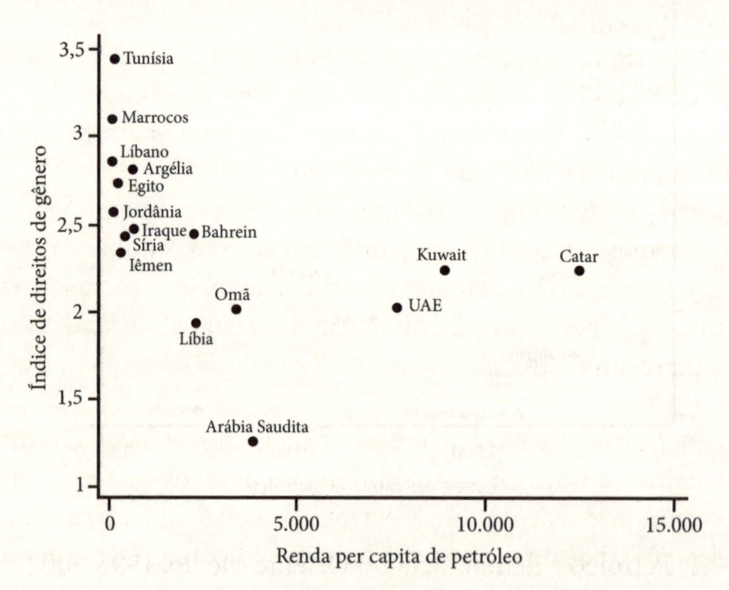

Gráfico 7.2. O petróleo e a igualdade entre os gêneros no Oriente Médio (2004)

[19] A medida da democracia se dá a partir do banco de dados Polity, descrito no Capítulo 3; Sameena Nazir e Leigh Tomppert (2005) desenvolveram o índice de direitos de gênero.

A pontuação em direitos de gênero é uma combinação de cinco medidas ordinais dos direitos das mulheres, incluindo "a não discriminação e o acesso à justiça", "autonomia, segurança e liberdade", "direitos econômicos e igualdade de oportunidades", "direitos políticos e voz cívica" e "direitos sociais e culturais." Cada país recebe uma pontuação de um a cinco para cada medida em uma escala ordinal, onde pontuações mais altas indicam mais direitos para as mulheres. O índice considera a pontuação média para cada país, em todas as cinco medidas.

Fonte: tabulado a partir de dados em Nazir e Tomppert, 2005.

Menos da metade dos 39 países de maioria muçulmana do mundo estão no Oriente Médio e no Norte da África, mas, mesmo no mundo muçulmano mais amplo, a riqueza de petróleo parece ter um efeito inibidor da democracia. Pelo menos seis países de maioria muçulmana foram recentemente classificados como democracias: Turquia, Mali, Senegal, Bangladesh, Comores e Indonésia. Os cinco primeiros produzem pouco ou nenhum petróleo; apenas a Indonésia tem alguma riqueza petrolífera. Mas as receitas de petróleo da Indonésia eram muito pequenas - cerca de US$ 69 per capita - quando ela fez a transição para a democracia em 1998.

Receitas de petróleo ajudam a explicar por que o Oriente Médio parece tão diferente do resto do mundo. Isso não quer dizer que as tradições islâmicas são insignificantes. Mesmo após a contabilização de petróleo, os países de maioria muçulmana têm sido menos democráticos e oferecido menos oportunidades para as mulheres do que os países não muçulmanos similares.[20] Até levarmos em conta suas economias baseadas no petróleo – que, por sua vez, são baseadas na demanda mundial pelos seus recursos naturais - vamos, contudo, superestimar a influência das tradições islâmicas sobre a política dos países muçulmanos, tanto no Oriente Médio quanto no resto do mundo.

Isso não quer dizer que os movimentos pela democracia no Oriente Médio estão fadados ao fracasso, mas sublinha os desafios que eles estão enfrentando. Nenhum país com tanto petróleo quanto Líbia, Bahrein, Omã, Argélia ou Iraque já fez uma transição bem-sucedida de regime autoritário para democrático. Outros tentaram: na década de 1960, os monarcas no Iraque e na Líbia foram derrubados por golpes militares, e a Revolução Iraniana de 1979 levou à queda do xá. Nenhuma dessas revoluções levou a uma

[20] Consulte os anexos constantes nos Capítulos 3 e 4.

democracia sustentável. Os petrodólares que empoderaram os autocratas do Oriente Médio também enfraqueceram organizações da sociedade civil e atenuaram o setor privado. Sabemos, com o exemplo de outras transições democráticas como na Indonésia, no México e na Europa Central, que esses grupos desempenham um papel crítico em transições bem-sucedidas para a democracia.

O Iraque ainda pode se tornar uma exceção: ele tem partidos políticos perfilados, uma imprensa razoavelmente livre e eleições. Ainda assim, o parlamento iraquiano tem sido incapaz de aprovar uma nova lei do petróleo - depois de quatro anos de tentativas - e a questão do petróleo paira sobre o tema volátil e sem solução da autonomia curda. Como primeiro-ministro do Iraque, al-Maliki conseguiu manter-se no cargo após a derrota eleitoral de seu partido em março de 2010 e centralizou o poder constantemente até 2014. Os movimentos pela democracia no Oriente Médio estão cheios de homens e mulheres corajosos, e eles vão precisar de força e criatividade para superar os desafios apresentados pela riqueza do petróleo em seus países.

O que deve ser feito?

A maldição do petróleo é, em grande parte, causada pelas propriedades incomuns de receitas petrolíferas. A menos que os países já sejam ricos e tenham instituições fortes no momento em que a produção de petróleo começa, como ocorreu com a Noruega e o Canadá, isso pode causar profundos problemas políticos e econômicos. Felizmente, muito pode ser feito para alterar essas propriedades, tais como a limitação do tamanho dessas receitas, tornando-as mais estáveis e transparentes e até mesmo alterando sua fonte. Enquanto as reformas mais importantes só podem ser feitas pelos próprios governos financiados pelo petróleo, os atores internacionais, como governos estrangeiros, empresas de energia, instituições internacionais e ONGs, podem desempenhar um papel fundamental.

Para reformar suas receitas, diferentes países precisam de diferentes tipos de políticas. As medidas que são eficazes em algumas configurações serão inúteis em outras. Em vez de sugerir uma solução universal para todos, ofereço um menu de maneiras para os países alterarem o tamanho, a estabilidade, o sigilo e até mesmo a fonte de suas receitas de petróleo. Também discuto a importância das reformas nos gastos públicos. Algumas dessas ideias já existem há muito tempo; outras são novas e não testadas. Nenhuma delas é panaceia. Ainda as-

sim, em combinações apropriadas e com modificações locais, elas podem ajudar os países a encontrar melhores maneiras de aproveitar seus dotes naturais.

Além de minimizar as consequências políticas negativas dos recursos naturais, os países também devem tentar maximizar suas consequências econômicas positivas. Os excelentes livros recentes de Collier, bem como de Humphreys, Sachs e Joseph Stiglitz, abordam essa questão com grande sofisticação e podem ser lidos juntamente com a discussão abaixo para fornecer um roteiro mais completo dos desafios e das oportunidades que os países produtores de petróleo enfrentam.[21]

A Redução da Dimensão das Receitas Petrolíferas

Grandes receitas de petróleo ajudam autocratas a permanecer no poder, incentivam rebeliões e tendem a ser desperdiçadas por burocracias sobrecarregadas. A primeira pergunta aos reformadores deve ser sobre a viabilidade de diminuir o tamanho dessas receitas. Há pelo menos quatro maneiras de se fazer isso. As duas primeiras são mais adequadas para países de baixa renda com burocracias fracas; as duas últimas são mais propensas a funcionar em países de renda média e alta, com burocracias mais sofisticadas.

Para países de baixa renda, a primeira opção é deixar o petróleo no solo. Os países também podem extrair seu petróleo de forma mais lenta, de modo que as receitas não transbordem a capacidade do governo de gastá-las de forma eficaz - ou a capacidade da sociedade civil de monitorar as atividades de seu governo em rápido crescimento.

Como a riqueza mineral é um bem não renovável, quando extraída, ela produz um lucro inesperado em dinheiro vivo de uma única vez. Se investido sabiamente, ele pode elevar os padrões de vida das gerações futuras, mas, se desperdiçado, estará perdido para sempre. Deixar o petróleo no solo é como salvá-lo em um banco; ele vai até mesmo ganhar "interesse", uma vez que seu valor vai subir ao longo do tempo porque o resto do abastecimento de petróleo do mundo estará se esgotando.[22]

Adiar as receitas produzidas pela extração de petróleo reconhecidamente carrega um alto custo de oportunidade, especialmente nos países de baixa renda, onde as pessoas precisam urgentemente de alimentos, serviços de saúde e

[21] Collier, 2010; Humphreys, Sachs e Stiglitz, 2007.

[22] Como Harold Hotelling (1931) aponta, o valor dos ativos minerais no solo deve subir na mesma proporção que a taxa de desconto em vigor.

educação. Collier assinala que nos países mais pobres do mundo - lar dos cidadãos "do bilhão de baixo" do mundo - a extração de recursos naturais pode fornecer uma oportunidade histórica única para o rápido crescimento econômico; o fracasso desses países em aproveitar seus recursos naturais é "a oportunidade única perdida mais importante no desenvolvimento econômico".[23]

Isso destaca a ironia da riqueza do petróleo: quanto maior a necessidade de um país por renda adicional - porque é pobre e tem uma economia fraca - mais provável é que sua riqueza petrolífera seja usada indevidamente ou desperdiçada. Para os países de baixa renda, os riscos criados pela extração de petróleo são grandes, mas também assim são os custos de deixá-lo no solo. Limitar o ritmo de extração ajudará a limitar o perigo de uma maldição do petróleo, mas é uma decisão que não pode ser tomada despreocupadamente.

A segunda abordagem é a utilização de contratos de permuta: em vez de vender seu petróleo em troca de dinheiro, os países de baixa renda podem trocá-lo diretamente pelos bens públicos que precisam adquirir prioritariamente. Isso pode parecer pouco ortodoxo, mas vários países, incluindo Angola, Nigéria, Zâmbia e Zimbábue, já venderam petróleo e outros direitos de extração de minerais a consórcios de propriedade chinesa usando acordos do tipo escambo. Em vez de receber royalties e impostos, esses governos obtiveram promessas de infraestrutura e serviços futuros.

Tem sido uma prática comum para as empresas de petróleo apoiarem suas operações nos países de acolhimento através da construção de instalações auxiliares como habitação para trabalhadores, estradas, ferrovias e até mesmo portos. Contratos de escambo vão mais longe, estipulando que as empresas vão pagar aos governos anfitriões com projetos e serviços *não relacionados* em vez de pagar com dinheiro. Em 2006, a Nigéria assinou contratos que dão licenças de exploração a empresas chinesas em quatro blocos offshore em troca de 4 bilhões de dólares em investimentos, incluindo promessas de construção de uma nova usina hidrelétrica, de reabilitação de uma ferrovia decrépita e do desenvolvimento de programas de combate à malária e à gripe aviária.

Angola já negociou contratos de petróleo por novas estradas, ferrovias, pontes, escolas, hospitais e uma rede de fibra óptica.[24] Embora as empresas chinesas que trabalham na África sejam pioneiras em contratos de escambo, empresas da Índia, Malásia e Coreia do Sul fizeram ofertas similares.[25]

---

[23] Collier, 2007; 2010, 37.

[24] Vines, Weimer e Campos, 2009.

[25] Chan-Fishel e Lawson, 2007.

Os economistas são céticos sobre contratos como esses, que implicam em um processo chamado de agregação, em que uma transação (a compra de direitos de exploração ou extração) está ligada a uma segunda operação (a construção de estradas e pontes). Às vezes, as empresas utilizam esse agrupamento para ganhar uma vantagem sobre seus concorrentes. Em 1998, por exemplo, o Departamento de Justiça dos EUA processou a Microsoft por forçar compradores de seu sistema operacional Windows a comprar simultaneamente alguns de seus programas menos desejados, que eram vendidos casados com o software referido.

Mas a agregação, às vezes, pode ser benéfica se os custos de realização das operações são proibitivos. Contratos de permuta podem ajudar governos de baixa capacidade a ignorar o processo de recolhimento das receitas (quando muito é perdido para a corrupção), normalmente efetuado por agências do governo (onde mais pode ser perdido), que realocam as receitas para projetos do governo (onde ainda mais é perdido para a corrupção, o clientelismo e a ineficiência). Eles podem oferecer outras vantagens também: aliviar os governos da necessidade de suavizar as flutuações de receita, uma vez que isso se torna responsabilidade da empresa. Eles podem ajudar no planejamento da infraestrutura de empresas estrangeiras em países de baixa renda, o que evita que essas empresas fujam com medo de não receber o pagamento, e podem ajudar os governos a reverter compromissos com projetos de longo prazo que não poderiam ser cumpridos.

Um contrato de permuta é um fenômeno novo no mundo do petróleo e, até agora, seu histórico é inexpressivo. De acordo com um relatório sobre a experiência da Nigéria,

> É claro que em apenas 2 ou 3 anos ainda não há nada sólido a ser apresentado como resultado do tratamento generoso dado à Asian National Oil Companies (em troca de contratos de permuta). Na verdade, todos os projetos estão em espera. Existe uma forte possibilidade de que todos os acordos, em sua totalidade, sejam cancelados...O governo de Yar'Adua concluiu que todo o arranjo foi comprometido, desde o início, pela ausência de transparência, e que o processo foi agravado pela corrupção.[26]

---

[26] Wong, 2008, 5.

É possível encontrar melhores formas de organizar os contratos de permuta. Por exemplo, eles podem ser concedidos através de licitação, em que as empresas ofereçam projetos comparáveis, de modo que a melhor oferta seja fácil de identificar e o cumprimento dos contratos possa ser mais cuidadosamente monitorado por agentes de terceiros confiáveis, com medidas de combate à corrupção, plena transparência e muita atenção para a qualidade dos projetos. Contratos de permuta ainda estão em experiência, e não sabemos o quão bem eles podem funcionar.

A terceira estratégia é distribuir as receitas do petróleo diretamente aos cidadãos.

O estado norte-americano do Alasca e a província canadense de Alberta usam a distribuição direta. Desses dois programas, o mais antigo - o Fundo Permanente do Alasca - está em vigor desde 1977 e é considerado amplamente um sucesso. O fundo recebe cerca de um quinto das receitas petrolíferas do estado, juntamente com outras transferências discricionárias do orçamento, e distribui anualmente uma parte dos juros devidos a todos os cidadãos do Alasca. Em 2009, o dividendo valia cerca de 1.300 dólares. O programa se tornou tão popular, que os políticos "virtualmente caem uns sobre os outros para demonstrar ao público seus esforços para defendê-lo".[27]

Alguns estudiosos afirmam que os fundos de distribuição direta podem ajudar os países a evitar pelo menos algumas facetas da maldição do petróleo. Um fundo mantém pelo menos parte das receitas petrolíferas do governo longe dos políticos, que poderiam roubá-las ou utilizá-las para obter vantagens políticas. Também pode ajudar fornecendo uma cobertura contra a volatilidade dos preços se os cidadãos conseguirem fazer um trabalho melhor do que os governos em planejar o futuro; e pode dar aos cidadãos um incentivo poderoso para monitorar o uso das receitas de recursos pelo governo criando pressões contra a corrupção e a favor de uma gestão inteligente. É verdade que um fundo inicialmente reduziria o financiamento disponível para programas governamentais potencialmente dignos. Porém, os governos sempre podem tributar de volta uma parte dos fundos distribuídos, o que, por sua vez, pode induzir os cidadãos a exigir mais responsabilidade do governo.[28]

A distribuição direta pode funcionar no Alasca, mas será que funcionaria em países com rendimentos mais baixos e instituições estatais mais

[27] Goldsmith, 2001, 5.

[28] Consulte Birdsall e Subramanian, 2004; Sala-i-Martin e Subramanian, 2003; Palley, 2003; Sandbu, 2006; Moss e Young, 2009. Para visões céticas, consulte Hjort 2006; Morrison, 2007.

facilmente corruptíveis? Os governos de países de baixa renda podem ter dificuldade para identificar e transferir dinheiro para os cidadãos elegíveis de uma forma resistente à fraude – embora novas tecnologias de transferência biométrica e eletrônica sejam promissoras.[29] Se o sistema financeiro do país não estiver bem desenvolvido, os cidadãos podem ter problemas para salvar seus dividendos para uso futuro. Não está ainda claro como um fundo poderia solucionar injustiças regionais, uma vez que aqueles que vivem mais perto da fonte do petróleo podem exigir dividendos maiores, e a distribuição de somas maiores para as pessoas em uma região pode levar à excessiva migração entre os requerentes de dividendos.[30]

Também devemos ser céticos sobre as políticas que dependem da criação de fundos especializados, incluindo os fundos de distribuição direta, uma vez que seus recursos frequentemente dependem da crença de que eles vão fazer um trabalho melhor do que o resto do governo em proteger as receitas dos recursos contra o uso indevido. Mas por que um fundo de distribuição direta pode ser melhor gerido e oferecer menos oportunidades de corrupção do que o resto do governo? O que acontece se o fundo for tão suscetível a fraudes e abusos quanto outras agências governamentais? Como o Capítulo 6 aponta, fundos de recursos especializados têm funcionado melhor na teoria que na prática - pelo menos, até agora.

A quarta maneira de diminuir as receitas de petróleo de um governo é transferir diretamente uma parte do dinheiro para os governos regionais ou locais. Os países mais ricos em petróleo no Oriente Médio são estados unitários e têm sistemas de receitas totalmente centralizados.[31] Fora do Oriente Médio, no entanto, um número crescente de países exportadores de petróleo e minerais estão dividindo as receitas de recursos entre os governos central e subnacionais, independentemente de serem estados unitários (Colômbia, Equador e Cazaquistão) ou estados federativos (México, Nigéria, Rússia, Venezuela e Indonésia).[32]

Os governos subnacionais devem ter direito a fundos que os compensem pelos custos de infraestrutura, sociais e ambientais para a hospedagem de

[29] Sobre a promessa dessas novas tecnologias, consulte Gelb e Decker, 2011.

[30] A migração não é um problema no Alasca, em parte porque os dividendos anuais são relativamente pequenos - constituem cerca de 6% da renda total do agregado familiar médio - e em parte porque os imigrantes em potencial são dissuadidos pelos invernos rigorosos e o afastamento geográfico do Alasca. A distribuição direta pode não funcionar tão bem na Califórnia.

[31] Os Emirados Árabes Unidos constituem uma notável exceção.

[32] Ahmad e Mottu, 2003.

projetos de petróleo e gás natural.[33] A descentralização das receitas, porém, vai além de mitigar custos. Ela implica a partilha financeira dos benefícios da extração de recursos com os governos subnacionais.

Existem duas formas gerais para fazer isso: os países podem permitir que os governos subnacionais cobrem impostos diretamente da indústria do petróleo; ou podem distribuir uma fração das receitas do governo central para os governos subnacionais de acordo com alguma fórmula, antes ou depois de suavizar as flutuações de receita ano a ano.

A descentralização de receitas pode ser uma forma eficaz de reduzir o tamanho da colheita discricionária do governo nacional e até mesmo de reduzir o perigo de que as populações da região de extração busquem a independência. No entanto, não há uma razão *a priori* para esperar que os governos locais façam melhor utilização desses fundos que os governos centrais. Os governos locais podem ser tão corruptos, opacos e incompetentes quanto seus homólogos nacionais. Eles têm, muitas vezes, burocracias menos eficientes, sendo menos capazes de gerir a volatilidade das receitas e de manter uma boa disciplina fiscal.[34] As receitas de petróleo podem ter, sobre os governos locais, os mesmos efeitos antidemocráticos que têm sobre os governos nacionais - como demonstrado no caso do governador da Louisiana descrito no Capítulo 3. A descentralização fiscal tem sido associada a uma prestação de contas reduzida na Argentina e no Brasil e a menos investimento econômico na Rússia.[35]

A descentralização das receitas do petróleo pode funcionar melhor em países com governos subnacionais que sejam relativamente democráticos, transparentes e eficazes na gestão dos seus orçamentos. O sucesso ou o fracasso da descentralização também vai depender de como ela é feita. Os formuladores de políticas podem conceber sistemas de receitas que contenham as flutuações na volatilidade das receitas subnacionais; insistir para que os governos locais usem as receitas de petróleo para complementar e não para substituir sua base tributária existente; certificar-se de que as novas receitas sejam combinadas com responsabilidade ao fornecimento de bens públicos

---

[33] Povos locais e indígenas que vivem na região extrativa merecem atenção especial. Suas preocupações devem ser abordadas antes do início de qualquer novo projeto.

[34] Consulte Ahmad e Mottu, 2003; Brosio, 2003; Bahl, 2001. Treisman (2007) argumenta que os alegados benefícios da descentralização foram muito exagerados.

[35] Na Argentina, consulte Gervasoni, 2010. No Brasil, consulte Brollo et al., 2010. Na Rússia, consulte Desai, Freinkman e Goldberg, 2005. A partilha das receitas tem no máximo um resultado misto, ajudando a acabar com os conflitos locais. Consulte Le Billon e Nicholls, 2007.

e estipular que todas as partilhas de receitas sejam totalmente transparentes e regularmente auditadas.[36]

Alterando a Fonte das Receitas do Petróleo

Se elementos-chave da maldição do petróleo pudessem ser rastreados até as nacionalizações ocorridas entre 1960 e 1970, talvez eles pudessem ser revertidos pela privatização. A privatização mudaria a fonte das receitas de petróleo do governo, substituindo as receitas não fiscais das companhias nacionais de petróleo pelas receitas fiscais das empresas petrolíferas do setor privado. Será que isso faria alguma diferença?

Embora muitos outros tipos de empresas estatais tenham sido privatizadas nas décadas de 1980 e 1990, a privatização completa tem sido relativamente rara no mundo do petróleo. Somente os governos do Reino Unido (1985), da Romênia (1992), da Polônia (1999) e da Argentina (1999) se desfizeram plenamente de qualquer propriedade detida anteriormente pelas companhias nacionais de petróleo. A Argentina depois renacionalizou alguns dos seus ativos petrolíferos.

Os defensores da privatização apontam para uma montanha de evidências de que as empresas estatais são economicamente ineficientes.[37] Os céticos sugerem que as empresas nacionais de petróleo são diferentes das de outros tipos de propriedade estatal, o que pode tornar difícil a privatização.[38] Também argumentam que a dimensão e a sofisticação financeira das companhias internacionais de petróleo as tornam excepcionalmente difíceis de serem taxadas e reguladas pelos governos, especialmente nos países de baixa renda.[39]

Quando se trata de regular grandes companhias de petróleo, mesmo o governo dos EUA tem um péssimo desempenho. Ele desmontou seu Serviço de Gestão de Minerais em 2010 após uma série de escândalos de sexo e drogas, e a catastrófica explosão da plataforma de perfuração Deepwater Horizon da BP no Golfo do México revelou o quão mal ela estava cumprin-

[36] Para recomendações mais específicas, consulte Brosio, 2003; Ahmad e Mottu, 2003; Ross, 2007.

[37] Consulte, por exemplo, Boardman e Vining, 1989; Dewenter e Malatesta, 2001; Eller, Hartley e Medlock, 2010. John James Quinn (2002) argumenta que, na África, a propriedade estatal tem levado os governos a adotar políticas comerciais autodestrutivas.

[38] Aharoni e Ascher, 1998.

[39] Stiglitz, 2007.

do os regulamentos de segurança básica e ambiental. A privatização pode apenas substituir governos irresponsáveis por grandes empresas privadas igualmente irresponsáveis.

A privatização pode ter efeitos modestamente pró-democráticos, mas é importante primeiro esclarecer o que ela não consegue fazer, como, por exemplo, trazer de volta as receitas petrolíferas menores e mais estáveis da era pré-1970. As receitas de petróleo eram relativamente pequenas antes de 1970 porque os preços mundiais eram baixos pelos padrões históricos, com a descoberta de novas reservas ultrapassando as demandas ainda modestas do mundo, e porque as companhias internacionais de petróleo eram capazes de manter uma grande fração dos lucros para si próprias. Ambas as condições mudaram, e a privatização não pode revertê-las. De fato, se a privatização levasse a uma indústria mais eficiente e, portanto, rentável, poderia até mesmo aumentar as receitas petrolíferas do governo.

A privatização também não é capaz de tornar os preços do petróleo mais estáveis. Os preços do petróleo permaneceram extraordinariamente estáveis do fim da Segunda Guerra Mundial até o início dos anos 1970, graças à fixação de preços pelo oligopólio das Sete Irmãs e ao sistema de taxas de câmbio fixas de Bretton Woods. Ambos acabaram entre 1960 e 1970, e a privatização não pode revivê-los. Finalmente, a privatização não é capaz de fazer com que os países ricos em petróleo adotem a democracia, melhorando as formas de tributação. Em países produtores de baixa renda, a privatização só produziria uma mudança modesta nos impostos. A maioria desses países tem companhias petrolíferas nacionais que trabalham em estreita colaboração com as companhias petrolíferas internacionais através de *joint ventures* ou contratos de partilha de produção e já recolhe grande parte de sua receita do petróleo a partir de impostos, royalties e outros tipos de taxas sobre essas empresas.

Alguns países de renda média, como Líbia, México e Arábia Saudita, têm companhias petrolíferas nacionais que gerenciam suas próprias instalações e confiam muito menos em empresas internacionais. Para eles, a privatização levaria a uma mudança muito maior na natureza fiscal das receitas. No entanto, lembremos que, no Capítulo 3, demonstro que os impostos são uma força de democratização apenas quando aumentam o reconhecimento público das receitas do governo. A privatização no setor de petróleo pode simplesmente substituir as receitas não fiscais por receitas tributárias cobradas de um punhado de grandes corporações, muitas vezes multinacionais, e, portanto, fornecer pouca informação direta aos cidadãos sobre o tamanho das receitas do governo.

Ainda assim, em alguns casos, a privatização total ou parcial pode impulsionar a prestação de contas do governo, tornando mais difícil esconder suas receitas de petróleo. O Capítulo 2 explica como muitos governos usam suas empresas petrolíferas nacionais para ocultar seu uso (e abuso) do dinheiro do petróleo. A privatização total ou parcial pode ajudar a reduzir isso se as empresas resultantes forem mais transparentes - por exemplo, se estiverem listadas publicamente em bolsas de valores que as forcem a divulgar seus balanços e aderir a padrões de contabilidade internacionalmente reconhecidos. Mesmo que o governo continue sendo o acionista majoritário em uma empresa de petróleo parcialmente privatizada, como ocorre no Brasil, na Colômbia, na Malásia e na Noruega, as regulamentações das empresas de capital aberto podem ser um passo importante rumo a uma maior transparência das receitas.

Alguns governos encontram outras maneiras de esconder suas receitas petrolíferas, mas isso dificilmente anula os benefícios de companhias de capital aberto , que devem divulgar os seus números contábeis. Ratoeiras são úteis, mesmo que alguns ratos sempre escapem.

Estabilizando Receitas Petrolíferas

A instabilidade das receitas petrolíferas prejudica investimentos do setor privado, políticas fiscais do governo e, em última análise, o crescimento econômico nos países produtores de petróleo. Muitos governos tentam corrigir esses problemas através da criação de fundos de estabilização para manter as receitas excedentes quando os preços estão altos, assim eles podem ser sacados quando os preços caem. O Capítulo 6 refere que esses fundos têm um histórico sombrio: os governos violam tão frequentemente suas próprias regras em relação ao dinheiro desses fundos que seus benefícios parecem insignificantes. Existem maneiras mais eficientes para os governos estabilizarem suas receitas de petróleo?

Algumas das políticas já mencionadas afetariam a estabilidade das receitas. A extração de petróleo a um ritmo mais lento limitaria a dependência de um governo das receitas do petróleo, o que, por sua vez, reduziria o impacto da flutuação dos preços do petróleo no orçamento geral do governo. Contratos de permuta, se devidamente estabelecidos, podem transferir o risco de flutuações de preços dos governos para as empresas, que têm um desempenho tipicamente melhor na administração da volatilidade. A distribuição direta também pode ajudar, tornando os acionistas responsáveis pela suavização dos resultados. As consequências da descentralização e da privatização são menos claras; vai depender muito de como elas foram estruturadas.

Qualquer plano de estabilização precisa de três elementos: uma forma de reduzir os gastos do governo quando os preços estão elevados, uma maneira de aumentar os gastos quando os preços estão baixos e um mecanismo para ligar ambos, de modo que o dinheiro removido do orçamento durante os *booms* seja compensado pelo dinheiro adicionado ao orçamento durante as quedas.

Os fundos de estabilização combinam todos os três elementos, de modo que são economicamente inteligentes, mas politicamente ineptos. Seu financiamento inicial depende do comportamento politicamente altruísta - mesmo suicida – dos dirigentes do governo, que devem cortar gastos durante os *booms*, quando a economia está forte e os cidadãos acreditam que não precisam fazer sacrifícios. Mesmo que o fundo receba dinheiro durante um *boom*, ele só sobreviverá se cada governante subsequente exercer a mesma restrição altruísta, deixando o superávit em reserva até que seja necessário durante uma queda. O fundo pode ser gerenciado por uma agência nominalmente independente do governo que, por lei, obedeça a orientações estritas sobre depósitos e retiradas. Políticos altamente motivados, porém, normalmente encontram maneiras de usar esse excedente, seja mudando as regras, substituindo as pessoas que supervisionam o fundo ou simplesmente tomando dinheiro do fundo emprestado.[40] Mesmo os governantes mais previdentes raramente conseguem vincular seus sucessores ao curso de uma contenção orçamentária.

Sob certas condições, os fundos de estabilização são mais propensos a funcionar: quando o governo é administrado por um autocrata politicamente isolado, mas sábio (ou, em alternativa, por um líder eleito democraticamente cujas políticas estão sujeitas a verificações e balanços rigorosos), quando a corrupção é baixa; quando o público é bem informado e tem confiança nas políticas do governo e, nas democracias, quando os eleitores são relativamente pouco afetados pelos gastos de campanha. Nenhuma dessas condições são fáceis de alcançar.[41]

---

[40] Eifert, Gelb e Tallroth (2003). Para a declaração clássica sobre a forma como isso aconteceu com os conselhos de marketing agrícola da África, consulte Bates (1981).

[41] Essas condições são discutidas mais cuidadosamente no capítulo 6. O brilhante livro *Bringing in the Future*, de William Ascher (2009) oferece um conjunto de estratégias mais específicas para promover a formulação de políticas de longo alcance em ambientes politicamente desafiadores. Para informações mais consistentes sobre as dimensões da volatilidade do mercado de petróleo internacional, consulte Jaffee e El-Gamal (2010).

Alternativamente, podemos tentar projetar mecanismos de estabilização mais compatíveis com os incentivos estreitos que normalmente dirigem os políticos. Os líderes políticos se beneficiam quando podem aumentar as despesas e são prejudicados quando elas devem ser reduzidas. Os fundos de estabilização falham porque a parte politicamente dolorosa da estabilização (reduzir as despesas) é ao mesmo tempo voluntária e uma condição necessária para a parte politicamente benéfica (aumento de gastos). Um projeto melhor seria colocar a parte politicamente benéfica em primeiro lugar e tornar a parte politicamente dolorosa obrigatória, ou, pelo menos, mais difícil de evitar. Uma vez que um aumento dos gastos precederia o aumento da poupança, os dois processos não poderiam estar ligados por um fundo de estabilização - considerando-se que os fundos somente podem manter excedentes e não *deficit*- mas poderiam estar conectados por um empréstimo.

Essa é uma fórmula que poderia funcionar: quando os preços do petróleo estivessem baixos, os governos poderiam pedir dinheiro emprestado a bancos e governos estrangeiros ou a instituições financeiras internacionais para estabilizar seus orçamentos, bem como para estimular suas economias. O Capítulo 6 explica que, no passado, países produtores de petróleo usaram empréstimos de forma pró-cíclica - empréstimos obtidos quando os preços estavam elevados em vez de baixos - tornando suas economias mais, e não menos voláteis. Para incentivar empréstimos anticíclicos, o Banco Mundial ou outras instituições financeiras internacionais poderiam ter uma linha de crédito especial para os países dependentes de recursos, que só fariam empréstimos quando os preços mundiais caíssem abaixo de valores de referência.

A principal característica desses empréstimos seria a maneira pela qual eles seriam reembolsados, que dependeria do preço atual do petróleo. Os governos reservariam os rendimentos de um número fixo de barris de petróleo por mês para pagar seu credor até que o valor do empréstimo fosse integralmente quitado. O valor do empréstimo não flutuaria, somente a taxa pela qual ele seria pago. Se os preços permanecessem baixos, o empréstimo seria pago lentamente e custaria ao governo relativamente pouco em receitas não recebidas; se os preços aumentassem, também aumentaria o valor dos barris vendidos reembolsados a cada mês e, portanto, a taxa à qual o empréstimo seria quitado. Um empréstimo denominado em petróleo oferecido através de um mecanismo especial somente quando os preços estivessem baixos poderia aumentar os gastos quando as receitas fossem escassas e reduzi-los quando as receitas fossem abundantes.

Ao contrário de um fundo de estabilização, que detém um excedente que pode ser roubado a qualquer momento pelo governo que o estabeleceu, empréstimos estrangeiros são detidos por bancos e governos estrangeiros, tornando a inadimplência dispendiosa. De fato, Angola tem utilizado empréstimos denominados em petróleo por décadas com pouco alarde.[42] Ainda que pague um prêmio modesto por esses empréstimos - uma vez que o credor está assumindo o custo do gerenciamento da volatilidade dos preços do petróleo - encontrou bancos comerciais e governos estrangeiros dispostos a concedê-los.[43]

Em um país governado por contadores benevolentes, o problema da estabilização seria fácil de resolver. No mundo real, os planos de estabilização são geralmente ineficazes pelo comportamento automotivado dos líderes políticos. Uma estrutura institucional melhor projetada poderia ajudar a tornar a estabilização politicamente sustentável e, finalmente, mais eficaz.

Abrindo o Sigilo das Receitas do Petróleo

A maior parte do mundo do petróleo está escondido das vistas do público. Em muitos países, pouco se sabe sobre os contratos que as companhias de petróleo registram; os bônus de assinatura, os impostos, os royalties, as taxas e outros pagamentos feitos aos governos; as operações das companhias petrolíferas nacionais; o fluxo das receitas de petróleo dentro dos governos e como essas receitas são eventualmente gastas.[44] Esse sigilo ajuda autocratas a permanecer no poder, impede a resolução de guerras civis causadas pelo petróleo e torna mais difícil sanar a corrupção. A transparência, por si só, não é capaz de resolver todos esses problemas, mas pode ajudar.

A transparência recentemente ganhou atenção nos círculos políticos, embora os defensores da democracia há muito tempo reconheçam sua importância. Em 1822, James Madison escreveu em uma correspondência pessoal que "um governo popular sem informação popular, ou os meios de adquiri-la, é apenas

---

[42] Vines, Weimer e Campos, 2009.

[43] Os governos podem utilizar outros dispositivos para se proteger contra a volatilidade. Em 2008, o governo mexicano pagou US$ 1,5 bilhão para segurar-se contra a queda dos preços do petróleo; quando os preços caíram, em 2009, o Tesouro ganhou US$ 5 bilhões. Ainda assim, a compra de seguro contra a queda dos preços também implica novas despesas durante um *boom*, o que pode ser politicamente difícil. Para uma discussão sobre as obrigações de dívidas ligadas aos preços das commodities, consulte também Frankel, 2010.

[44] Gillies, 2010.

um prólogo de uma farsa ou uma tragédia, ou, talvez, ambas. O conhecimento sempre governará a ignorância: E um povo que pretende ser seu próprio governante deve armar-se com o poder que o conhecimento proporciona." [45]

Estudos recentes sugerem que, quando os governos são mais transparentes, também são propensos a ter menos corrupção, níveis mais elevados de desenvolvimento humano, disciplina fiscal mais efetiva e muitas outras qualidades desejáveis.[46] É difícil saber se a transparência causa esses resultados, mas a maioria dos observadores acredita que, em equilíbrio, a transparência promove uma melhor governança.[47]

Mesmo quando os benefícios da transparência são difíceis de medir, há uma grande vantagem. A maior parte das políticas discutidas acima – de contratos de permuta a empréstimos denominados em petróleo - tem um potencial benéfico, mas podem custar caro e carregam algum risco de fracassar. A transparência é barata de implementar e improvável de causar qualquer dano. A transparência começa com a divulgação de informações, mas não termina aí. As informações divulgadas pelos governos devem ser completas e precisas, o que significa que devem ser submetidas a auditorias independentes que também devem ser públicas. Devem estar amplamente disponíveis a baixo ou nenhum custo e devem ser apresentadas em um formato compreensível para os cidadãos comuns.

Uma imprensa livre e grupos bem informados na sociedade civil são essenciais para transformar a informação divulgada publicamente em uma ferramenta significativa para uma melhor governança dos recursos. Mesmo que esses grupos possam ter dificuldades para avaliar documentos e políticas governamentais. Muitas dimensões das técnicas de gestão de recursos são conhecidas por especialistas do setor, mas não pelo público em geral. Isso torna a educação pública um componente essencial da transparência.

Em 2009, um grupo internacional de especialistas em política lançou uma "Cartilha dos Recursos Naturais" que oferece orientações para os cidadãos e os governos que querem maximizar o uso benéfico dos recursos naturais do seu país. Não é um documento vinculativo, mas um padrão ao qual todos os países - ricos e pobres - podem aspirar. A cartilha inclui doze preceitos fundamentais que oferecem orientações sobre uma ampla gama de

---

[45] Citado em Piotrowski, 2010, 31.

[46] Bellver e Kaufmann, 2005; Hameed, 2005.

[47] Fung, Graham e Weil, 2007; Piotrowski, 2010. Para uma visão cética, que sensatamente argumenta que a transparência precisa ser complementada por outras medidas, consulte Kolstad e Wiig, 2009.

questões, incluindo se o país deve ou não extrair os recursos, como negociar contratos, como mitigar custos sociais e ambientais e como as receitas devem ser utilizadas. Usando o filtro e a divulgação do melhor conhecimento disponível, a cartilha é projetada para informar os formuladores de políticas e ajudar os cidadãos a verificar se seus governos estão cumprindo princípios reconhecidos internacionalmente - e, se não, o que deve ser mudado.[48]

Tem havido muitos progressos na transparência do setor petrolífero desde 2000, graças ao trabalho notável de ONGs em dezenas de países ricos em recursos. Os grupos principais incluem a Global Witness, uma ONG com sede em Londres que desde a década de 1990 chama a atenção para o papel dos recursos naturais em conflitos e na corrupção no mundo inteiro; uma rede global de ONGs que patrocina uma campanha chamada Publique o que Paga, que incentiva empresas do setor extrativo a revelar o que pagam aos governos e os governos a divulgar o que recebem dessas empresas; e o Revenue Watch Institute, um instituto de pesquisas políticas sem fins lucrativos que desde 2002 promove o uso do petróleo, do gás natural e dos recursos minerais para o bem público. Em 2002, o primeiro-ministro Tony Blair lançou a Extractive Industries Transparency Initiative (EITI) (Iniciativa para Transparência das Indústrias Extrativas), para incentivar os países ricos em recursos a tornarem suas receitas totalmente transparentes. Em 2007, tornou-se uma organização independente baseada em Oslo, com trinta países membros até 2010.[49]

Apesar dessas iniciativas, o mundo do petróleo ainda permanece envolto em sigilo. Dos trinta países que eram membros da EITI em 2010, apenas três (Azerbaijão, Timor-Leste e Libéria) foram certificados como "totalmente compatíveis" com as normas de transparência da organização. Seis outros - incluindo Angola, Bolívia, Chade, Guiné Equatorial, São Tomé e Trinidad – tinham deixado a EITI ou sido suspensos por descumprimento. Um estudo do Revenue Watch feito em 2010 com quarenta e um países produtores de petróleo, gás natural e minerais - alguns membros da EITI, alguns não

[48] A cartilha foi elaborada por um grupo independente de acadêmicos, advogados e profissionais organizado pelos economistas Paul Collier, Anthony Venables e Michael Spence. Eu era membro do grupo técnico que elaborou a cartilha. Para saber mais sobre ela, consulte http://www.naturalresourcecharter.org

[49] Para mais informações sobre esses grupos, consulte http://www.globalwitness.org; http://www.publishwhatyoupay.org; http://www.revenuewatch.org; http://www.eiti.org. Como se observa no prefácio, recebi uma bolsa do Revenue Watch Institute para concluir esse livro e servir em seu conselho consultivo.

- descobriu que três quartos deles forneciam apenas informações "parciais" ou "escassas" sobre suas receitas de recursos.[50]

Apesar desse progresso, o movimento pela transparência ainda tem muito trabalho à frente. A transparência não pode magicamente resolver os problemas dos países ricos em recursos, mas é, provavelmente, a maneira mais segura e mais simples de obter melhorias.

Receitas Gastas Sabiamente

Mesmo que as receitas do petróleo se tornem menores, mais estáveis e mais transparentes, os países ainda precisam decidir como gastá-las. Se forem gastas com sabedoria, elas podem contribuir para melhorias sustentáveis no bem-estar social; se não, podem desaparecer em uma nuvem de desperdício e corrupção.

Todos os países, com ou sem riqueza de recursos, enfrentam questões similares em relação aos gastos do governo. Muito do que foi aprendido com os países não produtores de petróleo sobre políticas fiscais adequadas também pode ser aplicado aos países produtores.[51] Países ricos em recursos também enfrentam alguns desafios distintos: seus governos constituem uma fração maior das suas economias; suas receitas são menos estáveis, o que tende a tornar seus gastos igualmente menos estáveis; e as receitas de recursos das quais dependem acabarão por desaparecer. Todos esses fatores tornam ainda mais crucial para os produtores de petróleo implementar políticas de gastos corretas.

A questão dos gastos do governo em economias ricas em recursos é complexa e vai além da minha experiência.[52] Deixem-me simplesmente delinear as decisões fundamentais que os países enfrentam e mencionar algumas considerações críticas. Países produtores de petróleo precisam tomar duas decisões gerais sobre como aplicar suas receitas. A primeira é quanto dinheiro deve entrar no orçamento anual e quanto deve ser reservado para o uso futuro - tanto para estabilizar a economia no curto prazo quanto para com-

---

[50] Revenue Watch Institute, 2010.

[51] Para uma depuração reflexiva dessas lições, consulte a Comissão de Crescimento e Desenvolvimento, 2008.

[52] Para discussões aprofundadas sobre as questões relevantes, consulte Humphreys, Sachs e Stiglitz, 2007; Collier, 2010; Gelb e Grasman, 2010; texto da Cartilha dos Recursos Naturais disponível em http://www.naturalresourcecharter.org.

pensar o esgotamento do petróleo a longo prazo.[53] A decisão aborda tanto questões práticas, tais como a quantidade de dinheiro que a economia pode absorver em determinado período sem acionar a sobrecarga burocrática, o desperdício e a corrupção, quanto morais, incluindo como equilibrar as necessidades da atual geração e os direitos das futuras.

Os especialistas variam nas suas recomendações. O estudo de Gelb sobre países exportadores de petróleo entre 1973 - 1981 concluiu que os países devem reservar cerca de 80% das suas receitas incrementais. Ele argumentou que sua incapacidade de poupar explica suas recessões econômicas desastrosas quando os preços caíram depois de 1980.[54] Outros advertem que os países de baixa renda podem ser prejudicados ao guardar muito, uma vez que seus melhores investimentos a longo prazo estão em suas próprias economias - na saúde e na educação de seus cidadãos, bem como na infraestrutura que pode ajudar seus setores não petrolíferos a crescer.[55]

A segunda decisão é quanto do dinheiro que entra no orçamento deve ir para o consumo e quanto deve ir para o investimento em capital físico e humano. Quanto mais pobre o país, mais as pessoas podem se beneficiar de um maior consumo: quando as pessoas não podem comer, não faz nenhum sentido poupar para o futuro. Os governos devem ter cuidado, porém, ao impulsionar o consumo. Dois dos métodos mais populares nos países produtores de petróleo têm efeitos colaterais nocivos: a redução de impostos aumenta as rendas das famílias, mas também torna as finanças do governo mais dependentes do petróleo e, portanto, mais voláteis e opacas; e o aumento de subsídios para os combustíveis é desproporcionalmente benéfico para as classes média e alta e aumenta as emissões de carbono.

Tendo ou não petróleo, altos níveis de investimento são essenciais para o desenvolvimento a longo prazo de um país. De acordo com um relatório elaborado pela Comissão de Crescimento e Desenvolvimento, "nenhum país tem crescimento rápido sustentado sem também manter impressionantes taxas de investimento público - em infraestrutura, educação e saúde."[56] Se os países produtores de petróleo querem que as futuras gerações se beneficiem

[53] Como e onde o dinheiro é guardado, se no mercado interno ou no exterior, também é uma questão crítica.

[54] Gelb e Associados, 1988.

[55] Collier, 2010.

[56] Comissão de Crescimento e Desenvolvimento, 2008, 5. Consulte também Hausmann, Rodrik e Pritchett, 2005.

da extração de recursos de hoje, devem investir ainda mais que os outros países.

As decisões de investimento do governo também podem ter um efeito poderoso sobre as disparidades de gênero. O Capítulo 4 explica que os governos de países ricos em petróleo tipicamente investem em suas economias através da construção de novas infraestruturas, que criam empregos para os homens, mas não para as mulheres, e, quando a economia é afetada pela doença holandesa, as empresas que normalmente atraem as mulheres para a força de trabalho - especialmente as empresas do setor industrial orientadas para a exportação - vão se tornando não lucrativas. Se uma economia produtora de petróleo em crescimento cria outros tipos de empregos para as mulheres, nada disso importa: os homens podem ter novos postos de trabalho na construção civil e no setor do petróleo, enquanto as mulheres podem ter novos empregos em outros setores.

Porém, como o Capítulo 4 demonstra, em muitos países - especialmente no Oriente Médio - são negados empregos no setor de serviços em expansão às mulheres, que, assim, permanecem fora da força de trabalho. Os governos podem facilmente neutralizar esse problema alocando uma parte de seus investimentos nos setores que atraem as mulheres para a força de trabalho, tais como saúde e educação – áreas que normalmente contratam uma proporção maior de mulheres - e contratando massivamente mulheres para cargos públicos.

Um certo nível de gastos com construção é valioso. Uma das primeiras prioridades deve ser investimentos na remoção de gargalos de desenvolvimento, de modo que os investimentos subsequentes sejam mais eficazes. Collier chama isso de estratégia de "investir em investir" - com foco em projetos que ajudem a reduzir o custo e aumentem a eficácia dos investimentos futuros. Isso implica o foco nos gargalos de infraestrutura e burocráticos, como deficiências na capacidade do governo para avaliar e supervisionar novos projetos e excesso de burocracia que desencoraja o investimento do setor privado. Essas reformas são difíceis de implementar quando as receitas estão crescendo, uma vez que os políticos estão muito ocupados gastando a colheita. A estratégia mais sábia é realizá-las antes que a extração comece ou quando os preços caírem, assim as receitas futuras serão melhor utilizadas.

Já descrevi algumas políticas que poderiam ajudar a restringir gastos. A adoção de uma taxa de extração mais lenta ou a distribuição de receitas diretamente aos cidadãos removeria dinheiro das mãos do governo, reduzindo sua capacidade de gastar qualquer receita inesperada. Contratos de permuta podem ajudar a vincular os governos a grandes projetos de investimento aos quais poderiam, de outra forma, faltar estabilidade financeira, capacidade administrativa ou vontade política de execução. Tomar empréstimos de estabilização quando os preços estão baixos e ter seus reembolsos denominados em barris de petróleo pode ajudar os governos a reduzir gastos excessivos quando os preços sobem.

A transparência nos gastos do governo também pode ser útil. A maioria das iniciativas relacionadas à transparência se concentram em como as receitas são coletadas, não em como elas são gastas. Infelizmente, alguns países, como o Azerbaijão, tornaram-se modelos de transparência das receitas, mas mantiveram seus gastos opacos. Um estudo de 2010 descobriu que 74 dos 94 países pesquisados tiveram orçamentos nacionais que falharam em atender aos padrões básicos de transparência e prestação de contas. Os países produtores de petróleo e gás natural estão entre os mais opacos. Argélia, Camarões, Chade, Guiné Equatorial, Iraque e Arábia Saudita não publicaram virtualmente nenhuma informação sobre seus orçamentos.[57]

A transparência das despesas pode ser ainda mais importante do que a transparência das receitas: quanto mais os cidadãos souberem sobre como seu dinheiro é alocado, menos provável é que os fundos sejam perdidos para a corrupção. Felizmente, um número crescente de ONGs no mundo em desenvolvimento assumiu a causa da transparência do orçamento e dos gastos. De acordo com o International Budget Partnership,

- Na Índia, Mazdoor Kisan Shakarti Sangathan, uma organização de pequenos agricultores e trabalhadores, tem reunido informações sobre o orçamento, tais como folhas de pagamento falsificadas e pagamentos para trabalhos nunca realizados, para desvendar a corrupção.
- Por insistência da Uganda Debt Network, que monitora os gastos locais, funcionários de Uganda identificaram obras precárias na construção de escolas e provas de corrupção pelas autoridades locais.
- Nas Filipinas, uma ONG chamada Vigie o Governo tem usado informações do orçamento para monitorar o fornecimento de manuais escolares, a construção de novas escolas e de outras infraestruturas, bem como a distribuição de fundos de emergência para desastres.

[57] International Budget Partnership (Parceria Internacional do Orçamento), 2010. Consulte também seu relatório, disponível em http://www.internationalbudget.org.

> Trabalhando com outros grupos, seus esforços têm reduzido drasticamente os gastos e melhorado a qualidade e a entrega de livros didáticos.[58]

Embora a questão dos gastos do governo seja intrinsecamente complexa, alguns passos simples, como segmentação de gênero, investir em investir e maior transparência, podem ajudar a melhorar a qualidade dos programas do governo.

O que os países importadores devem fazer?

A maldição dos recursos começa nos países consumidores de petróleo, uma vez que é o seu dinheiro que inunda os produtores de petróleo. Há relativamente pouco que eles possam fazer para mudar a natureza não tributária dessas receitas. Também não conseguirão ter muito impacto sobre a estabilidade das receitas. Esforços multilaterais nas décadas de 1960 e 1970 para estabilizar os preços mundiais das commodities, sob os auspícios da Conferência das Nações Unidas sobre Comércio e Desenvolvimento, falharam totalmente e não devem ser cogitados novamente no futuro previsível. Afetar a maneira com que os países produtores de petróleo gastam suas receitas é ainda mais difícil. Os esforços do Banco Mundial entre 2000 e 2008 para obrigar o governo do Chade a gerir suas receitas de petróleo de forma transparente e gastá-las em programas de redução da pobreza também terminaram em fracasso.[59]

Os países importadores de petróleo podem afetar, no entanto, o tamanho e o sigilo das receitas que fluem para os governos exportadores de petróleo. A prioridade deve ser reduzir o consumo e as importações de petróleo. Em um nível global, isso não vai ser fácil: se as leis e as políticas atuais permanecerem inalteradas, o mercado mundial de petróleo e outros combustíveis líquidos aumentará de 86,1 milhões de barris por dia em 2007 para 110 milhões de barris por dia em 2035; o mercado de gás natural vai aumentar de 108 para 156 trilhões de pés cúbicos. A expectativa é que 84% desses aumentos venham de fora da Europa e da América do Norte, especialmente da China e da Índia.[60] Esses números poderiam ser drasticamente alterados por mudanças nas políticas e na tecnologia e por melhorias inesperadas ou declínios na economia mundial. Ainda assim, até o empurrão mais agressivo em direção a tecnologias de energia alternativas levará décadas para ter algum efeito.

---

[58] International Budget Partnership, 2008. Consulte também Reinikka e Svensson, 2004.

[59] Frank e Guesnet, 2010.

[60] Energy Information Administration, 2010.

Alternativamente, os consumidores de petróleo poderiam reduzir as receitas da maioria dos países produtores de petróleo repreensíveis sendo mais seletivos em suas compras de petróleo e gás natural. O filósofo Leif Wenar assinala que, quando os países exportadores de petróleo têm altas taxas de corrupção e governos não democráticos, os líderes políticos em vigor roubam as receitas de recursos que pertencem aos seus cidadãos. Isso implica que, quando comprar seu petróleo, está comprando bens roubados. Wenar argumenta que esses bens fluem através do sistema de comércio global ao abrigo de uma regra que é pouco mais do que um disfarce para o furto... O sistema de comércio internacional rompe a primeira regra do capitalismo no transporte de bens roubados e o faz em uma escala enorme. A prioridade na reforma do comércio global não é substituir o "livre comércio" por "comércio justo". A prioridade é criar comércio onde hoje há roubo.[61]

Será que as sanções econômicas trazem uma melhor governança aos países produtores de petróleo? A campanha contra os diamantes de conflito - diamantes usados para financiar guerras civis - foi surpreendentemente eficaz. Em meados da década de 1990, 15% do comércio mundial de diamantes era negociado com diamantes de conflito, que estavam ajudando fundos de guerra em seis países africanos. Em 2006, os diamantes de conflito não constituíam mais do que 1% do comércio de diamantes, e todos os seis conflitos haviam terminado - graças em parte às sanções impostas pelo Conselho de Segurança das Nações Unidas e executadas por uma coalizão incomum de governos, ONGs e grandes comerciantes de diamantes, trabalhando através de um acordo conhecido como o "Processo de Kimberley".

As sanções contra os países produtores de petróleo têm sido menos eficazes. Países párias ricos em petróleo, como Irã, Sudão, Mianmar e Líbia nas décadas de 1980 e 1990, foram capazes de vender petróleo suficiente para manter seus regimes no poder. Mesmo sanções internacionais aprovadas pelo Conselho de Segurança da ONU podem ser insuficientes. As graves restrições impostas às vendas de petróleo do Iraque entre 1990 e 2003 pareceram ter tido pouco efeito sobre as políticas ou o poder de Hussein. A forte procura por novas fontes de petróleo faz com que sanções específicas se tornem ferramentas políticas relativamente fracas.[62]

[61] Wenar, 2008, 2.

[62] Wenar (ibid.) sugere uma maneira intrigante de tornar as sanções mais eficazes: os importadores de petróleo poderiam cessar a compra de recursos de países não democráticos e impor tarifas altas a outros países que continuassem comprando deles. O dinheiro arrecadado com essas tarifas seria

No mínimo, os importadores de petróleo devem parar de financiar conflitos, tornando ilegal para seus cidadãos comprar petróleo de concessões vendidas por grupos insurgentes ou seus agentes. A insurreição no Congo-Brazzaville em 1997 e 2004 e a tentativa de golpe na Guiné Equatorial foram, ambas, financiadas por investidores que esperavam ganhar contratos de petróleo quando os rebeldes tomassem o governo. Rebeldes e gangues de criminosos roubam grandes quantidades de petróleo no delta do Níger todos os dias e, em seguida, o enviam para o exterior. A proibição desses tipos de compras poderia ajudar a prevenir a violência no futuro.

Talvez os países importadores de petróleo possam ter um impacto maior através da transparência. O dinheiro que os consumidores enviam aos países produtores de petróleo ajuda a capacitar seus governos; a divulgação de informações sobre o dinheiro ajudaria a capacitar seus cidadãos. Na maioria dos países ocidentais, os consumidores podem descobrir de onde suas roupas, carros e computadores vêm ao olhar os rótulos. Se eles estão comprando algo de alto valor, como commodities internacionalmente comercializadas como café ou vinho, muitas vezes podem identificar a província ou a colina onde seus ingredientes foram cultivados. No entanto, eles não sabem nada sobre a fonte da gasolina que compram. As empresas de energia poderiam mudar isso "divulgando o que bombeiam" e revelando o país de origem do petróleo que vendem. Isso ajudaria a tornar os consumidores conscientes das consequências de suas compras. Também encorajaria as empresas de energia a serem mais seletivas em suas transações e até mesmo a ajudar na melhoria das condições nos países em que operam.

Empresas de energia internacionais também devem divulgar todos os pagamentos que fazem para os governos dos países produtores de petróleo. Até agora, as empresas têm conseguido evitar essas divulgações, fazendo o possível para que governos ricos em petróleo mantenham suas finanças em segredo. Em julho de 2010, os Estados Unidos deram um passo importante em direção à transparência quando o Congresso aprovou a legislação, como parte da Dodd-Frank Wall Street Reform e do Consumer Protection Act, que obriga as empresas listadas na New York Stock Exchange (Bolsa de Valores de Nova York) a revelar esses pagamentos.[63] Outros governos deveriam seguir o exemplo.

---

alocado em um fundo fiduciário a ser pago a um governo democraticamente eleito que substituísse o regime visado. William Kaempfer, Anton Lowenberg e William Mertens (2004) afirmam que as sanções econômicas podem sair pela culatra, fortalecendo a permanência de um autocrata no poder.

[63] Para uma análise jurídica da nova lei, consulte Firger, 2010.

Governos produtores de petróleo que querem permanecer opacos sempre podem vender seu petróleo a empresas de países menos transparentes, como China, Malásia e Rússia. Mas, mesmo nesses países, as reformas são possíveis. O International Accounting Standards Board, com sede em Londres, estabelece normas de contabilidade globais. Mais de 120 países, hoje, exigem ou permitem que as empresas que operam em seu solo usem esses padrões ao emitir declarações financeiras. Atualmente, esses padrões permitem às empresas de mineração e de petróleo evitar a divulgação de pagamentos a governos específicos. Adotar reformas que tragam maior transparência ao setor do petróleo poderia ter um efeito de longo alcance.

Desde a turbulência nos mercados de energia do mundo na década de 1970, os países produtores de petróleo tiveram menos democracia, menos oportunidades para as mulheres, guerras civis mais frequentes e um crescimento econômico mais volátil do que o resto do mundo, especialmente no mundo em desenvolvimento. Mas a geologia não é determinante. O petróleo tornou-se uma maldição porque as receitas que ele gera para os governos são anormalmente vultuosas, não são oriundas da tributação dos cidadãos, flutuam de forma imprevisível e são fáceis de esconder do escrutínio público. A maioria dessas características pode ser alterada - pelos cidadãos, pelos governos, por instituições internacionais e até mesmo pelos consumidores dos países importadores de petróleo. As consequências da riqueza petrolífera são diferentes hoje do que eram no passado e podem muito bem mudar no futuro - talvez para melhor.

Para maiores informações e referências bibliográficas,
consulte: www.citadeleditora.com.br